Modernidade e Holocausto

Obras de Zygmunt Bauman:

- 44 cartas do mundo líquido moderno
- Amor líquido
- Aprendendo a pensar com a sociologia
- A arte da vida
- Babel
- Bauman sobre Bauman
- Capitalismo parasitário
- Cegueira moral
- Comunidade
- Confiança e medo na cidade
- A cultura no mundo líquido moderno
- Danos colaterais
- Em busca da política
- O elogio da literatura
- Ensaios sobre o conceito de cultura
- Estado de crise
- Estranhos à nossa porta
- A ética é possível num mundo de consumidores?
- Europa
- Globalização: as consequências humanas
- Identidade
- A individualidade numa época de incertezas
- Isto não é um diário
- Legisladores e intérpretes
- Mal líquido
- O mal-estar da pós-modernidade
- Medo líquido
- Modernidade e ambivalência
- Modernidade e Holocausto
- Modernidade líquida
- Nascidos em tempos líquidos
- Para que serve a sociologia?
- O retorno do pêndulo
- Retrotopia
- A riqueza de poucos beneficia todos nós?
- Sobre educação e juventude
- A sociedade individualizada
- Tempos líquidos
- Vida a crédito
- Vida em fragmentos
- Vida líquida
- Vida para consumo
- Vidas desperdiçadas
- Vigilância líquida

Zygmunt Bauman

Modernidade e Holocausto

Tradução:
Marcus Penchel

ZAHAR

Grafia atualizada segundo o Acordo Ortográfico da Língua Portuguesa de 1990, que entrou em vigor no Brasil em 2009.

Tradução autorizada da quarta edição inglesa publicada em 1996 por Polity Press, de Oxford, Inglaterra

Título original
Modernity and the Holocaust

Capa
Carol Sá
Sérgio Campante

CIP-Brasil. Catalogação na fonte
Sindicato Nacional dos Editores de Livros, RJ

Bauman, Zygmunt, 1925-2017
B341m Modernidade e holocausto / Zygmunt Bauman; tradução Marcus Penchel.
— 1ª ed. — Rio de Janeiro: Zahar, 1998.

Tradução de: Modernity and the holocaust
ISBN 978-85-7110-483-9

1. Holocausto judeu (1939-1945). 2. Holocausto judeu (1939-1945) — Aspectos sociológicos. 3. Civilização moderna. I. Título.

CDD: 940.5472
98-1634 CDU: 940.53

EDITORA SCHWARCZ S.A.
Praça Floriano, 19, sala 3001 – Cinelândia
20031-050 – Rio de Janeiro – RJ
Telefone: (21) 3993-7510
www.companhiadasletras.com.br
www.blogdacompanhia.com.br
facebook.com/editorazahar
instagram.com/editorazahar
twitter.com/editorazahar

Para Janina e todos os outros
que sobreviveram para contar a verdade

Enquanto escrevo, seres humanos altamente civilizados estão sobrevoando, tentando matar-me. Não sentem qualquer inimizade por mim como indivíduo, nem eu por eles. Estão apenas "cumprindo o seu dever", como se diz. Na maioria, não tenho dúvida, são homens bondosos e cumpridores das leis, que na vida privada nunca sonhariam em cometer assassinato. Por outro lado, se um deles conseguir me fazer em pedaços com uma bomba bem lançada, não vai dormir mal por causa disso. Está servindo ao seu país, que tem o poder de absolvê-lo do mal.

George Orwell, *Inglaterra, tua Inglaterra* (1941)

Nada é tão triste quanto o silêncio.

Leo Baeck, presidente do Reichsvertretung
der deutschen Juden, 1933-43

É do nosso interesse que a grande questão histórica e social — como isso pôde acontecer? — preserve todo o seu peso, toda a sua crueza e desolação, todo o seu horror.

Gershom Scholem, opondo-se à execução de Eichmann

Sumário

Prefácio

Depois de escrever a história pessoal da vida que passou no gueto e escondida, Janina agradeceu o marido — eu — por ter aguentado sua prolongada ausência durante os dois anos que levou nesse trabalho, quando habitou de novo aquele mundo "que não foi o dele". Com efeito, escapei daquele mundo de horror e desumanidade quando este alcançou os pontos mais remotos da Europa. E, como muitos dos meus contemporâneos, nunca tentei explorá-lo depois que desapareceu da face da Terra, deixando-o ficar na lembrança assombrada e nas feridas jamais cicatrizadas daqueles que destituiu ou feriu.

Sabia, claro, do Holocausto. Partilhava uma imagem do Holocausto com tantas outras pessoas da minha geração e das gerações mais novas: um crime horrendo perpetrado por gente iníqua contra inocentes. Um mundo dividido entre assassinos loucos e vítimas indefesas, com muitos outros ajudando as vítimas quando podiam, mas a maior parte do tempo incapazes de ajudar. Nesse mundo, os assassinos assassinavam porque eram loucos, cruéis e obcecados por uma ideia louca e depravada. As vítimas iam para o matadouro porque não eram páreo para o inimigo poderoso armado até os dentes. O resto do mundo só podia assistir, atordoado e agoniado, sabendo que apenas a vitória final dos exércitos aliados contra o nazismo poria fim ao sofrimento humano. Sabendo tudo isso, minha imagem do Holocausto era como um quadro na parede: bem emoldurado para fazer a separação entre a pintura e o papel de parede e ressaltar como diferia do resto da mobília.

Depois de ler o livro de Janina, comecei a pensar em como eu desconhecia os fatos — ou melhor, em como não pensava direito sobre eles. E me ocorreu que realmente não compreendia o que acontecera naquele "mundo que não foi o meu". O que de fato ocorreu era complicado demais para ser explicado daquela forma simples e intelectualmente confortável que eu ingenuamente achava suficiente. Percebi que o Holocausto foi não apenas sinistro e horrendo, mas também absolutamente nada fácil de compreender em termos habituais, "comuns". Foi escrito em seu próprio código, que tinha de ser decifrado primeiro para tornar possível a compreensão.

Queria que os historiadores, cientistas sociais e psicólogos lhe dessem um sentido e o explicassem para mim. Vasculhei estantes que nunca tinha examinado antes nas bibliotecas e as encontrei atulhadas, transbordando de estudos históricos meticulosos e tratados teológicos profundos. Havia também alguns estudos sociológicos, pesquisados com talento e escritos de forma pungente. As provas reunidas pelos historiadores eram esmagadoras em volume e conteúdo. E suas análises, profundas e irrefutáveis. Mostravam de forma razoavelmente indubitável que o Holocausto era uma janela, mais do que um quadro na parede. Olhando por essa janela, pode-se ter um raro vislumbre de coisas de outro modo invisíveis. E as coisas que se pode ver são da máxima importância não apenas para os que perpetraram o crime, para suas vítimas e testemunhas, mas para todos aqueles que estão vivos hoje e esperam estar vivos amanhã. Não achei nada agradável o que vi dessa janela. Quanto mais deprimente a vista, porém, tanto mais convencido fiquei de que recusar-se a olhar seria temerário para quem o fizesse.

E no entanto eu não havia olhado por essa janela antes e, não olhando, não diferia dos meus colegas sociólogos. Como a maioria dos meus colegas, supunha que o Holocausto era, no máximo, algo a ser esclarecido por nós, cientistas sociais, mas certamente não algo que pudesse esclarecer os objetos de nossas preocupações correntes. Acreditava (mais por omissão que por deliberação) que o Holocausto fora uma interrupção do curso normal da história, um câncer no corpo da sociedade civilizada, uma loucura momentânea num contexto de sanidade. Assim, podia pintar para meus alunos o quadro de uma sociedade normal, sadia, deixando a história do Holocausto para os patologistas profissionais.

Minha complacência, como a dos meus colegas sociólogos, era em muito explicada (mas não desculpada) por certas formas de apropriação e exibição da memória do Holocausto. Sedimentou-se com frequência na mente das pessoas que essa foi uma tragédia ocorrida com os judeus e apenas com os judeus, de modo que, no que concerne a todos os demais, eram chamados a lamentar, a ter compaixão, talvez a se desculpar, mas não muito mais que isso. Comumente foi descrita tanto por judeus quanto não judeus como propriedade (única e) coletiva dos judeus, como algo a ser deixado com ou zelosamente guardado por aqueles que escaparam de morrer fuzilados ou asfixiados nas câmaras de gás e os descendentes dos que foram fuzilados ou asfixiados. No fim, ambas as visões — a de "fora" e a de "dentro" — complementam-se. Alguns que se autonomearam porta-vozes dos mortos chegaram ao ponto de alertar contra ladrões em conluio para roubar o Holocausto dos judeus, "cristianizá-lo" ou simplesmente dissolver seu caráter exclusivamente judeu na miséria de uma indistinta "humanidade". O Estado judeu tentou usar a trágica memória como um certificado de sua legitimidade política, um salvo-conduto para suas decisões políticas passadas e futuras e, sobretudo, como pagamento adiantado pelas injustiças que pudesse por sua vez vir a cometer. Cada uma dessas visões, com suas razões específicas, contribuiu para arraigar na consciência pública uma imagem do Holocausto como assunto exclusivamente judeu, de pouco significado para quem mais seja (incluindo o próprio judeu como ser humano) obrigado a viver nos tempos modernos e fazer parte da sociedade moderna. Só recentemente um lampejo de um amigo sábio e atento revelou-me até que ponto o significado do Holocausto foi perigosamente reduzido ao de um trauma e agravo privativos de uma nação. Queixei-me com ele de que não havia encontrado na sociologia muita evidência de conclusões de importância universal tiradas da experiência do Holocausto. "Não é espantoso", replicou, "levando em conta quantos sociólogos judeus existem?"

As pessoas leem sobre o Holocausto em datas comemorativas celebradas diante de públicos eminentemente judeus e reportadas como eventos na vida das comunidades judaicas. As universidades criaram cursos especiais sobre a história do Holocausto, ministrados à parte dos cursos normais de história geral. O Holocausto foi definido por muitos como um tópico especializado da história judaica. Fez seus próprios especialistas, profissionais que se reúnem e dão conferências uns para os outros em congressos e simpósios de especialistas. Sua impressionante produção, de crucial importância, raramente faz, no entanto, o percurso de volta à corrente central da disciplina acadêmica e da vida cultural em geral — como acontece com a maior parte dos interesses especializados no nosso mundo de especialistas e especializações.

Quando de algum modo consegue percorrer esse caminho, o mais das vezes é admitida no grande palco sob uma forma saneada, esterilizada e assim, em última análise, desmobilizante e consoladora. Respondendo de forma agradável à mitologia pública, pode abalar a indiferença à tragédia humana, mas dificilmente demove as pessoas de uma atitude complacente — como a telenovela americana *Holocausto*, que mostrou doutores bem-educados e suas famílias (exatamente como os vizinhos do leitor no Brooklyn), dignos, honrados e de moral ilibada, sendo levados para a câmara de gás pelos nazistas degenerados e revoltantes com a ajuda de camponeses eslavos incultos e sedentos de sangue. David G. Roskies, estudioso perspicaz das reações judaicas ao Apocalipse e com profunda empatia, destacou o silencioso mas infatigável trabalho de autocensura — as "cabeças curvadas para o chão" da poesia do gueto substituída nas edições posteriores por "cabeças erguidas na fé". Diz Roskies: "Quanto mais o cinza fosse eliminado, mais o Holocausto como arquétipo poderia adquirir seus contornos específicos. Os mortos judeus eram absolutamente bons, os nazistas e seus colaboradores, absolutamente maus."[1] Ouviu-se um coro de sentimentos ofendidos contra Hannah Arendt quando ela sugeriu que as vítimas de um regime desumano deviam ter perdido algo de sua humanidade no caminho para a perdição.

O Holocausto foi de fato uma *tragédia judaica*. Embora os judeus não tenham sido a única população submetida a "tratamento especial" pelo regime nazista (seis milhões de judeus estavam entre as mais de 20 milhões de pessoas aniquiladas a mando de Hitler), só os judeus foram marcados para o extermínio, a destruição total, e não tinham lugar reservado na Nova Ordem que Hitler pretendia instaurar. Mesmo assim, o Holocausto não foi simplesmente um *problema judeu* nem fato da *história judaica* apenas. *O Holocausto nasceu e foi executado na nossa sociedade moderna e racional, em nosso alto estágio de civilização e no auge do desenvolvimento cultural humano, e por essa razão é um problema dessa sociedade, dessa civilização e cultura.* A autocura da memória histórica que se processa na consciência da sociedade moderna é por isso mais do que uma indiferença ofensiva às vítimas do genocídio. É também um sinal de perigosa cegueira, potencialmente suicida.

O processo de autocura não significa necessariamente que o Holocausto desapareceu completamente da memória. Há muitos sinais do contrário. À parte umas poucas vozes revisionistas que negam a realidade dos fatos (e que parecem apenas, ainda que inadvertidamente, aumentar a consciência pública do Holocausto através das manchetes sensacionalistas que suscitam), a crueldade do Holocausto e seu impacto sobre as vítimas (particularmente as sobreviventes) ocupam um lugar cada vez maior entre os assuntos de interesse público. Histórias do gênero tornaram-se quase subtramas obrigatórias — ainda que no geral secundárias — em filmes de TV, no cinema e nos romances. E no entanto há pouca dúvida de que o processo de autocura de fato tem lugar — de duas formas entrelaçadas.

Uma é forçando a história do Holocausto a assumir o status de indústria especializada com seus próprios institutos científicos, suas próprias fundações e seu circuito de conferências. Um efeito comum e bem conhecido da subdivisão das disciplinas acadêmicas é que a ligação das novas especialidades com a área central de pesquisa se torna tênue; a corrente central é pouco afetada pelas preocupações e descobertas dos novos especialistas e em breve, também, pela linguagem e imagens peculiares que criam. O mais das vezes, a subdivisão significa que os interesses acadêmicos delegados a instituições especializadas são assim eliminados do cânone central da disciplina; são, por assim dizer, particularizados e marginalizados, despojados na prática, senão necessariamente na teoria, de significado mais geral; assim a corrente acadêmica central é eximida de maiores preocupações com eles. E dessa forma vemos que enquanto o volume, a profundidade e a qualidade acadêmica das obras especializadas sobre a história do Holocausto crescem num ritmo impressionante, o mesmo não acontece com o espaço e atenção a ela dedicados em textos gerais de história moderna; quando nada, é mais fácil agora ser excusado de uma análise substancial do Holocausto apondo-se uma lista consideravelmente longa de referências acadêmicas.

Outra forma do processo é o já mencionado saneamento das imagens do Holocausto sedimentadas na consciência popular. A informação pública sobre o Holocausto associou-se com bastante frequência a cerimônias comemorativas e às solenes homilias a que tais cerimônias convidam e que legitimam. Ocasiões desse tipo, por mais importantes sob outros aspectos, dão pouca margem a análises em profundidade da experiência do Holocausto — e em especial de seus aspectos mais perturbadores e menos visíveis. Menos ainda dessa análise já limitada encontra lugar na consciência pública, servida pelos meios de informação não especializados de acesso geral.

Quando o público é chamado a pensar na questão mais aterradora — como foi possível tamanho horror? Como isso pôde acontecer bem no coração da região mais civilizada do mundo? — sua tranquilidade e equilíbrio mental raramente são perturbados. Discussões de culpa passam por análise das causas, elidindo-a; as raízes do horror, dizem, devem ser procuradas e serão encontradas na obsessão de Hitler, na subserviência dos seus capangas, na crueldade dos seus seguidores e na corrupção moral semeada por suas ideias; talvez, se procurarmos um pouco além, possam ser encontradas também em certos aspectos peculiares da história alemã ou na particular indiferença moral do alemão comum — atitude que nada tem de espantosa face ao seu aberto ou latente antissemitismo. O que na maioria das vezes se segue ao chamado para "tentar compreender como tais coisas foram possíveis" é uma ladainha de revelações sobre o odioso Estado chamado Terceiro Reich, sobre a bestialidade nazista e outros aspectos da "doença alemã" que, acreditamos e somos instigados a continuar acreditando, "vai contra a índole do planeta".[2] Dizem também que somente quando tivermos plena consciência das bestialidades do nazismo e suas causas "será um dia possível, senão curar, pelo menos cauterizar a ferida que o nazismo fez na civilização ocidental".[3] Uma das interpretações possíveis (não necessariamente pretendida pelos defensores) desses e de outros pontos de vista semelhantes é de que, uma vez estabelecida a responsabilidade moral e material da Alemanha, dos alemães e dos nazistas, a procura das causas estará concluída. Como o próprio Holocausto, suas causas foram confinadas num espaço e num tempo limitados (este agora, felizmente, passado).

No entanto, esse exercício de explicar o crime por sua *germanidade* é um exercício que absolve todos os demais e, em particular, *tudo* o mais nele envolvidos. A implicação de que os que perpetraram o Holocausto foram uma ferida ou uma doença de nossa civilização — e não seu horrendo mas legítimo produto — resulta não apenas no conforto moral da autoabsolvição, mas também na terrível ameaça do desarmamento moral e político. Tudo aconteceu "lá" — em outra época, em outro país. Quanto mais culpáveis forem "eles", mais seguros estaremos "nós" e menos teremos que fazer para defender essa segurança. Uma vez que a atribuição de culpa for considerada equivalente à identificação das causas, a inocência e sanidade do modo de vida de que tanto nos orgulhamos não precisam ser colocadas em dúvida.

O efeito geral é, paradoxalmente, o de tirar o espinho da memória do Holocausto. Silencia-se, deixa-se de ouvir, mantém-se confinada a mensagem contida no Holocausto sobre o nosso atual modo de vida — sobre a qualidade das instituições em que confiamos para nossa segurança, sobre a validade dos critérios com os quais medimos a adequação de nossa conduta e dos modelos de interação que consideramos e aceitamos como normais. Se emitida pelos especialistas e discutida dentro do circuito de conferências, essa mensagem dificilmente chega porém a alguma outra parte e permanece um mistério para todos os de fora. Ainda não penetrou (pelo menos de forma séria) a consciência contemporânea. Pior ainda, sequer afetou a prática contemporânea.

Este estudo pretende ser uma pequena e modesta contribuição ao que se afigura, nessas circunstâncias, uma tarefa de há muito exigida e de formidável importância política e cultural; qual seja a de trazer as lições sociológicas, psicológicas e políticas do Holocausto à autoconsciência e à prática das instituições e dos membros da sociedade contemporânea. Este estudo não oferece um novo relato da história do Holocausto; nesse ponto, baseia-se inteiramente nos espantosos feitos da pesquisa especializada mais recente, que fiz o máximo para aproveitar, contraindo uma dívida imensa. Ele focaliza, em vez disso, as revisões em várias áreas bem centrais das ciências sociais (e possivelmente também das práticas sociais) que se fizeram necessárias em vista dos processos, tendências e potenciais ocultos revelados durante o Holocausto. *O propósito das várias investigações do presente estudo não é acrescentar conhecimento especializado e enriquecer certas preocupações marginais dos cientistas sociais, mas abrir as descobertas dos especialistas para o uso geral da ciência social, interpretá-las de uma forma que mostre sua relevância para os principais temas da investigação sociológica, realimentar com elas o eixo maior da nossa disciplina* e assim retirá-las de seu atual status marginal, elevando-as ao centro da teoria e prática sociológicas.

O capítulo 1 é um levantamento geral das respostas sociológicas (ou melhor, da evidente escassez de tais respostas) a certas questões teoricamente cruciais e praticamente vitais colocadas pelos estudos do Holocausto. Algumas dessas questões são então analisadas em separado e de forma mais profunda em capítulos subsequentes. Assim, nos capítulos 2 e 3 são investigadas as tensões surgidas com a tendência do traçado de fronteiras nas novas condições de modernização, a ruptura da ordem tradicional, o fortalecimento dos Estados nacionais modernos, as ligações entre certos atributos da civilização moderna (com destaque para o papel do discurso científico na legitimação de ambições de planejamento social), o surgimento da forma racista de antagonismo comunitário e a associação entre racismo e projetos genocidas. Tendo assim proposto que o Holocausto foi um fenômeno caracteristicamente moderno que não pode ser compreendido fora do contexto das tendências culturais e realizações técnicas da modernidade, tento no capítulo 4 atacar o problema da mistura verdadeiramente dialética de singularidade e normalidade do status ocupado pelo Holocausto entre os fenômenos modernos; sugiro na conclusão que *o Holocausto foi produto de um choque único de fatores em si mesmo bastante comuns e ordinários; e que em grande parte se poderia culpar, pela possibilidade de tal choque, a emancipação do Estado político, com seu monopólio dos meios de violência e suas audaciosas ambições manipuladoras, face ao controle social — como resultado do desmantelamento passo a passo de todas as fontes não políticas de poder e todas as instituições de autogestão social.*

O capítulo 5 empreende a tarefa inglória e penosa de analisar uma dessas coisas que caprichosamente "preferimos deixar de lado"[4]: os modernos mecanismos que possibilitam a cooperação das vítimas em sua própria vitimação e aqueles que, ao contrário dos louvados efeitos dignificantes e moralizadores do processo civilizador, condicionam um impacto progressivamente desumanizante da autoridade coercitiva. Uma das "modernas conexões" do Holocausto, sua íntima ligação com o modelo de autoridade desenvolvido à perfeição na burocracia moderna, é o tema do capítulo 6 — um comentário ampliado das experiências sociopsicológicas cruciais realizadas por Milgram e Zimbardo. O capítulo 7, como síntese teórica e conclusão, examina o status atual da moralidade nas versões dominantes da teoria social e argumenta em prol de uma revisão radical — que se concentraria na capacidade revelada para a manipulação social do isolamento social (físico e espiritual).

Apesar de sua diversidade de temas, espero que todos os capítulos apontem na mesma direção e reforcem a mensagem central. *Todos são argumentos para que se assimilem as lições do Holocausto na corrente central de nossa teoria da modernidade e do processo civilizador e seus efeitos*. Todos derivam da convicção de que a experiência do Holocausto contém informação crucial sobre a sociedade da qual somos membros.

O Holocausto foi um choque único entre as velhas tensões que a modernidade ignorou, negligenciou ou não conseguiu resolver e os poderosos instrumentos de ação racional e efetiva que o próprio desenvolvimento moderno fez surgir. Mesmo que seu choque tenha sido único e exigisse uma rara combinação de circunstâncias, os fatores que se reuniram nesse encontro eram, e ainda são, onipresentes e "normais". Não se fez o suficiente depois do Holocausto para sondar o potencial medonho desses fatores e menos ainda para impedir seus efeitos potencialmente aterradores. Creio que muito mais pode ser feito — e certamente deve ser feito — nos dois sentidos.

Quando escrevia este livro, fui grandemente beneficiado pela crítica e os conselhos de Bryan Cheyette, Shmuel Eisenstadt, Ferenc Fehèr, Agnes Heller, Lukasz Hirszowicz e Victor Zaslavsky. Espero que eles encontrem nestas páginas mais que uma evidência marginal de suas ideias e inspiração. Contraí uma dívida especial para com Anthony Giddens, pela leitura atenta das sucessivas versões do livro, a crítica equilibrada e conselhos os mais valiosos. A David Roberts minha gratidão por todo o seu cuidado e paciência editorial.

Nota ao leitor

Esta edição traz um apêndice intitulado "Manipulação social da moralidade". Trata-se do texto do discurso proferido pelo autor ao receber o Prêmio Amalfi 1989 de Sociologia e Teoria Social por este livro.

1

Introdução

A sociologia depois do Holocausto

A civilização hoje inclui campos de extermínio e Muselmänner *entre os seus produtos materiais e espirituais.*

Richard Rubenstein e John Roth, *Approaches to Auschwitz*

Há duas maneiras de subestimar, desdenhar e se equivocar no julgamento da importância do Holocausto para a sociologia como teoria da civilização, da modernidade, da civilização moderna.

Uma é apresentar o Holocausto como algo que aconteceu aos judeus, como um evento da história *judaica*. Isso torna o Holocausto único, confortavelmente atípico e sociologicamente inconsequente. O exemplo mais comum dessa maneira de ver o Holocausto é sua apresentação como ponto culminante do antissemitismo cristão-europeu — um fenômeno único em si mesmo, sem nada comparável no vasto e denso inventário de preconceitos e agressões étnicos ou religiosos. Dentre todos os demais casos de antagonismo coletivo, o antissemitismo é único por sua sistematicidade sem precedentes, por sua intensidade ideológica, por sua disseminação supranacional e supraterritorial, pela mistura singular de fontes e tributários locais e ecumênicos. Enquanto definido, por assim dizer, como a continuação do antissemitismo por outros meios, o Holocausto parece ser um "conjunto unitário", um episódio único, que talvez lance alguma luz sobre a *patologia* da sociedade em que ocorreu mas que dificilmente acrescenta algo à nossa compreensão do estado *normal* dessa sociedade. Menos ainda exige uma revisão significativa da compreensão ortodoxa da tendência histórica da modernidade, do processo civilizador, dos tópicos constitutivos da investigação sociológica.

Outra maneira de apresentar o Holocausto — aparentemente apontando em direção oposta, mas levando na prática ao mesmo resultado — é como um caso extremo de uma ampla e conhecida categoria de fenômenos sociais, categoria seguramente abominável e repulsiva, mas com a qual podemos (e devemos) conviver. Devemos conviver com ela por causa de sua capacidade de recuperação e onipresença, mas acima de tudo porque a sociedade moderna tem sido desde o início, é e continuará sendo uma organização destinada a desenrolá-la e exibi-la por completo. Assim o Holocausto é classificado como mais um item (embora de destaque) numa ampla categoria que abarca muitos casos "semelhantes" de conflito, preconceito ou agressão. Na pior das hipóteses, o Holocausto é atribuído a uma predisposição "natural", primitiva e culturalmente inextinguível da espécie humana — a agressão instintiva de Lorenz ou o fracasso do neocórtex, na definição de Arthur Koestler, em controlar a parte antiga do cérebro, dominada pelas emoções.[1] Como pré-sociais e imunes à manipulação cultural, fatores responsáveis pelo Holocausto são efetivamente removidos da área de interesse sociológico. Na melhor das hipóteses, o Holocausto é colocado na categoria mais sinistra e aterradora — embora ainda assimilável teoricamente — do genocídio; ou então simplesmente dissolvido na ampla e conhecidíssima categoria da opressão ou perseguição étnica, cultural ou racial.[2]

Seja qual for a visão adotada, os efeitos são exatamente os mesmos. O Holocausto é desviado para a corrente familiar da história:

> Quando visto dessa maneira e acompanhado da adequada menção de outros horrores históricos (as cruzadas religiosas, a matança dos hereges albigenses, a dizimação dos armênios pelos turcos e mesmo a invenção britânica dos campos de concentração durante a Guerra dos Bôeres), é um bocado conveniente ver o Holocausto como "único" — porém, afinal de contas, normal.[3]

Ou então fazem remontar as origens do Holocausto a fatos mais do que conhecidos: os séculos de guetos, discriminação legal, pogroms e perseguição dos judeus na Europa cristã — dessa forma apresentando-o como uma consequência pavorosamente única mas absolutamente lógica do ódio étnico e religioso. De uma maneira ou de outra, a bomba é desarmada; nenhuma revisão importante é de fato necessária a essa interpretação; nossas visões da modernidade, do seu potencial oculto embora mais do que presente, de sua tendência histórica, não requerem um novo e mais detido olhar, uma vez que os métodos e conceitos acumulados pela sociologia são plenamente adequados para lidar com esse desafio — para "explicá-lo", "dar-lhe sentido", para compreender em suma. O resultado global é a complacência teórica. Nada, realmente, aconteceu que justifique outra crítica do modelo de sociedade moderna que serviu tão bem de moldura teórica e legitimação pragmática ao exercício sociológico.

Até aqui, importante divergência com essa atitude complacente e autocongratulatória foi manifestada sobretudo por historiadores e teólogos. Pouca atenção lhes deram os sociólogos. Comparadas à quantidade espantosa de trabalhos dos historiadores e investigações da alma empreendidas por teólogos cristãos e judeus, as contribuições de sociólogos profissionais aos estudos do Holocausto parecem secundárias e desprezíveis. Os estudos sociológicos concluídos até agora mostram, para além da dúvida razoável, que *o Holocausto tem mais a dizer sobre a situação da sociologia do que a sociologia é capaz de acrescentar, no seu estado atual, ao conhecimento que temos do Holocausto.* Este fato alarmante ainda não foi enfrentado (e muito menos respondido) pelos sociólogos.

A maneira como a profissão sociológica entende sua tarefa em relação ao fenômeno chamado "Holocausto" foi talvez expressa com mais pertinência por um dos mais eminentes representantes da profissão, Everett C. Hughes:

> O governo nacional-socialista da Alemanha operou contra os judeus o mais colossal "trabalho sujo" da história. Os problemas cruciais dessa ocorrência são (1) que pessoas efetivamente fizeram esse trabalho e (2) quais as condições que levaram as "boas" pessoas a deixar que o fizessem? O que precisamos é de um melhor conhecimento dos sinais de sua ascensão ao poder e de formas melhores para mantê-los fora do poder.[4]

Fiel aos bem estabelecidos princípios da prática sociológica, Hughes define o problema como sendo o de desvendar a combinação peculiar de fatores psicossociais que se poderia de forma sensata ligar (como determinante) às peculiares tendências comportamentais exibidas pelos que praticaram o "trabalho sujo"; o de enumerar outro conjunto de fatores que denigre a (esperada mas invisível) resistência a essas tendências por parte de outros indivíduos; e o de ganhar, como resultado, certo conhecimento explicativo-previdente que, neste nosso mundo racionalmente organizado, regido como é por leis causais e probabilidades estatísticas, permitirá aos que o possuem evitar que as tendências "sujas" se concretizem, se expressem em comportamento efetivo e produzam seus "sujos" efeitos deletérios. Esta última tarefa será presumivelmente cumprida pela aplicação do mesmo modelo de ação que tornou o nosso mundo racionalmente organizado, manipulável e "controlável". O que precisamos é de melhor tecnologia para a velha — e de forma alguma desacreditada — atividade de planejamento social.

Na que até agora foi a mais notável das contribuições tipicamente sociológicas ao estudo do Holocausto, Helen Fein[5] seguiu fielmente o conselho de Hughes. Ela definiu como sua tarefa explicar detalhadamente uma série de variáveis psicológicas, ideológicas e estruturais que mais fortemente se relacionam à porcentagem de vítimas ou sobreviventes judeus dentro das várias entidades estatais de caráter nacional na Europa sob domínio nazista. Por todos os padrões ortodoxos, Fein produziu uma pesquisa bem impressionante. Propriedades nacionais, intensidade local do antissemitismo, graus de aculturação e assimilação dos judeus, a solidariedade intercomunitária resultante — tudo foi cuidadosa e corretamente registrado, de modo que as correlações podem ser apropriadamente computadas e sua relevância checada. Mostra que algumas conexões hipotéticas são inexistentes ou pelo menos estatisticamente inválidas; algumas outras regularidades são estatisticamente confirmadas (como a correlação entre a ausência de solidariedade e a probabilidade de que "as pessoas se desligariam de restrições morais"). É precisamente por causa do impecável talento sociológico da autora e da competência com a qual foi usado que as fraquezas da sociologia ortodoxa são inadvertidamente expostas no livro de Fein. Sem rever alguns dos pressupostos essenciais mas tácitos do discurso sociológico, não se pode fazer nada exceto o que Fein fez: conceber o Holocausto como produto único mas totalmente determinado de uma concatenação específica de fatores sociais e psicológicos que levaram a uma suspensão temporária do controle civilizatório em que normalmente é mantido o comportamento humano. Nesse tipo de visão (de forma implícita, senão explicitamente), uma coisa que emerge intacta e incólume da experiência do Holocausto é o impacto humanizador e/ou racionalizador (os dois conceitos são usados como sinônimos) da organização social sobre impulsos desumanos que governam a conduta de indivíduos pré ou antissociais. Qualquer instinto moral encontrado na conduta humana é socialmente produzido. Ele se dissolve assim que a sociedade passa a funcionar mal. "Numa condição de anomia — livre de regulação social — as pessoas podem reagir sem considerar a possibilidade de estar ferindo outras."[6] Donde se infere que a existência de efetiva regulação social torna tal desconsideração improvável. O empuxo da regulação social — e portanto da moderna civilização, notável como é para conter as ambições reguladoras em limites nunca dantes ouvidos — é a imposição de restrições morais ao egoísmo de outro modo violento e à selvageria inata do animal que existe no homem. Tendo processado os fatos do Holocausto na moenda dessa metodologia que o define como uma disciplina acadêmica, a sociologia ortodoxa pode apenas emitir uma mensagem demarcada mais por seus pressupostos do que pelos "fatos específicos": a mensagem de que o Holocausto foi um fracasso, não um produto, da modernidade.

Em outro notável estudo sociológico do Holocausto, Nechama Tec tentou investigar o outro lado do espectro social: os salvadores — aqueles que não permitiram a consecução do "trabalho sujo", que dedicaram suas vidas aos outros sofredores no mundo do egoísmo universal, pessoas que, em suma, permaneceram morais sob condições imorais. Fiel aos preceitos do saber sociológico, Tec esforçou-se um bocado para descobrir os determinantes sociais daquilo que, segundo todos os padrões da época, foi um comportamento aberrante. Uma a uma ela examinou todas as hipóteses que qualquer sociólogo respeitável e inteligente certamente incluiria no projeto de pesquisa. Ela procurou correlações entre a disposição de ajudar, de um lado, e vários fatores de classe, educação, religião ou fidelidade política, de outro — apenas para descobrir que não havia correlação alguma. A despeito de suas próprias expectativas — e as de seus leitores sociologicamente educados — Tec teve que tirar a única conclusão permissível: "Esses salvadores agiram de formas que eram naturais para eles — espontaneamente foram capazes de contratacar os horrores de sua época."[7] Em outras palavras, os salvadores queriam salvar porque essa era a sua natureza. Vinham de todos os cantos e setores do "espectro social", dessa maneira evidenciando o blefe de que haveria "determinantes sociais" do comportamento moral. Quando nada, a contribuição de tais determinantes expressava-se no seu fracasso em extinguir a ânsia dos salvadores em ajudar outras pessoas que sofriam. Tec chegou mais perto que a maioria dos sociólogos da descoberta de que o verdadeiro ponto em questão não é "o que os sociólogos podemos dizer do Holocausto" mas, sim, "o que o Holocausto tem a dizer sobre nós, sociólogos, e a nossa prática".

A necessidade de levantar essa questão parece extremamente urgente, constituindo parte do legado do Holocausto desprezada da maneira mais ignóbil, mas suas consequências devem ser cuidadosamente consideradas. Nada mais fácil que reagir de forma exagerada à aparente falência das visões sociológicas tradicionais. Uma vez arruinada a esperança de conter a experiência do Holocausto na moldura teórica da disfunção (modernidade incapaz de suprimir os fatores essencialmente estranhos da irracionalidade, pressões civilizatórias fracassando em subjugar impulsos emocionais violentos, socialização imprópria e portanto incapaz de produzir o necessário volume de motivações morais), pode-se ficar facilmente tentado a buscar a saída "óbvia" do impasse teórico; proclamar o Holocausto um "paradigma" da civilização moderna, seu produto "natural", "normal" (quem sabe talvez também *comum*), sua "tendência histórica". Nesta versão, o Holocausto seria promovido ao status de *verdade* da modernidade (em vez de reconhecido como uma *possibilidade* que a modernidade contém) — a verdade apenas superficialmente encoberta pela fórmula ideológica imposta por aqueles que se beneficiam da "grande mentira". De uma forma perversa, tendo esta visão (trataremos dela mais detalhadamente no quarto capítulo) supostamente elevado o significado histórico e sociológico do Holocausto, só pode diminuir a sua importância, uma vez que os horrores do genocídio ficarão virtualmente indistinguíveis de outros sofrimentos que a sociedade moderna sem dúvida gera diariamente e de forma abundante.

O Holocausto como teste da modernidade

Poucos anos atrás, um jornalista do *Le Monde* entrevistou um punhado de ex-vítimas de sequestro. Uma das coisas mais interessantes que descobriu foi uma incidência anormalmente alta de divórcios entre os casais que passaram juntos pela agonia da experiência de reféns. Intrigado, sondou os divorciados para saber as razões de sua decisão. A maioria dos entrevistados lhe disse que nunca pensara em divórcio antes do sequestro. Durante o apavorante episódio, no entanto, "abriram seus olhos" e "viram os companheiros sob nova luz". Maridos habitualmente bons "revelaram-se" criaturas egoístas, preocupadas exclusivamente com o próprio estômago; dinâmicos homens de negócio exibiram uma covardia asquerosa; "homens vividos" e escolados desmoronaram e pouco fizeram além de lamentar sua iminente danação. O jornalista perguntou-se qual das duas encarnações de que esses Janos* pareciam capazes era a verdadeira face e qual era a máscara. Concluiu que a questão estava mal formulada. Nenhuma era "mais verdadeira" que a outra. Ambas eram possibilidades contidas o tempo todo no caráter das vítimas — simplesmente vinham à tona em momentos diferentes e em diferentes circunstâncias. A "boa" face parecia normal apenas porque as condições normais a favoreciam mais que a outra. Mas a outra estava sempre presente, embora normalmente invisível. O aspecto mais fascinante dessa descoberta, no entanto, é que, não fosse pela ousadia dos sequestradores, a "outra face" provavelmente teria permanecido para sempre escondida. Os cônjuges teriam continuado a gostar de seu casamento, inconscientes das qualidades pouco sedutoras que circunstâncias extraordinárias e inesperadas poderiam revelar em pessoas que eles achavam conhecer e das quais gostavam pelo que conheciam.

O parágrafo de Nechama Tec que citamos anteriormente termina com a seguinte observação: "Não fosse pelo Holocausto, a maioria desses ajudantes teria continuado seus caminhos independentes, alguns empreendendo ações caridosas, outros levando uma vida simples e modesta. Eram heróis adormecidos, que no geral não se distinguiam dos outros ao redor." Uma das conclusões demonstradas de forma mais poderosa (e convincente) no estudo é a da impossibilidade de "discernir de antemão" os sinais, sintomas ou indicadores da disponibilidade individual para o sacrifício ou da covardia diante da adversidade; ou seja, de distinguir, fora do contexto que lhes dá vida ou simplesmente os "desperta", a probabilidade de sua manifestação posterior.

John Roth coloca a mesma questão da potencialidade versus realidade (a primeira constituindo um modo ainda não revelado da segunda e esta sendo um modo já realizado — e portanto empiricamente acessível — da primeira) em contato direto com o nosso problema:

> Houvesse o poder nazista prevalecido, e a autoridade para determinar o que deve ser teria achado que nenhuma lei natural foi transgredida e nenhum crime contra deus e a humanidade foi cometido no Holocausto. Mas seria uma questão saber se as

---

* Jano, antigo deus romano de dupla face ao qual se consagrou o mês de janeiro. (N.T.)

unidades de trabalho escravo deveriam continuar, expandir-se ou ser extintas dos negócios. Tais decisões teriam sido tomadas de modo racional.[8]

O indizível horror que permeia nossa memória coletiva do Holocausto (ligado de maneira nada fortuita ao premente desejo de não encarar essa memória de frente) é a corrosiva suspeita de que o Holocausto possa ter sido mais do que uma aberração, mais do que um desvio no caminho de outra forma reto do progresso, mais do que um tumor canceroso no corpo de outra forma sadio da sociedade civilizada; a suspeita, em suma, de que o Holocausto não foi uma antítese da civilização moderna e de tudo o que ela representa (ou pensamos que representa). Suspeitamos (ainda que nos recusemos a admiti-lo) que o Holocausto pode ter meramente revelado um reverso da mesma sociedade moderna cujo verso, mais familiar, tanto admiramos. E que as duas faces estão presas confortavelmente e de forma perfeita ao mesmo corpo. O que a gente talvez mais tema é que as duas faces não possam mais existir uma sem a outra, como verso e reverso de uma moeda.

Muitas vezes nos detemos no limiar da aterradora verdade. E assim Henry Feingold insiste que o episódio do Holocausto foi com efeito um fenômeno novo na longa, e no geral irrepreensível, história da sociedade moderna; um fenômeno que não havia como esperar ou prever, como o surgimento de nova cadeia maligna de um vírus supostamente domado:

> A Solução Final marca o momento crítico em que o sistema industrial europeu saiu errado; em vez de favorecer a vida, o que era a esperança original do Iluminismo, começou a consumi-la. Foi por força desse sistema industrial e do espírito a ele ligado que a Europa conseguiu dominar o mundo.

Como se os talentos necessários e exibidos no serviço da dominação mundial fossem qualitativamente diferentes daqueles que garantiram a eficiência da Solução Final. E no entanto Feingold está encarando a verdade de frente:

> [Auschwitz] foi também uma extensão mundana do moderno sistema fabril. Em vez de produzir bens, a matéria-prima eram seres humanos e o produto final, a morte, com tantas unidades por dia cuidadosamente registradas nos mapas de produção do administrador. As chaminés, que são o próprio símbolo do mo-

derno sistema fabril, despejavam uma fumaça acre de carne humana sendo queimada. A malha ferroviária da Europa moderna, com sua brilhante organização, passou a transportar uma nova matéria-prima para as fábricas. E da mesma maneira que fazia com outros tipos de carga. Nas câmaras de gás as vítimas inalavam gases letais desprendidos por pelotas de ácido prússico, produzidas pela avançada indústria química da Alemanha. Engenheiros projetaram os crematórios; administradores de empresa projetaram o sistema burocrático, que funcionava com um capricho e eficiência que nações mais atrasadas invejariam. Mesmo o próprio plano global era um reflexo do moderno espírito científico desvirtuado. O que testemunhamos não foi nada menos que um esquema de engenharia social em massa...[9]

A verdade é que todos os "ingredientes" do Holocausto — todas as inúmeras coisas que o tornaram possível — foram normais; "normais" não no sentido do que é familiar, do que não passa de mais um exemplo numa vasta categoria de fenômenos de há muito plenamente descritos, explicados e assimilados (ao contrário, a experiência do Holocausto era nova e desconhecida), mas no sentido de plenamente acompanhar tudo o que sabemos sobre nossa civilização, seu espírito condutor, suas prioridades, sua visão imanente do mundo — e dos caminhos adequados para buscar a felicidade humana e uma sociedade perfeita. Nas palavras de Stillman e Pfaff:

> Há mais do que uma conexão inteiramente fortuita entre a tecnologia aplicada na linha de produção em massa, com sua visão de abundância material universal, e a tecnologia aplicada no campo de concentração, com sua visão da morte em profusão. Podemos querer negar a conexão, mas o fato é que Buchenwald é tão ocidental quanto o Rio Rouge de Detroit — não podemos desprezar Buchenwald como mera aberração casual em um mundo ocidental essencialmente sadio.[10]

Relembremos também a conclusão a que chegou Raul Hilberg no final do seu magistral e insuperado estudo sobre a consumação do Holocausto: "A máquina de destruição não era, pois, estruturalmente diferente da sociedade alemã organizada como um todo. A máquina de destruição *era* a comunidade organizada num dos seus papéis especiais."[11]

Richard L. Rubenstein extraiu o que me parece a lição máxima do Holocausto. "Ele dá testemunho", escreveu, "do *avanço da civi-*

lização." Foi um avanço, permitam acrescentar, em duplo sentido. O poderio industrial e o conhecimento tecnológico de que se gaba a nossa civilização galgaram novas altitudes com a Solução Final ao assumir com êxito uma tarefa de magnitude sem precedentes. Nesta mesma Solução Final nossa sociedade revelou-nos uma capacidade até então insuspeitada. Ensinados a respeitar e admirar a eficiência técnica e o bom *design*, não podemos senão admitir que, na exaltação do progresso material trazido por nossa civilização, subestimamos gravemente seu verdadeiro potencial.

> O mundo dos campos da morte e a sociedade que engendra revelam o lado progressivamente mais obscuro da civilização judaico-cristã. Civilização significa escravidão, guerras, exploração e campos da morte. Também significa higiene médica, elevadas ideias religiosas, belas artes e requintada música. É um erro imaginar que civilização e crueldade selvagem sejam antíteses... Em nosso tempo as crueldades, como muitos outros aspectos do nosso mundo, passaram a ser administradas de maneira muito mais efetiva que em qualquer época anterior. Não deixaram e não deixarão de existir. Tanto a criação como a destruição são aspectos inseparáveis do que chamamos civilização.[12]

Hilberg é um historiador, Rubenstein é um teólogo. Examinei com afinco obras de sociólogos em busca de declarações que expressassem uma consciência semelhante da urgência da tarefa postulada pelo Holocausto; em busca de evidências de que o Holocausto apresenta, entre outras coisas, um desafio à sociologia como uma profissão e um corpo de conhecimento acadêmico. Quando comparado ao trabalho feito por historiadores ou teólogos, o grosso da sociologia acadêmica parece antes um exercício de esquecimento e de fechamento dos olhos. De modo geral, as lições do Holocausto deixaram poucos vestígios no senso comum sociológico, que inclui, entre muitos outros, artigos de fé como os benefícios do governo da razão sobre a emoção, a superioridade da racionalidade sobre (o que senão) a ação irracional e o choque endêmico entre as demandas de eficiência e as inclinações morais de que as "relações pessoais" estão impregnadas de forma tão irremediável. Por mais altas e pungentes, vozes de protesto contra essa fé ainda não penetraram as muralhas do *establishment* sociológico.

Não sei de muitas ocasiões em que sociólogos, na qualidade de sociólogos, enfrentaram publicamente a evidência do Holocausto. Uma dessas ocasiões (embora em escala modesta) foi no simpósio sobre *A sociedade ocidental depois do Holocausto*, realizado em 1978 pelo Instituto para o Estudo dos Problemas Sociais Contemporâneos.[13] Durante o simpósio, Richard L. Rubenstein apresentou uma tentativa, talvez emocional demais, de reler, à luz da experiência do Holocausto, alguns dos mais conhecidos diagnósticos de Weber sobre as tendências da sociedade moderna. Rubenstein queria descobrir se as coisas de que temos conhecimento hoje mas que Weber naturalmente desconhecia poderiam ter sido previstas (pelo próprio Weber e por seus leitores), pelo menos como uma possibilidade, a partir do que Weber sabia, percebia ou teorizava. Ele achou ter encontrado uma resposta positiva para a questão ou pelo menos assim deu a entender: que na exposição que Weber faz da burocracia moderna, do espírito racional, do princípio de eficiência, da mentalidade científica, da relegação de valores ao reino da subjetividade etc. não foi registrado qualquer mecanismo capaz de excluir a possibilidade dos excessos nazistas; que, além disso, não havia nada nos tipos ideais de Weber que requeresse a definição das atividades do Estado nazista como *excessos*. Por exemplo, "nenhum horror perpetrado pelos profissionais médicos ou pelos tecnocratas alemães foi inconsistente com a visão de que os valores são inerentemente subjetivos e que a ciência é intrinsecamente instrumental e livre de valor." Guenther Roth, eminente weberiano e sociólogo de alta e merecida reputação, não tentou esconder seu desagrado: "Minha discordância com o professor Rubenstein é total. Não há uma única sentença na sua apresentação que eu possa aceitar." Provavelmente irritado com a possível ameaça à memória de Weber (ameaça escondida, por assim dizer, na própria ideia de "previsão"), Guenther Roth lembrou à assembleia que Weber era um liberal, amava a constituição e defendia o direito de voto da classe operária (e assim, presumivelmente, não podia ser lembrado em conexão com uma coisa tão abominável como o Holocausto). Evitou, porém, discutir a essência do argumento de Rubenstein. Além disso, privou-se da possibilidade de considerar seriamente as "consequências imprevistas" do crescente domínio da razão que Weber identificou como atributo central da modernidade e para cuja análise deu uma contribuição das mais essenciais. Não aproveitou a ocasião para enfrentar sem rodeios o "outro lado" das visões perceptivas legadas pelos clássicos da tradição sociológica; nem a oportunidade para meditar se nosso triste conhecimento, não disponível para os clássicos, pode capacitar-nos a descobrir nas suas percepções coisas de cujas plenas consequências eles não poderiam ter senão uma consciência confusa.

Com toda a probabilidade, Guenther Roth não é o único sociólogo que faria comício em defesa das benditas verdades de nossa tradição comum, apesar das evidências contra elas; apenas a maioria dos sociólogos não foi forçada a fazê-lo de modo tão franco. De modo geral, não precisamos nos preocupar com o desafio do Holocausto em nossa prática profissional diária. Profissionalmente, quase conseguimos esquecê-lo ou pelo menos o arquivamos no setor de "interesses especializados", de onde não tem qualquer chance de alcançar a corrente central da disciplina. Se eventualmente abordado em textos sociológicos, o Holocausto é no máximo apresentado como triste exemplo do que uma indomada agressividade humana inata pode fazer e, então, usado como pretexto para exaltar os benefícios de domá-la através de um aumento da pressão civilizatória e outra lufada de resolução de problemas por especialistas. Na pior das hipóteses, é lembrado como uma experiência privada dos judeus, como assunto dos judeus e daqueles que os odeiam ("privatização" para a qual não contribuíram pouco inúmeros porta-vozes do Estado de Israel, levados por preocupações outras que não escatológicas).[14]

Esse estado de coisas é preocupante não apenas (e de modo algum basicamente) por razões profissionais — por mais pernicioso que possa ser para os poderes cognitivos e a importância social da sociologia. O que torna esta situação muito mais perturbadora é a consciência de que "isso poderia acontecer nessa escala maciça em outro lugar, portanto poderia acontecer em qualquer lugar; está tudo dentro da ordem das possibilidades humanas e, gostem ou não, Auschwitz expande o universo da consciência não menos do que o pouso na lua".[15] Dificilmente pode ser reduzida a ansiedade, tendo em vista o fato de que nenhuma das condições que tornaram Auschwitz possível realmente desapareceu e nenhuma medida efetiva foi tomada para evitar que tais possibilidades e princípios gerem catástrofes semelhantes a Auschwitz; como Leo Kuper recentemente descobriu, "o Estado territorial soberano reivindica, como parte integrante de sua soberania, o direito de cometer genocídio ou envolver-se em massacres genocidas de pessoas sob a sua autoridade, e... a ONU, para todos os efeitos práticos, defende esse direito."[16]

Um serviço póstumo que o Holocausto pode prestar é fornecer um *insight* dos "outros aspectos", de outra forma despercebidos, dos princípios societários entronizados pela história moderna. Proponho que a experiência do Holocausto, agora já inteiramente pesquisada pelos historiadores, deveria ser encarada, por assim dizer, como um "laboratório" sociológico. O Holocausto expôs e examinou em condições "não laboratoriais" atributos não revelados de nossa sociedade e portanto não acessíveis empiricamente. Em outras palavras, *proponho tratar o Holocausto como um teste raro, mas importante e confiável das possibilidades ocultas da sociedade moderna.*

O significado do processo civilizador

O mito etiológico profundamente arraigado na consciência da nossa sociedade ocidental é a história moralmente edificante da humanidade emergindo da barbárie pré-social. Esse mito emprestou estímulo e popularidade a várias teorias sociológicas e narrativas históricas influentes e em troca recebeu delas um apoio sofisticado e douto; ligação mais recentemente ilustrada pelo surto de eminência e fama súbita da visão de Elias sobre o "processo civilizador". Opiniões contrárias de teóricos sociais contemporâneos (vejam, por exemplo, as análises completas de processos civilizadores multifários: históricas e comparativas de Michael Mann, sintéticas e teóricas de Anthony Giddens), que enfatizam o aumento da violência militar e do uso desenfreado da coerção como os atributos mais cruciais da emergência e duração das grandes civilizações, têm ainda muito a percorrer antes que consigam deslocar o mito etiológico da consciência pública ou mesmo do difuso folclore da profissão. De modo geral, a opinião leiga ressente-se de todo desafio ao mito. Sua resistência é sustentada, além disso, por uma ampla coalizão de opiniões doutas e respeitáveis que inclui autoridades tão poderosas como a "visão *whig*" da história como sendo a luta vitoriosa entre razão e superstição; a visão weberiana da racionalização como um movimento rumo à obtenção de mais com menos esforço; a promessa psicanalítica de desmascarar, acuar e domar o animal que existe no homem; a grandiosa profecia de vida feita por Marx, com a sociedade vindo a ter o pleno controle da espécie humana uma vez livre dos atuais e debilitantes paroquialismos; o retrato que Elias faz da história recente como sendo aquela que elimina a violência da vida diária; e, acima de tudo, o coro de especialistas que nos garantem que os problemas humanos são questão de políticas erradas e que as políticas certas significam eliminação de problemas. Por trás da aliança resiste o moderno Estado "jardineiro", que vê a sociedade sob seu comando como objeto de planejamento, cultivo e extirpação de ervas daninhas.

Em vista desse mito, de há muito sedimentado no senso comum da nossa época, o Holocausto só pode ser compreendido como o fracasso da civilização (isto é, da atividade humana com um propósito, guiada pela razão) em conter as predileções mórbidas naturais do que quer que tenha restado de natural no homem. Obviamente, o mundo hobbesiano ainda não foi totalmente amarrado, o problema hobbesiano não foi totalmente resolvido. Em outras palavras, ainda não temos suficiente civilização. O inconcluso processo civilizador ainda tem que ser concluído. Se a lição do assassinato em massa de fato nos ensina algo é que a prevenção de semelhantes barbaridades evidentemente ainda requer mais esforços civilizadores. Não há nada nessa lição que lance dúvidas sobre a futura eficiência de tais esforços e seus resultados últimos. Certamente estamos indo na direção certa; talvez não estejamos indo é rápido o bastante.

À medida que o quadro completo emerge da pesquisa histórica, surge também uma interpretação alternativa do Holocausto — possivelmente de mais crédito — como um evento que revelou a fraqueza e fragilidade da natureza humana (a abominação do assassinato, a aversão à violência, o medo da consciência culpada e a responsabilidade pelo comportamento imoral) quando confrontada com a simples eficiência dos mais acalentados produtos da civilização; sua tecnologia, seus critérios racionais de escolha, sua tendência a subordinar pensamento e ação à praticidade da economia e da eficiência. O mundo hobbesiano do Holocausto não veio à tona saindo de sua sepultura rasa demais, ressuscitado pelo tumulto das emoções irracionais. Apareceu (de uma forma formidável que Hobbes certamente desautorizaria) num veículo de produção industrial, empunhando armas que só a ciência mais avançada poderia fornecer e seguindo um itinerário traçado por uma organização cientificamente administrada. A civilização moderna não foi a condição *suficiente* do Holocausto; foi, no entanto, com toda a certeza, sua condição *necessária*. Sem ela, o Holocausto seria impensável. Foi o mundo racional da civilização moderna que tornou viável o Holocausto. "O assassinato em massa dos judeus da Europa pelos nazistas não foi apenas realização tecnológica de uma sociedade industrial, mas também sucesso de organização de uma sociedade burocrática."[17] Imaginem simplesmente o que foi necessário para fazer do Holocausto um genocídio único entre os inúmeros morticínios que marcaram o avanço histórico da espécie humana.

> O serviço público infundiu nas outras hierarquias seu planejamento seguro e de sua minúcia burocrática. Do exército a máquina de destruição adquiriu sua precisão militar, sua disciplina e insensibilidade. A influência da indústria se fez sentir na grande ênfase dada à contabilidade, à economia de tostões e à preservação de recursos, assim como à eficiência industrial dos centros de extermínio. Por fim, o partido deu a todo o aparelho um "idealismo", um senso de "missão" e uma noção de construção da história...
>
> Foi de fato a sociedade organizada num papel especial dentre outros. Embora envolvido no assassinato em massa numa escala gigantesca, esse vasto aparato burocrático preocupava-se com o correto procedimento burocrático, com as sutilezas da definição exata, com as minúcias das regras burocráticas e a obediência às leis.[18]

O departamento no quartel-general das SS encarregado da destruição dos judeus europeus era oficialmente chamado Seção de Administração e Economia. O que era apenas em parte mentira; só em parte ele pode ser explicado por referência às notórias "regras de discurso", destinadas a desorientar tanto observadores casuais como os criminosos menos decididos. Num nível elevado demais para dar alívio, a denominação refletia fielmente o significado da atividade para a organização. Exceto pela repugnância moral do seu objetivo (ou, para ser preciso, pela escala gigantesca do ódio moral desencadeado), a atividade não diferia em nenhum sentido formal (o único que pode ser expresso na linguagem da burocracia) de todas as outras atividades organizadas que eram traçadas, monitoradas e supervisionadas por seções administrativas e econômicas "ordinárias". Como todas as outras atividades receptivas à racionalização burocrática, ela se encaixa bem na sóbria definição da administração moderna dada por Max Weber:

> Precisão, rapidez, clareza, conhecimento dos arquivos, continuidade, discrição, unidade, estrita subordinação, redução do atrito e dos custos materiais e pessoais — tudo isso é levado a um grau de otimização na administração estritamente burocrática... A burocratização oferece acima de tudo a possibilidade ótima de realizar o princípio das funções administrativas especializadas de acordo com considerações puramente objetivas... O desempenho "objetivo" de um negócio significa basicamente um desem-

penho segundo *regras mensuráveis* e "sem consideração com pessoas".[19]

Não há nada nessa definição que garanta o questionamento da definição burocrática do Holocausto seja como simples caricatura de verdade ou manifestação de uma forma particularmente monstruosa de cinismo.

E no entanto o Holocausto é tão crucial para a nossa compreensão do moderno modo burocrático de racionalização não apenas, nem basicamente, porque nos lembra (como se precisássemos de lembrete) até que ponto é formal e eticamente cega a busca burocrática de eficiência. Sua importância não é plenamente expressa senão quando percebemos a que ponto o extermínio em massa numa escala sem precedentes dependeu da disponibilidade de especializações bem desenvolvidas e firmemente arraigadas e de hábitos de meticulosa e precisa divisão do trabalho, da manutenção de um fluxo suave de comando e informação ou de uma coordenação impessoal e bem sincronizada de ações autônomas embora complementares: daquelas habilidades e hábitos, em suma, que melhor se desenvolvem e medram na atmosfera do escritório. A luz lançada pelo Holocausto sobre o nosso conhecimento da racionalidade burocrática chega a ser estonteante quando percebemos a que ponto *a própria ideia da* Endlösung [solução final] *foi um produto da cultura burocrática.*

Devemos a Karl Schleuner[20] o conceito da sinuosa estrada para a exterminação física dos judeus da Europa: estrada que não foi concebida na visão singular de um monstro alucinado nem foi uma opção ponderada de líderes ideologicamente motivados no princípio de um "processo de solução de problemas". Ao contrário, emergiu pouco a pouco, apontando a cada estágio em direção diferente, mudando em resposta a crises sempre novas e impulsionada à frente pela filosofia de que "atravessaremos aquela ponte quando chegarmos a ela". O conceito de Schleuner resume melhor as descobertas da escola "funcionalista" na historiografia do Holocausto (que nos últimos anos vem rapidamente ganhando força às expensas dos "intencionalistas", que por sua vez acham cada vez mais difícil defender a outrora dominante explicação da causa única para o Holocausto — isto é, uma visão que confere ao genocídio uma lógica motivacional e uma consistência que ele nunca possuiu).

De acordo com as descobertas dos funcionalistas, "Hitler estabeleceu o objetivo do nazismo: 'livrar-se dos judeus e, acima de tudo, tornar o território do Reich *judenfrei*, isto é, livre de judeus' — mas sem especificar como isso seria alcançado".[21] Uma vez estabelecido o objetivo, tudo se passou exatamente como Weber havia, com sua habitual clareza, explicado: "O 'líder político' encontra-se na posição do 'diletante' que se opõe ao 'especialista', enfrentando os funcionários experimentados que se acham dentro da administração do governo."[22] O objetivo tinha que ser concretizado; como isso seria feito dependia das circunstâncias, sempre consideradas pelos "especialistas" do ponto de vista da factibilidade e dos custos das alternativas de ação. E assim a emigração dos judeus alemães foi primeiro escolhida como a solução prática para o objetivo de Hitler; ela resultaria numa Alemanha *judenfrei* se outros países fossem mais hospitaleiros com os judeus. Quando a Áustria foi anexada, Eichmann recebeu sua primeira condecoração por executar prontamente a emigração em massa dos judeus austríacos. Mas então o território sob governo nazista começou a inchar. Primeiro a burocracia viu a conquista e a apropriação de territórios quase coloniais como a sonhada oportunidade de cumprir plenamente o comando do Führer: o *governo central* fornecia o procurado aterro sanitário para despejo da judiaria ainda residente em terras da Alemanha propriamente dita, votadas à pureza racial. Uma reserva separada para o "principado judeu" foi designada próximo a Nisko, no que antes da conquista fora a Polônia central. A isso, porém, objetou a burocracia alemã encarregada da administração do território da antiga Polônia; ela já tinha problemas suficientes policiando sua judiaria local. E assim Eichmann passou um ano inteiro trabalhando no projeto Madagascar: com a França derrotada, sua longínqua colônia podia ser transformada no principado judeu que não se materializara na Europa. O projeto Madagascar, no entanto, provou igualmente malfadado, dada a enorme distância, o volume de espaço necessário em navios e a presença naval britânica em alto mar. Nesse meio tempo, a extensão do território conquistado e portanto o número de judeus sob jurisdição alemã continuaram a crescer. Uma Europa dominada pelos nazistas (mais do que simplesmente um "Reich unido") parecia a perspectiva mais e mais palpável. Gradualmente, mas de forma incansável, o Reich de mil anos tomou, cada vez mais nitidamente, a forma de uma Europa sob governo alemão. Em tais circunstâncias, a meta de uma Alemanha *judenfrei* só podia seguir-se no processo. Passo a passo, quase de maneira imperceptível, ela ampliou-se para o objetivo de uma Europa *judenfrei*. Ambições dessa magnitude não podiam ser preenchidas por uma Madagascar, ainda que acessível (embora, de acordo com Eberhard Jäckel, haja alguma evidência de que ainda em julho de 1941, quando Hitler acreditava que a derrota da Rússia era questão de semanas, as vastas extensões russas além da linha Arkhángel-Astrakhan eram vistas como o aterro sanitário último para todos os judeus residentes na Europa unificada sob comando alemão). Com a demora em se concretizar a queda da Rússia e as soluções alternativas não dando conta do problema cada vez maior, Himmler ordenou em 1º de outubro de 1941 um ponto final a toda emigração de judeus. A meta de "se livrar dos judeus" encontrara outro meio mais efetivo de realização: o extermínio físico foi escolhido como o mais factível e eficiente para atingir a finalidade original e recém-ampliada. O resto foi matéria de cooperação entre vários departamentos da burocracia estatal, de cuidadoso planejamento, de projetar a tecnologia e o equipamento técnico adequados, de traçar orçamentos, calcular e levantar os recursos necessários — com efeito, competência da tediosa rotina burocrática.

A lição mais abaladora que se tira da análise do "caminho sinuoso para Auschwitz" é que — como último recurso — *a opção pelo extermínio físico como meio correto de* Entfernung *foi produto de procedimentos burocráticos de rotina*: cálculo de meios e fins, equilíbrio orçamentário, aplicação de uma regra universal. Para tornar isso ainda mais pungente, a escolha resultou de um esforço diligente em encontrar soluções racionais para sucessivos "problemas" que surgiam ao sabor das circunstâncias cambiantes. Também foi afetada pela tendência burocrática, amplamente descrita, ao desvio do objetivo — doença tão normal em todas as burocracias quanto a própria rotina. A própria existência de funcionários encarregados de tarefas específicas levou a outras iniciativas e a uma contínua expansão dos propósitos originais. Mais uma vez, a especialização demonstrou sua capacidade autopropulsora, sua propensão a ampliar e enriquecer a meta que alimentou sua *raison d'être*.

> A mera existência de um corpo de especialistas judeus criou certo ímpeto burocrático por trás da política nazista para os judeus. Mesmo quando as deportações e o assassinato em massa já estavam sendo executados, decretos de 1942 proibiram os judeus alemães de ter animais de estimação, cortar o cabelo em barbearias arianas ou receber o emblema esportivo do Reich! Não eram necessárias ordens superiores, bastava a existência do próprio emprego para fazer com que os funcionários judeus dessem sequência ao fluxo de medidas discriminatórias.[23]

Em nenhum momento de sua longa e tortuosa execução o Holocausto entrou em conflito com os princípios da racionalidade. A "Solução Final" não se chocou em nenhum estágio com a busca racional da eficiência, da otimização na consecução do objetivo. Ao contrário, *resultou de uma preocupação autenticamente racional e foi gerada pela burocracia fiel a sua forma e propósito.* Sabemos de muitos massacres, pogroms, assassinatos em massa, muitos exemplos quase de genocídio mesmo, perpetrados sem a moderna burocracia, sem as tecnologias e artes que comanda, sem os princípios científicos de sua administração interna. O Holocausto, porém, seria claramente um jorro impensável dos resíduos ainda não plenamente erradicados de barbárie pré-moderna. Era um morador legítimo da casa da modernidade; com efeito, um morador que não poderia se sentir em casa em nenhum outro lugar.

Isso não quer dizer que a ocorrência do Holocausto foi *determinada* pela burocracia moderna ou pela cultura da racionalidade instrumental que ela resume; e, muito menos ainda, que a moderna burocracia *tem que* resultar em fenômenos do tipo do Holocausto. Sugiro de fato, no entanto, que as regras da racionalidade instrumental são singularmente incapazes de evitar tais fenômenos; que não há nada nessas regras que desqualifique como impróprios os métodos de "planejamento social" usados no Holocausto ou, mesmo, como irracionais as ações a que serviram. Sugiro, ademais, que a cultura burocrática que nos capacita a ver a sociedade como objeto de administração, como uma coleção de tantos "problemas" a resolver, como "natureza" a ser "controlada", "dominada" e "melhorada" ou "refeita", como um alvo legítimo para o "planejamento social" e no geral como um jardim a ser projetado e mantido à força na forma planejada (a atitude do jardineiro divide as plantas entre aquelas "cultivadas", de que se deve cuidar, e as ervas daninhas a serem exterminadas) foi a própria atmosfera em que a ideia do Holocausto pôde ser concebida, desenvolvida lentamente mas de forma consistente e levada à conclusão. E também sugiro que foi o espírito da racionalidade instrumental e sua forma moderna, burocrática de institucionalização que tornaram as soluções tipo Holocausto não apenas possíveis mas eminentemente "razoáveis" — e aumentaram sua probabilidade de opção. Este aumento de probabilidade está mais do que casualmente ligado à capacidade da burocracia moderna de coordenar a ação de grande número de indivíduos morais na busca de quaisquer finalidades, também imorais.

A produção social da indiferença moral

O dr. Servatius, advogado de Eichmann em Jerusalém, resumiu de forma incisiva sua linha de defesa: Eichmann cometeu atos pelos quais um vencedor é condecorado e um perdedor vai para o patíbulo. A mensagem óbvia nessa afirmação — certamente uma das mais pungentes do século, que não é absolutamente pobre de ideias notáveis — é trivial: o poder diz o que é certo. Mas também há outra mensagem, não tão evidente, embora não menos cínica e muito mais alarmante: Eichmann não fez nada essencialmente diferente das coisas que fizeram os vencedores. As ações não têm valor moral intrínseco. Nem são imanentemente imorais. A avaliação moral é algo externo à ação em si e se decide por critérios outros que não aqueles que guiam e moldam a própria ação.

O que é tão alarmante na mensagem do dr. Servatius é que — uma vez desligada das circunstâncias nas quais foi proferida e considerada em termos universais despersonalizados — não difere de modo significativo do que a sociologia sempre disse; ou mesmo do senso comum de nossa moderna sociedade racional, raramente questionado e menos ainda criticado. A afirmação do dr. Servatius é chocante precisamente por essa razão. Ela faz ver uma verdade que no geral preferimos deixar impronunciada: a de que, enquanto a verdade do senso comum em questão for aceita como evidente, não há maneira sociologicamente legítima de excluir o caso Eichmann de sua aplicação.

É do conhecimento geral a esta altura que as tentativas iniciais de interpretar o Holocausto como um ultraje cometido por criminosos de nascença, sádicos, loucos, depravados sociais ou indivíduos de outra forma moralmente incompletos não encontraram qualquer confirmação nos fatos envolvidos. Sua refutação pela pesquisa histórica está hoje praticamente consumada. O atual curso do pensamento histórico foi sumariado de modo perspicaz por Kren e Rappoport:

> Por critérios clínicos convencionais, não mais que dez por cento dos SS poderiam ser considerados "anormais". Esta observação bate com o testemunho geral de sobreviventes indicando que na maioria dos campos havia normalmente um ou no máximo uns poucos SS conhecidos por fortes explosões de crueldade sádica. Os outros nem sempre eram pessoas decentes, mas seu comportamento era pelo menos considerado compreensível pelos prisioneiros...

> Nosso juízo é de que a esmagadora maioria dos SS, tanto chefes como chefiados, teria facilmente passado em todos os testes psiquiátricos comumente aplicados aos recrutas do exército americano ou aos policiais de Kansas City.[24]

A maioria dos que executaram o genocídio eram pessoas normais, que passariam facilmente em qualquer peneira psiquiátrica conhecida, por mais densa e moralmente perturbadora. Isso também é teoricamente intrigante, em especial quando visto em conjunto com a "normalidade" daquelas estruturas da organização que coordenaram as ações desses indivíduos normais no empreendimento do genocídio. Já sabemos que as instituições responsáveis pelo Holocausto, mesmo se consideradas criminosas, não eram, em nenhum sentido sociologicamente legítimo, patológicas ou anormais. Agora vemos que as pessoas cujas ações elas institucionalizaram também não se desviavam dos padrões estabelecidos de normalidade. Pouco resta a fazer, portanto, senão dar uma olhada de novo, com olhos aguçados por nosso novo conhecimento, nos padrões supostamente compreendidos e normais da ação racional moderna. É nesses padrões que podemos esperar descobrir a possibilidade tão dramaticamente revelada na época do Holocausto.

Como diz a famosa frase de Hannah Arendt, o problema mais difícil que os iniciadores da *Endlösung* encontraram (e resolveram, por assim dizer, com sucesso estarrecedor) foi "como superar... a piedade animal que afeta todos os homens normais na presença do sofrimento físico".[25] Sabemos que pessoas alistadas nas organizações mais diretamente envolvidas no negócio do assassinato em massa não eram nem anormalmente sádicas nem anormalmente fanáticas. Podemos supor que participavam da aversão humana quase instintiva à aflição do sofrimento físico e da inibição ainda mais universal contra tirar a vida. Sabemos mesmo que quando, por exemplo, eram recrutados membros para os *Einsatzgruppen* [grupos de ação] e outras unidades similarmente próximas do cenário efetivo dos morticínios, havia um cuidado especial em eliminar — barrar ou expulsar — todos os indivíduos entusiasmados, de muita carga emocional ou ideologicamente superzelosos. Sabemos que iniciativas individuais eram desencorajadas e se fazia muito esforço para manter toda a tarefa num quadro estritamente impessoal, prático, eficiente. Ganhos e motivações pessoais em geral eram censurados e punidos. Mortes induzidas por desejo ou prazer, ao contrário das perpetradas de modo organizado e obedecendo a ordens, podiam levar (pelo menos em princípio) a julgamento e condenação, como o assassinato ou homicídio comum. Em mais de uma ocasião, Himmler manifestou profunda e, com toda probabilidade, autêntica preocupação com a preservação da sanidade mental e dos padrões morais dos seus muitos subordinados envolvidos diariamente em atividades desumanas; também manifestou o orgulho de que, a seu ver, tanto a sanidade como a moralidade saíram incólumes do teste. Para citar Arendt de novo, "por sua 'objetividade' (*Sachlichkeit*), as SS se diferenciavam de tipos 'emotivos' como Streicher, esse 'tolo idealista', e também de certos 'figurões do partido teuto-germânico que se portavam como se usassem chifres e pele de animais'".[26] Os líderes SS contavam (com razão, ao que parece) com a rotina da organização, não com o zelo individual; com a disciplina, não com a dedicação ideológica. A lealdade à sangrenta tarefa devia ser — e era de fato — um derivativo da lealdade à organização.

A "superação da piedade animal" não podia ser buscada e alcançada através da liberação de outros instintos animais, inferiores; estes seriam com toda a probabilidade disfuncionais para a capacidade de agir da organização; uma multidão de indivíduos vingativos e homicidas não igualaria a eficiência de uma pequena mas disciplinada burocracia estritamente coordenada. Mas aí não ficava absolutamente claro se era possível confiar que os instintos assassinos aflorariam em todos aqueles milhares de funcionários e profissionais que, simplesmente por causa da escala do empreendimento, deviam se envolver em vários estágios da operação. Nas palavras de Hilberg,

> O perpetrador alemão [do morticínio] não era um tipo especial de alemão... Sabemos que a própria natureza do planejamento administrativo, da estrutura jurisdicional e do sistema orçamentário impedia a seleção e o treinamento especiais do pessoal. Qualquer integrante da Polícia da Ordem podia ser guarda num gueto ou num trem. Todo advogado no Departamento Central de Segurança do Reich devia estar pronto para liderar unidades móveis de matança; todo especialista financeiro do Departamento Econômico-Administrativo Central era considerado uma opção natural para o serviço nos campos de extermínio. Em outras palavras, todas as operações necessárias eram executadas com o pessoal que estivesse à mão.[27]

E, então, como foram esses alemães comuns transformados nos perpetradores do extermínio em massa? Na opinião de Herbert C.

Kelman,[28] inibições morais contra atrocidades violentas tendem a ser corroídas se satisfeitas três condições, isoladas ou em conjunto; a violência é *autorizada* (por práticas governadas por normas e a exata especificação de papéis) e as vítimas da violência são *desumanizadas* (por definições e doutrinações ideológicas). A terceira condição vamos tratar separadamente. As duas primeiras, no entanto, soam notavelmente familiares. Foram expressas repetidas vezes naqueles princípios de ação racional que receberam aplicação universal pelas instituições mais representativas da sociedade moderna.

O primeiro princípio mais obviamente relevante para a nossa investigação é o da disciplina da organização; mais precisamente, a exigência para obedecer ordens superiores acima de quaisquer outros estímulos à ação, para colocar a devoção ao bem-estar da organização, tal como definido nas ordens superiores, acima de todas as outras devoções e compromissos. Dentre estas outras influências "externas" que interferem com o espírito de dedicação e portanto marcadas para a supressão e extinção, as mais destacadas são as opiniões e preferências pessoais. O ideal da disciplina aponta para a total identificação com a organização — que, por sua vez, só pode significar disposição de obliterar a própria identidade separada e sacrificar os próprios interesses (por definição, interesses que não coincidem em parte com a tarefa da organização). Em ideologia organizacional, a disposição para esse tipo extremo de autossacrifício é enunciada como uma virtude moral; na verdade, como a virtude moral destinada a pôr fim a todas as demais exigências morais. A observância altruísta dessa virtude moral é então vista, nas famosas palavras de Weber, como a honra do funcionário público: "A honra do funcionário público está investida na sua capacidade de executar de forma conscienciosa a ordem das autoridades superiores, exatamente como se a ordem expressasse sua própria convicção. Isso vale mesmo se a ordem lhe parece errada e se, a despeito de seus protestos, a autoridade a mantiver." Esse tipo de comportamento significa, para um servidor público, "a disciplina moral e a abnegação no mais alto grau".[29] Através da honra, a disciplina substitui a responsabilidade moral. A deslegitimação de tudo que não seja regra interna da organização como fonte e garantia do que é adequado, portanto a negação de autoridade à consciência pessoal, torna-se então a mais elevada virtude moral. O mal-estar que o exercício de tais virtudes pode por vezes causar é compensado pela insistência da autoridade superior de que ela e somente ela é responsável pelos atos dos subordinados (na medida, claro, em que se conformam ao seu comando). Weber completou sua definição da honra do funcionário público dando forte ênfase à "exclusiva responsabilidade pessoal" do chefe, "responsabilidade que ele não pode e não deve rejeitar ou transferir". Quando instado a explicar, no julgamento de Nuremberg, por que não renunciou ao comando do *Einsatzgruppe* cujas ações pessoalmente desaprovava, Ohlendorf invocou precisamente este senso de responsabilidade: se expusesse as ações de sua unidade para se ver livre de obrigações que, garantiu, o indignavam, estaria deixando que seus homens fossem "erroneamente acusados". Obviamente, Ohlendorf esperava que a mesma responsabilidade paternalística que observou em relação a "seus homens" seria praticada por seus superiores para com ele; isso o eximia da preocupação com a avaliação moral de suas ações, que poderia com segurança deixar a cargo dos que o comandavam. "Não creio que esteja em posição de julgar se suas decisões... eram morais ou imorais... Submeto minha consciência moral ao fato de que eu era um soldado e, portanto, um dente em posição relativamente baixa dentro de uma grande engrenagem."[30]

Se o toque de Midas transformava tudo em ouro, a administração SS transformava tudo que caía em sua alçada — inclusive as vítimas — em parte integrante da cadeia de comando, sujeito às regras estritamente disciplinares e livre de julgamento moral. O genocídio foi um processo múltiplo; como observou Hilberg, incluiu coisas feitas pelos alemães e coisas feitas — sob ordens alemãs, embora muitas vezes com dedicação que beirava a desistência de si mesmo — pelas vítimas judaicas. Esta é a superioridade técnica de um extermínio em massa deliberadamente projetado e racionalmente organizado em relação a acessos desenfreados de orgia assassina. A cooperação das vítimas com os executores de um pogrom é inconcebível. A cooperação das vítimas com os burocratas da SS foi parte do projeto: com efeito, foi uma condição crucial do seu sucesso. "Um vasto componente de todo o processo dependia da participação dos judeus — tanto os simples atos individuais quanto a atividade organizada em conselhos... Os supervisores alemães buscavam nos conselhos judaicos informações, dinheiro, mão de obra ou policiamento e os conselhos lhes davam tudo isso diariamente." Esse espantoso efeito de estender com sucesso as regras da conduta burocrática, completado com a deslegitimação de lealdades e motivos morais alternativos no geral para abranger as pretendidas vítimas da burocracia, com isso empregando seus talentos e mão de obra na execução da tarefa de sua própria destruição, foi alcançado (muito como na atividade corriqueira de qualquer outra burocracia, sinistra ou benigna) de uma maneira dupla. Primeiro, o cenário externo da vida no gueto foi concebido de tal forma que todas as ações de seus líderes e habitantes só podiam ser "funcionais" para os propósitos alemães. "Tudo que visasse a manter sua viabilidade [do gueto] estava promovendo simultaneamente um objetivo alemão... A eficiência judaica em alocar espaço ou distribuir rações era uma extensão da eficiência alemã. O rigor judeu na taxação ou na utilização da mão de obra era um reforço da severidade alemã; até a incorruptibilidade judaica podia ser um instrumento do governo alemão." Segundo, tomava-se um cuidado especial para que a cada passo do caminho as vítimas fossem colocadas em uma situação de opção onde pudessem aplicar critérios e ação racional, e na qual a decisão racional invariavelmente concordava com o "desígnio administrativo". "Os alemães foram notavelmente bem-sucedidos em deportar judeus por etapas, porque os que permaneciam raciocinavam que era necessário sacrificar uns poucos para salvar muitos."[31] Por sinal, mesmo aqueles já deportados tinham a oportunidade de empregar sua racionalidade até o fim. As câmaras de gás, sedutoramente chamadas de "banheiros", eram uma visão bem-vinda depois de dias e dias em imundos vagões para gado. Aqueles que já sabiam da verdade e não alimentavam ilusões ainda tinham uma opção entre uma morte "rápida e sem dor" e outra precedida por sofrimentos extras reservados para os insubordinados. Daí não apenas as articulações externas do cenário do gueto, sobre o qual as vítimas não tinham controle, eram manipuladas de modo a transformar o gueto como um todo numa extensão da máquina de extermínio; também as faculdades racionais dos "funcionários" dessa extensão eram empregadas para omitir o comportamento motivado pela lealdade e cooperação com os fins burocraticamente definidos.

A produção social da invisibilidade moral

Até aqui tentamos reconstituir o mecanismo social da "superação da piedade animal"; uma produção social de conduta contrária às inibições morais inatas, capaz de transformar indivíduos que não são "degenerados morais" em qualquer dos sentidos "normais" em assassinos ou colaboradores conscientes no processo de extermínio. A experiência do Holocausto põe em relevo, no entanto, outro mecanismo social, um mecanismo com potencial muito mais sinistro de envolver na perpetração do genocídio um número muito maior de pessoas que nunca enfrentam conscientemente no processo nem opções morais difíceis nem a necessidade de reprimir uma resistência interior de consciência. A luta em torno de questões morais nunca tem lugar, pois os aspectos morais das ações não são imediatamente óbvios ou sua descoberta e discussão são deliberadamente evitadas. Em outras palavras, o caráter moral da ação é invisível ou propositalmente encoberto.

Para citar Hilberg de novo, "deve-se ter em mente que a maioria dos participantes [do genocídio] não atirou em crianças nem despejou gás em câmaras de gás... A maioria dos burocratas compôs memorandos, redigiu planos, falou ao telefone e participou de conferências. Podiam destruir todo um povo sentados em suas escrivaninhas."[32] Tivessem consciência do produto último de seu afã aparentemente inócuo, tal conhecimento ficaria, na melhor das hipóteses, nos recessos ocultos de suas mentes. Ligações casuais entre as suas ações e o assassínio em massa eram difíceis de distinguir. Pouco opróbrio moral era vinculado à natural inclinação humana de evitar preocupar-se mais do que o necessário — e assim abster-se de examinar toda a extensão da cadeia causal até suas ligações mais remotas. Para compreender como foi possível essa cegueira moral estarrecedora, ajuda pensar nos operários da fábrica de armamentos que se alegram com a "suspensão do fechamento" de sua indústria graças a novas ordens grandiosas, ao mesmo tempo que lamentam os massacres mútuos de etíopes e eritreus; ou pensar como é possível que a "queda nos preços das *commodities*" pode ser universalmente aclamada como uma notícia boa ao mesmo tempo que a "fome das crianças africanas" é lamentada de forma igualmente universal e sincera.

Poucos anos atrás, John Lachs apontou a *mediação da ação* (o fenômeno da ação de alguém ser executada para ele por alguma outra pessoa, por um intermediário, que "se coloca entre esse alguém e sua ação, tornando-lhe possível experimentá-la diretamente") como um dos aspectos mais salientes e fundamentais da sociedade moderna. Há uma grande distância entre intenções e realizações práticas, com o espaço entre as duas coisas preenchido por uma infinidade de atos insignificantes e atores inconsequentes. O "intermediário" esconde da vista dos atores os resultados da ação.

> O resultado é que há muitos atos que ninguém assume conscientemente. Para a pessoa em nome da qual são praticados, só

> existem verbalmente ou na imaginação; não os reivindicará como seus, pois nunca os viveu. A pessoa que de fato os praticou, por outro lado, sempre os verá como atos de outra e a si mesma como instrumento inocente da vontade alheia...
>
> Sem conhecimento direto das próprias ações, mesmo o melhor ser humano age num vazio moral: o reconhecimento abstrato do mal não é nem um guia confiável nem um motivo adequado... Não devemos [nos] surpreender com a imensa crueldade em grande parte não intencional de homens de boa vontade...
>
> O notável é que não somos incapazes de reconhecer atos errados ou flagrantes injustiças quando nos deparamos com eles. O que nos deixa pasmados é como puderam ser produzidos se cada um de nós só fez coisas inofensivas... É difícil aceitar que muitas vezes nenhuma pessoa ou grupo planejou nem provocou nada. É ainda mais difícil ver como nossas próprias ações, através de seus efeitos longínquos, contribuíram para a produção da miséria.[33]

O aumento da distância física e/ou psíquica entre o ato e suas consequências produz mais do que a suspensão da inibição moral; anula o significado moral do ato e todo conflito entre o padrão pessoal de decência moral e a imoralidade das consequências sociais do ato. Com a maioria das ações socialmente significativas mediadas por uma extensa cadeia de dependências causais e funcionais complexas, os dilemas morais saem de vista e se tornam cada vez mais raras as oportunidades para um exame mais cuidadoso e uma opção moral consciente.

Efeito similar (em escala ainda mais impressionante) é obtido tornando as próprias vítimas psicologicamente invisíveis. Esse foi certamente um dos fatores mais decisivos dentre aqueles responsáveis pela escalada dos custos humanos na guerra moderna. Como observou Philip Caputo, o caráter da guerra "parece depender da distância e da tecnologia. Você nunca poderia se dar mal se matasse pessoas a longa distância com armas sofisticadas".[34] Com o morticínio "à distância", é provável que a relação entre a carnificina e atos absolutamente inocentes — como puxar um gatilho, ligar a corrente elétrica ou apertar um botão num teclado de computador — permaneça puramente teórica (tendência enormemente favorecida pela mera diferença de escala entre o resultado e sua causa imediata — incomensurabilidade que facilmente desafia a compreensão fundada na experiência do senso comum). É portanto possível ser o piloto que lança bombas em Hiroshima ou Dresde, destacar-se no cumprimento do dever em uma base de mísseis teleguiados, projetar ogivas nucleares ainda mais devastadoras e tudo isso sem comprometer a própria integridade moral ou de forma alguma se diminuir moralmente (a invisibilidade das vítimas foi, compreensivelmente, um importante fator também nas infames experiências de Milgram). Com esse efeito da invisibilidade das vítimas em mente, é talvez mais fácil compreender as sucessivas melhorias da tecnologia do Holocausto. No nível dos *Einsatzgruppen*, as vítimas recolhidas eram colocadas diante de metralhadoras e fuziladas sem rodeios. Apesar dos esforços para manter as armas o mais longe possível dos fossos nos quais os mortos deviam cair, era difícil demais para os atiradores passar por alto a relação entre atirar e matar. Foi por isso que os administradores do genocídio acharam o método primitivo e ineficiente, além de perigoso para a moral dos executores. Foram então procuradas outras técnicas de assassinato de forma a separar visualmente assassinos e vítimas. A busca teve êxito e levou à invenção das primeiras câmaras de gás móveis e depois as fixas; estas — as mais perfeitas que os nazistas tiveram tempo de inventar — reduziram o papel do matador ao de "funcionário sanitário" que devia esvaziar um saco de "desinfetantes químicos" por uma abertura no teto de um prédio cujo interior não o estimulavam a visitar.

O sucesso técnico-administrativo do Holocausto deveu-se em parte à hábil utilização de "pílulas de entorpecimento moral" que a burocracia e a tecnologia modernas colocavam à disposição. Dentre elas destacavam-se a natural invisibilidade das relações causais num sistema complexo de interação e o "distanciamento" dos resultados repugnantes ou moralmente repulsivos da ação ao ponto de torná-los invisíveis ao ator. Mas os nazistas se sobressaíram especialmente num terceiro método, que também não inventaram mas aperfeiçoaram a um grau sem precedentes. Foi o método de tornar invisível a própria humanidade das vítimas. O conceito de Helen Fein de *universo de obrigação* ("o círculo de pessoas com a obrigação recíproca de se protegerem cujos laços derivam de sua relação com uma divindade ou fonte sagrada de autoridade")[35] faz um bocado para iluminar os fatores sociopsicológicos por trás da aterradora eficiência desse método. O "universo de obrigação" designa os limites exteriores do território social dentro do qual se pode colocar alguma questão moral com algum sentido. Do outro lado da fronteira não há preceitos morais amarrando ninguém e avaliações morais não fazem sentido. Para tornar invisível a humanidade das vítimas é preciso apenas retirá-las do universo da obrigação.

Na visão nazista do mundo, medida por um valor superior e inconteste dos direitos da germanidade, excluir os judeus do universo da obrigação só era necessário para privá-los da participação na nação e comunidade do Estado alemão. Diz outra frase pungente de Hilberg: "Quando o primeiro servidor público escreveu numa norma do funcionalismo a primeira definição de 'não ariano', nos primeiros dias de 1933, a sorte dos judeus europeus estava selada."[36] Para induzir à cooperação (ou apenas à inação ou indiferença) dos europeus não germânicos, era preciso mais. Despojando os judeus de sua alemanidade, o que bastava para a SS alemã, não era evidentemente o bastante para nações que, mesmo se gostassem das ideias propagadas pelos novos senhores da Europa, tinham razões para temer e ressentir-se com suas pretensões ao monopólio da virtude humana. Uma vez que o objetivo de uma Alemanha *judenfrei* transformou-se na meta de uma Europa *judenfrei*, a expulsão dos judeus da nação alemã tinha que ser suplantada por sua total desumanização. Daí a ligação predileta de Frank entre "judeus e piolhos", a mudança de discurso expressa no transplante da "questão judaica" forma o contexto da autodefesa racial no universo linguístico da "autopurificação" e da "higiene política", os cartazes com alertas sobre o tifo nas paredes dos guetos e, por fim, a autorização dos produtos químicos para o último ato da Deutsche Gesellschaft für Schädlingsbekämpung — a Companhia Alemã de Fumigação.

Consequências morais do processo civilizador

Embora estejam disponíveis outras imagens sociológicas do processo civilizador, a mais comum (e amplamente aceita) é a que impõe como seus pontos centrais a supressão de atos irracionais e essencialmente antissociais e a gradual mas persistente eliminação da violência da vida social (mais precisamente, a concentração da violência sob controle do Estado, onde é usada para guardar os perímetros da comunidade nacional e as condições da ordem social). O que funde os dois pontos centrais num só é a visão da sociedade civilizada — pelo menos na nossa forma ocidental moderna — como, primeiro e antes de mais nada, uma força moral; como um sistema de instituições que cooperam e se completam mutuamente na imposição de uma ordem normativa e do império da lei, que por sua vez preservam condições de paz social e segurança individual mal defendidas em cenários pré-civilizados.

Esta visão não é necessariamente enganosa. À luz do Holocausto, no entanto, certamente ela parece parcial. Ao mesmo tempo que abre a exame importantes tendências da história recente, exclui da discussão outras não menos cruciais. Concentrando-se numa faceta do processo histórico, ela traça uma linha divisória arbitrária entre a norma e a anormalidade. Ao tirar a legitimidade de alguns aspectos recorrentes/elásticos da civilização, ela falsamente sugere que são de natureza casual e transitória, ao mesmo tempo encobrindo a formidável ressonância entre os seus atributos mais eminentes e as pressuposições normativas da modernidade. Em outras palavras, ela desvia a atenção da permanência do potencial alternativo e destrutivo do processo civilizador e efetivamente silencia e marginaliza a crítica que insiste na duplicidade do moderno acordo social.

Proponho que uma importante lição do Holocausto está na necessidade de tratar a crítica seriamente e assim expandir o modelo teórico do processo civilizador, de forma a incluir sua tendência a degradar, censurar e deslegitimizar as motivações éticas da ação social. Precisamos avaliar a evidência de que *o processo civilizador é, entre outras coisas, um processo de despojar a avaliação moral do uso e exibição da violência e emancipar os anseios de racionalidade da interferência de normas éticas e inibições morais.* Como a promoção da racionalidade à exclusão de critérios alternativos de ação, e em particular a tendência a subordinar o uso da violência a cálculos racionais, foi de há muito reconhecida como uma característica da civilização moderna, fenômenos como o Holocausto devem ser reconhecidos como resultados legítimos da tendência civilizadora e seu potencial constante.

Lida de novo, com o benefício da percepção tardia, a explicação de Weber sobre as condições e o mecanismo de racionalização revela essas importantes conexões, no entanto até aqui subestimadas. Vemos mais claramente que as condições de gestão racional do negócio — como a notória separação entre a família e o trabalho ou entre renda privada e erário público — funcionam ao mesmo tempo como fatores poderosos em isolar do intercâmbio com processos governados por outras normas (por definição, irracionais) a ação racional orientada para o fim e assim torná-la imune ao impacto coercivo dos postulados de assistência recíproca, solidariedade, respeito mútuo etc., que se apoiam nas práticas das organizações não empresariais. Esse feito geral da tendência racionalizadora foi codificado e institucionalizado, sem qualquer surpresa, na burocracia moderna. Submetido à mesma releitura retrospectiva, revela o silenciamento da moralidade como sua maior preocupação; como, de fato, a condição fundamental do seu sucesso como instrumento de coordenação racional da ação. E também revela sua capacidade de gerar a solução tipo Holocausto enquanto persegue, de forma impecavelmente racional, sua atividade diária de resolução de problemas.

Qualquer reescritura da teoria do processo civilizador nas linhas sugeridas envolveria por necessidade uma mudança na própria sociologia. A natureza e estilo da sociologia foram harmonizados à mesmíssima sociedade moderna que ela teorizou e investigou; a sociologia comprometeu-se desde seu surgimento num relacionamento mimético com seu objeto — ou melhor, com a imaginação desse objeto que construiu e aceitou como moldura do seu próprio discurso. E assim a sociologia promoveu, como seus próprios critérios de adequação, os mesmos princípios de ação racional que visualizou como constitutivos de seu objeto. Também promoveu, como regras de ligação do próprio discurso, a inadmissibilidade de problemáticas éticas sob qualquer forma que não a da ideologia apoiada na comunidade e portanto heterogênea ao discurso sociológico (científico, racional). *Expressões como "a santidade da vida humana" soam tão estranhas num seminário de sociologia como nas salas assépticas e sem fumaça de um escritório burocrático.*

Ao observar tais princípios na sua prática profissional, a sociologia não fez mais que participar da cultura científica. Como parte e parcela do processo racionalizante, essa cultura não pode escapar a um segundo olhar. O silêncio moral autoimposto da ciência revelou, afinal, alguns dos seus aspectos menos divulgados quando a questão da produção e destinação dos cadáveres em Auschwitz foi enunciada como um "problema médico". Não é fácil descartar as advertências de Franklin M. Littell sobre a crise de credibilidade da universidade moderna: "Em que espécie de escola de medicina se formaram Mengele e colegas? Que departamentos de antropologia prepararam a equipe do 'Instituto de Hereditariedade Ancestral' da Universidade de Estrasburgo?"[37] Para não especular a quem serve essa carapuça, para evitar a tentação de descartar essas questões como de mera importância histórica, não é preciso ir além da análise que Colin Gray faz do impulso por trás da corrida nuclear contemporânea: "Necessariamente, os cientistas e tecnólogos de cada lado estão 'correndo' para diminuir sua própria ignorância (o inimigo não é a tecnologia soviética; são as incógnitas físicas que atraem a atenção científica)... Equipes altamente motivadas, tecnologicamente competentes e adequadamente fundamentadas de pesquisadores produzirão inevitavelmente uma série infindável de ideias novas em folha (ou aperfeiçoadas) sobre armas."[38]

Uma primeira versão deste capítulo foi publicada no *British Journal of Sociology*, em dezembro de 1988.

2
Modernidade, racismo e extermínio I

Poucos laços causais parecem mais transparentes que os que ligam o antissemitismo ao Holocausto. Os judeus da Europa foram assassinados porque os alemães que os mataram e os que os ajudaram a nível local odiavam os judeus. O Holocausto foi o clímax espetacular de uma história de séculos de ressentimento religioso, econômico, cultural e nacional. Esta é a explicação do Holocausto que primeiro vem à mente. Ela "é lógica" (se a pessoa se permitir paradoxos). E no entanto a aparente clareza dos laços causais não resiste a um exame mais detalhado.

Graças à pesquisa histórica completa realizada nas últimas décadas, sabemos agora que antes da ascensão dos nazistas ao poder e muito depois de terem implantado seu domínio sobre a Alemanha, o antissemitismo do povo alemão perdia para o ódio aos judeus em vários outros países europeus. Muito antes de a República de Weimar dar os retoques finais ao longo processo de emancipação dos judeus, a Alemanha era amplamente vista pela comunidade judaica internacional como um refúgio da igualdade e tolerância religiosas e nacionais. A Alemanha entrou este século com um número muito maior de acadêmicos e profissionais judeus do que os Estados Unidos ou a Grã-Bretanha atuais. O ressentimento popular com os judeus não era nem profundo nem amplamente disseminado. Raramente ele se manifestava em explosões de violência pública, tão comuns em outras partes da Europa. As tentativas nazistas de trazer o antissemitismo à tona com a encenação de espetáculos públicos de violência antijudaica mostraram-se contraproducentes e tiveram que ser abandonadas. Um dos mais eminentes historiadores do Holocausto, Henry L. Feingold concluiu que, se tivessem sido feitas pesquisas de opinião pública para avaliar a intensidade das atitudes antissemitas "durante a República de Weimar, provavelmente teríamos descoberto que a antipatia dos alemães para com os judeus era menor que a dos franceses".[1] Em nenhum momento do processo de extermínio o antissemitismo popular foi uma força ativa. No máximo se dá a entender que contribuiu indiretamente para o assassinato em massa através da indução à apatia com que a maioria dos alemães encarava a sorte dos judeus quando tomava conhecimento dela ou se resignava à ignorância. Nas palavras de Norman Cohn, "as pessoas não queriam se incomodar por causa dos judeus. A própria indiferença generalizada, a facilidade com que as pessoas se desvinculavam dos judeus e de sua sorte, era certamente em parte resultado de um vago sentimento de que... os judeus eram um tanto estranhos e perigosos".[2] Richard L. Rubenstein dá um passo ainda mais adiante e sugere que a apatia alemã — a cooperação por omissão, por assim dizer — não pode ser plenamente compreendida a não ser que se formule a pergunta: "A maioria dos alemães considerava benéfica a eliminação dos judeus?"[3] Há outros historiadores, porém, que explicaram de forma convincente a "cooperação por omissão" através de fatores que não incluem necessariamente quaisquer preconceitos quanto à natureza ou essência dos judeus. Assim, Walter Laqueur enfatiza o fato de que "muito poucas pessoas queriam saber da sorte dos judeus. A maioria dos indivíduos enfrentava problemas bem mais importantes. Era um assunto desagradável, especular não dava em nada e as discussões sobre a sorte dos judeus eram desestimuladas. Análises da questão foram deixadas de lado, riscadas do mapa."[4]

Há mais um problema que a explicação do Holocausto pelo antissemitismo não está preparada para enfrentar. O antissemitismo — religioso ou econômico, cultural ou racial, virulento ou brando — tem sido há milênios um fenômeno quase ecumênico. E mesmo assim o Holocausto foi um acontecimento sem precedentes. Em praticamente cada um dos seus aspectos ele é único e não permite comparação com outros massacres, não importa quão sangrentos, praticados contra grupos previamente classificados como estranhos, hostis ou perigosos. Claramente, por ser permanente e onipresente, o antissemitismo não pode ser responsabilizado pela singularidade do Holocausto. Para complicar ainda mais a questão, está longe de ser óbvio que a presença do antissemitismo, reconhecidamente uma condição necessária da violência antijudaica, possa ser vista como sua condição suficiente. Na opinião de Norman Cohn, um grupo organizado de "matadores profissionais de judeus" (fenômeno não desvinculado do antissemitismo, embora de forma alguma idêntico a ele) é a própria causa material e operante da violência; sem ele, o ressentimento contra os judeus, por mais forte que fosse, dificilmente teria irrompido em ataques físicos contra vizinhos judeus.

> Os pogroms como explosões espontâneas de fúria popular parecem ser um mito e não há de fato um só caso confirmado de habitantes de uma cidade ou aldeia terem simplesmente caído sobre os vizinhos judeus e os assassinado. Isso se aplica mesmo à Idade Média... Na era moderna, a iniciativa popular esteve ainda menos em evidência, pois os próprios grupos organizados só foram efetivos quando detinham o poder de decisão política e participavam de algum governo.[5]

Em outras palavras, o argumento de que a violência antijudaica em geral e particularmente o caso específico do Holocausto se explicam como uma "culminação dos sentimentos antijudaicos", um "antissemitismo mais intenso" ou a "erupção do ressentimento popular contra os judeus" é frágil e tem pouca base na história ou em evidências atuais. Por si só, o antissemitismo não oferece explicação do Holocausto (de maneira mais geral, argumentaríamos, *o antissemitismo não é em si mesmo uma explicação satisfatória de qualquer genocídio*). Se é verdade que o antissemitismo foi funcional e talvez indispensável para a concepção e concretização do Holocausto, é igualmente verdade que o antissemitismo dos planejadores e administradores do assassinato em massa deve ter diferido em alguns aspectos importantes dos sentimentos antijudaicos, se é que os havia, dos executores, colaboradores e vítimas complacentes. É também verdade que para tornar possível o Holocausto, o antissemitismo de qualquer tipo tinha que ser fundido com certos fatores de caráter inteiramente diferente. Mais do que investigar os mistérios da psicologia individual, precisamos desemaranhar os mecanismos sociais e políticos capazes de produzir tais fatores extras e examinar sua reação potencialmente explosiva às tradições dos antagonismos intergrupais.

Algumas peculiaridades do isolamento judaico

Depois que o termo "antissemitismo" foi cunhado e ganhou uso generalizado no final do século XIX, reconheceu-se que o fenômeno que o novo termo tentava captar tinha um longo passado, entrando fundo pela Antiguidade; admitiu-se uma continuidade quase ininterrupta de evidência histórica do ressentimento e discriminação contra os judeus por mais de dois milênios. Quase consensualmente, os historiadores remontam os primórdios do antissemitismo à destruição do segundo templo (70 d.C.) e ao começo da diáspora em massa, embora se tenha feito pesquisa muito interessante de opiniões e práticas, digamos, protoantissemíticas que chegam ao exílio babilônico. (Um estudo provocante e controvertido sobre antissemitismo "pagão" foi publicado no início da década de 1920 pelo historiador soviético Salomo Luria.)

Etimologicamente, "antissemitismo" não é um termo feliz, pois não define bem aquilo a que se refere (no geral, é amplo demais) e erra o verdadeiro alvo das práticas que pretende isolar. (Os nazistas, os praticantes mais dedicados do antissemitismo na história conhecida, ficaram cada vez mais frios com esse termo, particularmente durante a guerra, quando a clareza semântica do conceito transformou-se em questão política perigosa, uma vez que o termo era ostensivamente aplicado também a alguns dos mais dedicados aliados dos alemães.) Em aplicações práticas, no entanto, a controvérsia semântica foi no geral evitada e o conceito focalizou sem erro o alvo pretendido. "Antisemitismo" representa o ressentimento contra os judeus. Refere-se à concepção dos judeus como um grupo estranho, hostil e indesejável e às práticas que derivam dessa concepção e a sustentam.

O antissemitismo difere em um importante aspecto de outros casos de duradoura hostilidade intergrupal: as relações sociais de que as ideias e práticas do antissemitismo podem ser um aspecto nunca são relações entre dois grupos territorialmente estabelecidos que se confrontam em pé de igualdade; são, ao invés disso, relações entre uma maioria e uma minoria, entre uma população "hospedeira" e um grupo menor que vive no seu meio, embora mantendo uma identidade separada, e por essa razão — por ser o lado mais fraco — tornando-se o elemento marcado da oposição, nomeado como "eles" para se diferenciar de "nós", os nativos. Os alvos do antissemitismo ocupam, de regra, o status semanticamente confuso e psicologicamente debilitado de estrangeiros dentro de casa, dessa forma ultrapassando uma fronteira vital que deveria ser traçada com clareza e mantida intacta e inexpugnável; e é mais provável que a intensidade do antissemitismo continue proporcional à urgência e ferocidade da atitude de traçar e definir fronteiras.[6] O mais comum é o antissemitismo ser uma manifestação exterior da ânsia de preservação de fronteiras e das tensões emocionais e preocupações práticas que provoca.

É óbvio que tais características únicas do antissemitismo ligam-se de forma inextrincável ao fenômeno da diáspora. A diáspora judaica, no entanto, mais uma vez difere da maioria dos outros exemplos de migração e reassentamento de grupos humanos. Uma característica espetacular da diáspora judaica é a simples extensão de tempo histórico em que esses "estrangeiros no nosso meio" preservaram sua separação, tanto no sentido de continuidade diacrônica como de autoidentidade sincrônica. Ao contrário da maioria dos casos de reassentamento, portanto, as reações eliminadoras de fronteiras à presença judaica tiveram tempo suficiente para se sedimentar e institucionalizar como rituais codificados com uma capacidade autorreprodutora embutida, que por sua vez reforçou ainda mais a realimentação da separação. Outra característica peculiar da diáspora judaica foi a universalidade da falta de lar dos judeus, qualidade que talvez partilhassem apenas com os ciganos. A ligação original dos judeus com a terra de Israel ficou cada vez mais tênue através dos séculos, praticamente só não perdendo a dimensão espiritual. Esta, no entanto, era contestada pela população hospedeira, uma vez que a terra de Israel tornara-se a Terra Santa reivindicada pelos anfitriões em nome de sua própria herança espiritual. Ainda que ressentidos com a presença judaica em seu próprio país, os anfitriões iriam ressentir-se ainda mais violentamente com a retomada da Terra Santa pelo povo que viam como seus pretendentes ilegítimos.

A permanente e irremediável falta de lar dos judeus foi parte integrante de sua identidade praticamente desde o início da sua história de diáspora. Com efeito, esse fato foi usado como principal argumento nazista contra os judeus e empregado por Hitler para fundamentar a alegação de que a hostilidade antijudaica era de um tipo radicalmente diferente dos antagonismos comuns entre nações ou raças rivais.

(Como Eberhard Jäckel[7] demonstrou, era a permanente e onipresente falta de lar dos judeus que mais do que qualquer outra coisa separava-os aos olhos de Hitler de outras nações que ele odiava e queria escravizar ou destruir. Hitler acreditava[8] que, não tendo Estado territorial, os judeus não podiam participar da universal luta pelo poder na sua forma ordinária de guerra para conquista de território e assim tinham que apelar a métodos indecentes, sub-reptícios e desleais que faziam deles um inimigo particularmente sinistro e formidável; um inimigo, ademais, improvável de ser jamais saciado ou pacificado e por isso fadado a ser destruído para se tornar inofensivo.)

E no entanto, na Europa pré-moderna, a qualidade peculiar da *alteridade* judaica não impediu no geral sua acomodação na ordem social dominante. A acomodação foi possível por causa da tensão e conflito relativamente baixos gerados pelos processos de traçar e guardar fronteiras. Mas também foi facilitada pela estrutura segmentária da sociedade pré-moderna e a normalidade da separação entre os segmentos. Numa sociedade dividida em classes ou castas, os judeus eram apenas uma classe ou casta dentre muitas. O judeu como indivíduo era definido pela casta a que pertencia e pelos privilégios e fardos específicos de que a casta gozava ou que tinha de carregar. Mas o mesmo se aplicava a cada um dos demais membros da mesma sociedade. Os judeus eram postos à parte, mas o fato de serem postos à parte de forma alguma os tornava únicos. Sua condição, como a dos demais agrupamentos tipo casta, ganhou forma e foi com efeito perpetuada e defendida pelas práticas gerais relacionadas à manutenção da pureza e prevenção da poluição. Ainda que variadas, essas práticas eram unidas por uma função comum: a de criar uma distância segura e de torná-la o mais intransponível possível. A separação de grupos era alcançada mantendo-se-os fisicamente à parte (reduzindo a um mínimo os contatos, assim mesmo estritamente controlados e ritualizados), marcando os membros individuais do grupo para torná-los visíveis como aliados, ou induzindo à separação espiritual entre os grupos de modo a impedir sua osmose cultural e o nivelamento das oposições culturais que isso poderia gerar. Por séculos, o judeu foi alguém que viveu num bairro separado da cidade e usava uma roupa notavelmente típica (ocasionalmente prescrita por lei, em especial quando a tradição comunitária não conseguia preservar a uniformidade da distinção). A separação de domicílios não bastava, porém, pois na maioria dos casos as economias do gueto e da comunidade anfitriã entrelaçavam-se e precisavam portanto de contatos físicos regulares. A distância territorial tinha pois que ser suplementada por um ritual inteiramente codificado visando a formalização e funcionalização das relações que não pudessem ser evitadas. Relações que resistissem à formalização e à redução funcional eram de modo geral proibidas ou pelo menos desencorajadas. Como na maioria dos rituais de manutenção de casta e de luta contra a poluição, as proibições do *connubium* e da convivência (assim como de todo *commercium*, exceto o estritamente funcional) estavam entre as mais violentamente impostas e observadas.

Um importante ponto a lembrar é que todas essas medidas aparentemente antagônicas eram ao mesmo tempo veículos de integração social. Desfaziam entre si o perigo que um "estranho dentro" não pode senão apresentar para a autoidentidade e a autoprodução do grupo hospedeiro. Criavam condições sob as quais era concebível coabitar sem fricção. Elucidavam regras de comportamento que, se observadas estreitamente, podiam garantir a coexistência pacífica numa situação potencialmente dominada pelo conflito e explosiva. Como Simmel explicou, a institucionalização ritualística transformou o conflito num instrumento de socialização e coesão social. Na medida em que sejam efetivas, as práticas de separação não precisam do apoio de uma atitude hostil. A redução do comércio a trocas estritamente ritualizadas exigia apenas devoção às regras e uma repulsa treinada a suas transgressões. Também exigia, certamente, a aceitação pelos alvos da separação de um status inferior àquele da comunidade anfitriã e sua anuência à autoridade do anfitrião para definir, reforçar ou alterar esse status. Ao longo da maior parte da história da diáspora, porém, a lei foi em geral uma rede de privilégios e esbulhos, não se ouvindo falar na ideia de igualdade legal e, particularmente, social, ou pelo menos ela não chegou a ser considerada como proposta prática. Até o advento da modernidade, a separação dos judeus foi pouco mais que um exemplo da separação universal das unidades da preordenada cadeia do ser.

Incompatibilidade judaica, do cristianismo à modernidade

Isso não significa, claro, que a separação dos judeus não foi escolhida dentre outros exemplos de segregação e teorizada como um caso especial de significado inteiramente próprio. Para as elites culturais da Europa pré-moderna — clero, teólogos e filósofos cristãos — ocupadas, como todas as elites culturais, com o sentido da descoberta ao acaso e com a lógica da espontaneidade na experiência de vida, os judeus eram uns esquisitos; uma entidade que desafiava a clareza cognitiva e a harmonia moral do universo. Não pertencem nem ao grupo dos gentios, os ainda não convertidos, nem ao dos hereges caídos em desgraça, que marcavam as duas fronteiras zelosamente defendidas e defensáveis da cristandade. Os judeus estavam, por assim dizer, incomodamente em cima do muro, desse modo comprometendo sua inexpugnabilidade. Ao mesmo tempo, eram os veneráveis ancestrais do cristianismo e seus odiosos e execráveis detratores. Sua rejeição dos ensinamentos cristãos não podia ser descartada como uma manifestação de ignorância pagã sem perigo sério para a verdade do cristianismo. Nem podia ser desprezada como — em princípio — um erro corrigível de uma ovelha perdida. Os judeus não eram simplesmente infiéis pré ou pós-conversão, mas pessoas que de plena consciência recusavam-se a aceitar a verdade quando tinham uma chance de admiti-la. Sua presença constituía um permanente desafio à certeza da evidência cristã. O desafio só podia ser rejeitado ou pelo menos se tornar menos perigoso explicando-se a obstinação judaica por uma premeditação criminosa, más intenções e corrupção moral. Acrescentemos um fator que vai aparecer volta e meia na nossa argumentação como um dos aspectos mais salientes e básicos do antissemitismo: os judeus eram, por assim dizer, coextensivos e coterminais com o cristianismo. Por essa razão, eram diferentes de todas as demais partes perturbadoras e não assimiladas do mundo cristão. Ao contrário de qualquer outra heresia, eles não constituíam nem um problema local nem um episódio com começo claramente definido e, portanto, felizmente, com um fim. Em vez disso, eram concomitantes ao cristianismo de forma constante e onipresente, quase um *alter ego* da Igreja de Cristo.

A coexistência da cristandade com os judeus não foi, portanto, um caso de conflito e inimizade. Foi certamente isso, mas também mais. O cristianismo não podia se reproduzir e certamente não podia reproduzir sua dominação ecumênica sem resguardar e reforçar as bases do isolamento judeu — a visão de si mesmo como herdeiro e conquistador de Israel. A autoidentidade do cristianismo era, com efeito, o isolamento dos judeus. Ele nascera da rejeição *por parte dos judeus*. O cristianismo só podia teorizar sua própria existência como oposição contínua aos judeus. A permanente teimosia judaica era a evidência de que a missão cristã ainda estava por concluir. A admissão judaica do erro, a rendição à verdade cristã e, quem sabe, uma futura conversão em massa serviam como modelo do triunfo decisivo do cristianismo. De novo à maneira de um verdadeiro *alter ego*, o cristianismo atribuiu aos judeus uma missão escatológica, que exagerou a visibilidade e importância dos judeus, *emprestando-lhes poderoso e sinistro fascínio* que de outra forma dificilmente possuiriam.

A presença dos judeus na cristandade, no seu território e na sua história, não foi portanto nem marginal nem contingente. Sua característica não era igual à de nenhum outro grupo minoritário; era um aspecto da autoidentidade cristã. A teoria cristã dos judeus ia além, pois, da generalização das práticas de exclusão; era mais do que uma tentativa de sistematização daquela vaga e difusa experiência de diferenciação que se origina de, e informa, práticas de separação tipo casta. Mais do que uma reflexão sobre as origens populares, intercâmbios amistosos ou hostis, a teoria cristã dos judeus era sujeita a uma lógica diferente — a da autorreprodução da Igreja e sua dominação ecumênica. Daí a relativa autonomia da "questão judaica" no tocante à experiência popular nos campos social, econômico e cultural. Daí também a relativa facilidade com a qual essa questão podia ser isolada do contexto da vida diária e tornada imune ao teste da experiência cotidiana. Para os hospedeiros cristãos, os judeus eram simultaneamente objetos concretos do intercâmbio diário e exemplares de uma categoria definida independentemente de tal intercâmbio. A última característica dos judeus não era nem indispensável nem inevitável do ponto de vista da primeira. Precisamente por essa razão ela podia ser separada de forma relativamente fácil da primeira e usada como um recurso em ações só vagamente, se é que de alguma forma, ligadas a práticas cotidianas. Na teoria da Igreja sobre os judeus, o antissemitismo assumiu uma forma na qual "pode existir quase independente da real situação dos judeus na sociedade... O mais extraordinário de tudo é que pode ser encontrado entre pessoas que nunca puseram os olhos num judeu e em países onde não existem judeus há séculos".[9] Essa forma mostrou-se capaz de persistir por muito tempo após o declínio do domínio espiritual da Igreja e do seu domínio sobre a visão popular de mundo. *A idade moderna já herdou "o judeu" firmemente separado dos homens e mulheres judeus que habitavam suas cidades e aldeias.* Tendo desempenhado com sucesso o papel de *alter ego* da Igreja, ele estava pronto para ser lançado em papel semelhante em relação aos novos agentes seculares da integração social.

O aspecto mais espetacular e fértil do conceito de "judeu" tal como construído pelas práticas da Igreja de Cristo era sua inerente ausência de lógica. O conceito era carregado de elementos que não combinavam nem podiam ser reconciliados entre si. A simples incoerência de sua mistura marcava a mítica entidade que se supunha poder reconciliá-los como poderosa força demoníaca, força ao mesmo tempo intensamente fascinante e repulsiva e, acima de tudo, assustadora. O judeu conceitual era o campo de batalha em que se travava a interminável luta pela autoidentidade da Igreja, pela clareza de suas fronteiras temporais e espaciais. O judeu conceitual era uma entidade semanticamente sobrecarregada, abrangendo e misturando significados que deveriam ser mantidos em separado, e por essa razão um adversário natural de qualquer força preocupada em traçar fronteiras e mantê-las estanques, seguras. O judeu conceitual era *visqueux* (no sentido sartriano), repugnante (no sentido de Mary Douglas) — imagem construída para acomodar e desafiar a ordem das coisas, como o próprio resumo e encarnação de tal desafio (escrevi extensamente sobre a relação mútua entre a atividade cultural universal de traçar fronteiras e a produção igualmente universal da repugnância no terceiro capítulo de *Culture as Praxis*). Construído dessa maneira, o judeu conceitual desempenhou uma função de importância primordial; ele visualizava as horríveis consequências da transgressão de fronteiras, de não permanecer inteiramente a coberto de qualquer conduta que não a de lealdade incondicional e opção inequívoca; ele era o protótipo e arquétipo de toda inconformidade, heterodoxia, anomalia e aberração. Como evidência da sinistra e perturbadora exorbitância do desvio, o judeu conceitual desacreditava de antemão a alternativa àquela ordem de coisas definida, narrada e praticada pela Igreja. Por essa razão, era um guarda de fronteira altamente confiável daquela ordem de coisas. *O judeu conceitual tinha uma mensagem: a alternativa a essa ordem, aqui e agora, não é outra ordem, mas o caos e a devastação.*

Acredito que a produção da incompatibilidade judaica como subproduto da autoconstituição e autorreprodução da Igreja Cristã foi uma importante causa do destaque dos judeus dentre aqueles *Demônios Interiores Europeus* que Norman Cohn descreveu de forma tão clara no seu memorável estudo da caça europeia às bruxas. Descoberta bem notável de Cohn (e que encontrou ampla confirmação em inúmeros outros estudos do problema) é a aparente falta de correlação entre a intensidade do medo de bruxas e os medos irracionais em geral, de um lado, e os avanços do conhecimento científico e o nível geral da racionalidade cotidiana, de outro. Por sinal, a explosão do método científico moderno e os grandes passos rumo à racionalização da vida cotidiana nos primeiros tempos da história moderna coincidiram com o mais feroz e depravado episódio de caça às bruxas na história. Parece que a irracionalidade dos mitos de bruxaria e da caça às bruxas teve muito pouco a ver com o retardamento da Razão. Estava, por outro lado, mais intimamente ligado à intensidade das ansiedades e tensões provocadas ou geradas pelo colapso do *ancien régime* e o advento da ordem moderna. As velhas garantias desapareceram, enquanto as novas emergiam com lentidão e sem probabilidade de alcançar a solidez das antigas. Diferenças seculares foram ignoradas, distâncias seguras sumiram, estranhos saíram de suas reservas e mudaram-se para a casa ao lado, identidades seguras perderam durabilidade e força. O que restava das velhas fronteiras precisava de uma desesperada defesa e novas fronteiras tinham que ser construídas em torno de novas identidades — desta vez, ademais, sob condições de movimento universal e mudança acelerada. Lutar contra o "imundo", o inimigo arquetípico da clareza e da segurança das linhas divisórias e identidades, tinha que ser um importante instrumento na realização das duas tarefas. Essa luta estava fadada a atingir uma ferocidade sem precedentes, uma vez que as próprias tarefas eram de uma magnitude sem precedentes.

Afirma o presente estudo que o envolvimento ativo ou passivo, direto ou indireto nas intensas preocupações da era moderna com o traçado e a manutenção de fronteiras continuaria sendo o aspecto mais característico e definidor do judeu conceitual. Proponho que o judeu conceitual foi historicamente construído como a "repugnância" do mundo ocidental. Ele foi colocado em cima de praticamente toda barricada erguida pelos sucessivos conflitos que dilaceraram a sociedade ocidental nos seus vários estágios e em várias dimensões. O próprio fato de que o judeu conceitual ficou com um pé lá e outro cá em tantas barricadas diferentes, erguidas em tantas frentes aparentemente sem relação entre si, dotou sua repelência de uma intensidade exorbitante desconhecida em outras partes. Sua multidimensional falta de clareza e *a própria multidimensionalidade era uma incompatibilidade cognitiva extra* não encontrada em todas as outras (simples, porque confinadas, isoladas e funcionalmente especializadas) categorias "repulsivas" geradas por conflitos de fronteiras.

Em cima do muro

Pelas razões discutidas acima, o fenômeno do antissemitismo não pode ser realmente concebido como um caso numa categoria mais ampla de antagonismos nacionais, religiosos ou culturais. Nem foi o antissemitismo um caso de interesses econômicos conflitantes (embora tais interesses tenham sido frequentemente levantados em argumentos a favor do antissemitismo em nossa competitiva idade moderna, que vê a si mesma em termos de grupos de interesse trancados num jogo sem vencedores ou perdedores) — ele foi sustentado inteiramente pelos interesses autodefinidores e autoafirmativos de seus praticantes. Foi um caso de demarcação de fronteiras, não de contestação de fronteiras. Por tudo isso, ele desafia uma explicação em termos de choque casual de fatores locais. Sua incrível capacidade de servir a tantas preocupações e objetivos diferentes e sem mútua relação está enraizada precisamente na sua universalidade, extemporaneidade e extraterritorialidade únicas. *Serve tão bem a tantas questões locais porque não está ligado de forma causal a nenhuma.* A adaptação do judeu conceitual às circunstâncias envolvendo diferentes contenciosos, muitas vezes contraditórios entre si mas sempre inflamados, exacerbou continuamente sua incoerência inata. Isso o tornou, contudo, ainda mais adequado e convincente como explicação, aumentando, por assim dizer, sua potência demoníaca. De nenhuma outra categoria social do Ocidente poderia ser dito o que Leo Pinsker escreveu a respeito dos judeus em 1882: "Para os vivos, o judeu é um morto; para os nativos, um estranho errante; para os pobres e explorados, um milionário; para os patriotas, um apátrida."[10] Ou o que se disse novamente, de forma atualizada mas praticamente inalterada, em 1946: "O judeu poderia ser definido como a encarnação de tudo que causa ressentimento, medo ou desprezo. Era portador do bolchevismo, mas, de modo bem curioso, ao mesmo tempo representava o espírito liberal da podre democracia ocidental. Economicamente, era tanto capitalista quanto socialista. Era acusado de indolente pacifismo, mas, por estranha coincidência, também era o eterno instigador das guerras."[11] Ou mesmo o que W.D. Rubinstein escreveu recentemente com referência a apenas uma das inúmeras dimensões da viscosidade judaica: a combinação do antissemitismo voltado para a massa judaica "com essas variantes do antissemitismo voltadas para a elite judaica pode ter emprestado ao antissemitismo europeu sua virulência peculiar: havia ressentimentos contra outros grupos na qualidade de elites ou massas, mas nos dois casos talvez só contra os judeus".[12]

O grupo arco-íris

Anna Zuk, da Universidade de Lublin, sugeriu recentemente que os judeus podem ser considerados uma "classe móvel", "uma vez que são motivo de emoções que os grupos de posição social mais elevada geralmente nutrem pelas classes inferiores e, inversamente, que os estratos mais baixos nutrem pelos grupos de status social mais elevado".[13] Ela examina em detalhe esse choque de perspectivas cognitivas na Polônia do século XVIII, que trata como exemplo de um fenômeno sociológico mais geral de grande importância para a compreensão do antissemitismo. No último século antes da divisão, os judeus poloneses eram de modo geral empregados da nobreza e dos pequenos fidalgos. Executavam todo tipo de funções públicas altamente impopulares que o poder político e econômico da nobreza fundiária requeria, como a coleta de rendas e administrar a distribuição da produção camponesa, atuando como "intermediários" e, em termos psicossociais, como um escudo dos verdadeiros senhores da terra. Os judeus adequavam-se a esse papel melhor que qualquer outra categoria, uma vez que não aspiravam (não podiam aspirar) à ascensão social que seu importante papel poderia oferecer. Impossibilitados de competir social e politicamente com seus senhores, buscavam então recompensas meramente financeiras. Daí não apenas estarem política e socialmente abaixo dos senhores, mas condenados a permanecer nessa posição inferior. Os senhores podiam tratá-los e os tratavam como a todos os demais funcionários das classes inferiores: com desprezo social e aversão cultural. A imagem que a nobreza fazia dos judeus não diferia do estereótipo geral dos socialmente inferiores. Como os camponeses e o povinho urbano, os judeus eram vistos pelos fidalgos como incivilizados, sujos, ignorantes e avaros. Como outros plebeus, eram mantidos à distância. Uma vez que, devido a suas funções econômicas, algum contato não podia ser evitado, as regras de sua segregação social eram observadas de forma ainda mais meticulosa e anunciadas de modo mais explícito e com maior precisão — e no geral recebiam mais atenção que outras relações de classe que não ocasionavam qualquer ambiguidade e assim podiam ser perpetuadas sem problemas.

Para os camponeses e o povo das cidades, no entanto, os judeus tinham uma imagem inteiramente diferente. O serviço que prestavam aos senhores da terra e exploradores dos produtores primários era, afinal, não apenas econômico, mas protetor; eles isolavam a nobreza e a fidalguia da ira e da fúria popular. Em vez de buscar seu verdadeiro alvo, o descontente parava e descarregava em cima do intermediário. Para as classes inferiores, os judeus eram o inimigo — eram os únicos exploradores que essas classes conheciam pessoalmente. Só tinham experiência direta da crueldade judaica. Pelo que sabiam, os judeus eram a classe dominante. Não admira que "os judeus que se encontravam em posição tão baixa e desprivilegiada na sociedade quanto aqueles que os atacavam virassem objeto de agressão dirigida contra as classes superiores". Os judeus foram colocados numa "posição intermediária como elo altamente visível que se tornou alvo para a agressão das classes inferiores e oprimidas".

Dos dois lados, os judeus enredavam-se na luta de classes, fenômeno de forma alguma ligado à especificidade judaica e por si só insuficiente para explicar as características próprias da judeofobia. O que tornou realmente especial a posição dos judeus na guerra de classes foi que *se tornaram alvo de dois antagonismos mutuamente opostos e contraditórios*. Cada um dos adversários enredados na luta de classes via os intermediários judeus do outro lado da barricada. A metáfora prismática e o conceito de *grupo arco-íris* parece servir melhor a essa situação que o de "classe móvel". Dependendo do lado pelo qual se olhasse os judeus, eles — como os prismas — involuntariamente refratavam visões inteiramente diversas: uma de classe inferior, rude, sem requinte, brutal, e outra de classe superior, cruel e arrogante.

A pesquisa de Zuk confinou-se a um período que vai até o limiar da modernização polaca. Revelam-se por isso as plenas consequências da dualidade de visão que ela captou de forma tão brilhante. Havia pouca comunicação entre as classes sociais nos tempos pré-modernos. Por isso havia pouca oportunidade para as duas perspectivas e os dois estereótipos que geraram convergirem e eventualmente se fundirem numa mistura incongruente típica do antissemitismo moderno. Devido à escassez do intercâmbio entre classes, cada um dos antagonistas travava, por assim dizer, sua própria "guerra privada" contra os judeus, os quais — particularmente no caso das classes mais baixas — podiam ser relacionados pela Igreja a elaborações ideológicas apenas superficialmente ligadas às verdadeiras causas do conflito. (Não apenas durante o massacre instigado por Pedro, o Eremita, nas municipalidades da Renânia, os príncipes, condes e bispos locais tentaram defender "seus judeus" de acusações gritantemente descabidas, sem pertinência com os motivos de queixa que os judeus poderiam atrair sobre si.)

Foi só com o advento da modernidade que as várias visões sem consistência lógica sobre essa "casta" claramente estranha dos judeus (isto é, já isolada por práticas sistemáticas de segregação) foram juntadas, confrontadas e eventualmente misturadas. A modernidade trouxe, entre outras coisas, um novo papel para as ideias — porque o Estado buscou sua eficiência funcional na mobilização ideológica, por causa de sua acentuada tendência à uniformidade (manifestada da maneira mais espetacular na prática das cruzadas culturais), por causa da sua missão "civilizadora" e agudo proselitismo[14] e devido a uma tentativa de colocar classes e localidades anteriormente periféricas em íntimo contato espiritual com o centro gerador de ideias do corpo político. O resultado geral de tudo isso foi um forte aumento na abrangência e intensidade da comunicação entre as classes; além de suas facetas tradicionais, a dominação de classe tomou a forma de orientação espiritual e também a de produção e disseminação de ideais culturais e fórmulas de fidelidade política. Uma das consequências foi o choque e confrontação de imagens dos judeus anteriormente separadas. Sua incompatibilidade, antes não notada, tornou-se então um problema e um desafio. Como tudo o mais na sociedade em rápido processo de modernização, o problema tinha que ser "racionalizado". A contradição tinha que ser resolvida; ou pela total rejeição da imagem herdada, por sua inevitável incompatibilidade, ou através de um argumento racional que desse base nova e aceitável à mesma incompatibilidade.

Com efeito, ambas as estratégias foram tentadas na Europa no começo da idade moderna. Por um lado, a flagrante irracionalidade da situação dos judeus era apontada como mais um exemplo do absurdo geral da ordem feudal e como uma das superstições que bloqueavam o avanço da razão. A patente diferença e idiossincrasia dos judeus não eram vistas de forma alguma como diversas dos inúmeros particularismos que o *ancien régime* tolerou e que a nova ordem estava decidida a eliminar. Como muitas outras excentricidades locais, esta foi entendida fundamentalmente como um problema cultural — isto é, um traço que diligente esforço cultural podia e estava fadado a erradicar. Não faltaram profecias de que, uma vez estendida aos judeus a igualdade legal recém-aviada, sua diferença logo se evaporaria e os judeus — isto é, eles e tantos outros indivíduos livres e detentores de direitos civis — logo se dissolveriam na nova sociedade cultural e legalmente uniforme.

Por outro lado, no entanto, o advento da modernidade foi acompanhado de processos que apontavam na direção exatamente oposta. Foi como se a já arraigada incompatibilidade, tendo feito carreira como fator "escorregadio", semanticamente perturbador e subversivo em uma realidade de outra forma ordeira e transparente, tendesse a se acomodar às novas condições e a expandir-se atacando novas incompatibilidades; adquiriu novas e modernas dimensões, e a falta de conexão entre elas criou por si mesma uma incompatibilidade, uma espécie de meta-incompatibilidade. Os judeus, já construídos como "imundos" em termos religiosos e de classe, eram mais que qualquer outra categoria vulneráveis ao impacto de novas tensões e contradições que as sublevações sociais da revolução modernizadora não podiam deixar de gerar. Para a maioria dos integrantes da sociedade, o advento da modernidade significou a destruição da ordem e da segurança; e mais uma vez os judeus foram encarados como situados perto do centro do processo destruidor. A rápida e incompreensível ascensão e transformação social dos judeus parecia resumir a devastação produzida pela promoção da modernidade a tudo que era habitual, familiar e seguro.

Durante séculos, os judeus foram isolados com segurança em bolsões em parte compulsórios, em parte livremente escolhidos; agora saíam da reclusão, compravam propriedades e alugavam casas em distritos antes exclusivamente cristãos, tornavam-se parte da realidade do dia a dia e sócios de um discurso difuso não confinado a intercâmbios ritualizados. Durante séculos os judeus foram visualmente identificáveis: levavam a segregação, por assim dizer, na manga, simbólica e literalmente. Agora vestiam-se como todos os demais, de acordo com a situação social de cada um e não com a inclusão em uma casta. Durante séculos eles foram uma casta de párias, legitimamente olhados de cima até pelo mais inferior dos cristãos. Agora, alguns dos párias ascendiam a posições de influência e prestígio social — em função de sua capacidade intelectual ou do dinheiro, agora plenamente reconhecido como força determinante de status — e aparentemente não tolhidos nem desqualificados por considerações de classe e pedigree. Na verdade, *a sorte dos judeus resumia a assustadora extensão da reviravolta social e servia como claro e impositivo lembrete da erosão das velhas certezas*, da dissolução e evaporação de tudo antes considerado sólido e duradouro. Quem se sentisse desequilibrado, ameaçado ou deslocado, podia fácil — e racionalmente — entender a própria ansiedade atribuindo a turbulência vivida a uma marca da subversiva incompatibilidade judaica.

E assim os judeus foram apanhados no mais feroz dos conflitos históricos: o que opunha o mundo pré-moderno e a modernidade que avançava. O conflito encontrou sua primeira expressão na aberta resistência das classes e estratos sociais do *ancien régime* que estavam a ponto de ser desarraigados, deserdados e afastados de suas seguras posições sociais pela nova ordem que só podiam ver como um caos. Com a primeira rebelião antimodernista derrotada e o triunfo da modernidade não mais posto em dúvida, o conflito passaria a ser secreto e no seu novo estado latente assinalaria a sua presença no medo agudo do vazio, na ânsia nunca saciada por certeza e segurança, nas paranóicas mitologias da conspiração e na busca frenética de uma identidade sempre esquiva. Por fim, a modernidade forneceria a seu inimigo armas sofisticadas que só a sua derrota tornava possíveis. *A ironia da história permitiria descarregar as fobias antimodernistas através de canais e formas que só a modernidade podia desenvolver.* Os demônios interiores da Europa seriam exorcizados com os sofisticados produtos da tecnologia, administração científica e o poder concentrado do Estado — tudo conquistas supremas da modernidade.

A incompatibilidade judaica foi feita sob medida para esse ato histórico de extrema incompatibilidade. Os judeus continuaram encarnação visível de demônios interiores quando os exorcismos foram oficialmente desautorizados e forçados à clandestinidade. Na maior parte da história moderna os judeus foram os principais portadores de tensões e ansiedades que a modernidade declarou mortas, levadas a uma intensidade sem precedentes e munidas de formidáveis instrumentos de expressão.

Dimensões modernas da incompatibilidade

Ricos mas desprezíveis, os judeus forneciam um para-raios natural para desviar as primeiras descargas da energia antimodernista. Constituíam o ponto em que o formidável poder do dinheiro encontrava o desprezo social, a condenação moral e a aversão estética. Era exatamente o que a hostilidade ao moderno, particularmente à sua forma capitalista, precisava para ancorar. Se pelo menos o capitalismo pudesse ser relacionado aos judeus, poderia ser condenado ao mesmo tempo como estranho, antinatural, perigoso, hostil e eticamente repulsivo. Foi fácil fazer essa conexão: o poder do dinheiro tinha sido confinado às margens da sociedade e (com a insolente denominação de *usura*) dobrado ao fardo de legítima condenação enquanto os judeus permaneceram encerrados no gueto; agora movera-se para o centro dos acontecimentos e (com o prestigioso nome de *capital*) reclamava autoridade e respeito social quando os judeus apareciam nas ruas do centro da cidade.

O primeiro impacto da modernidade na situação dos judeus europeus foi sua escolha como *alvo primário da resistência antimodernista.* Os primeiros antissemitas modernos foram porta-vozes da antimodernidade, pessoas como Fourier, Proudhon, Toussenel, unidas na sua implacável hostilidade ao poder do dinheiro, ao capitalismo, à tecnologia e ao sistema industrial. O antissemitismo mais virulento da sociedade industrial primitiva estava ligado ao anticapitalismo na sua versão pré-capitalista; tal oposição à ordem capitalista esperava estancar o avanço da maré, deter o desenvolvimento, restaurar a ordem "natural" real ou imaginária que os novos barões do dinheiro estavam decididos a desmantelar. Por razões sumariamente esboçadas acima, o poder do dinheiro e os judeus estavam correlacionados. Um laço causal entre as duas coisas era sugerido e para todos os efeitos práticos corroborado por sua correspondência metafórica — sua "afinidade espiritual", por assim dizer, ou, para usar o termo favorito de Weber, sua *afinidade eletiva*. Era muito mais fácil resistir a esse capitalismo que lançara sua sombra sinistra sobre a ética de trabalho e a acalentada independência do artífice se ele fosse identificado com essa força reconhecidamente estranha e desacreditada. Para Fourier e Toussenel, o judeu representava tudo o que eles detestavam na maré montante do capitalismo e na metrópole urbana que se espraiava. O veneno respingado no judeu pretendia atingir a nova, assustadora e repulsiva ordem social. Segundo Proudhon, o judeu "é, por temperamento, um antiprodutor, [não é] nem agricultor nem mesmo um verdadeiro mercador".[15]

Por definição, a versão antimodernista do antissemitismo podia manter sua fachada de racionalidade e seu apelo popular enquanto parecesse possível e realista a esperança de deter o avanço da nova ordem e substituí-la por uma utopia pequeno-burguesa mascarada de paraíso perdido. Na verdade, essa forma de antissemitismo foi se esgotando aos poucos até meados do século XIX, quando fracassou a última grande tentativa de mudar os rumos da história e a vitória da nova ordem tinha que ser aceita, ainda que de forma relutante, como definitiva e irreversível. A ligação entre o poder do dinheiro e o temperamento ou espírito judaico, estabelecida na forma primitiva de oposição anticapitalista, antimoderna e pequeno-burguesa, estava destinada a ser absorvida e inventivamente readaptada por suas formas posteriores. Às vezes oculta, ocasionalmente irrompendo no palco, ela nunca foi removida para longe da corrente central da resistência anticapitalista. E desempenhou papel importante na história do socialismo europeu.

Foi de fato Karl Marx, o pai do socialismo científico (isto é, do socialismo decidido a superar e deixar para trás, em vez de deter, o avanço capitalista; que reconheceu a irrevogabilidade da transformação capitalista e aceitou sua natureza progressista; e que prometeu começar a construir uma sociedade nova e melhor no ponto a que o progresso capitalista levara o progresso universal do homem), que fez o antissemitismo anticapitalista mudar de aparência, de antiquada para avançada. Ao fazê-lo, tornou o antissemitismo potencialmente útil à oposição anticapitalista numa época em que seria derrubada e rejeitada a última ilusão de que o capitalismo era uma doença temporária que poderia ser curada ou exorcizada. Marx aceitou a afinidade eletiva entre o "espírito do judaísmo" e o do capitalismo; ambos destacavam-se por promover o interesse pessoal, pechinchar e correr atrás de dinheiro. Ambos tinham que ser tirados do caminho para que a convivência humana se fizesse em base mais sadia e segura. O capitalismo e o judaísmo partilhavam o mesmo destino. Triunfaram juntos e morrerão juntos. Um não pode sobreviver ao outro; cada um tem que ser destruído para o outro desaparecer. A emancipação face ao capitalismo significará a emancipação face ao judaísmo e vice-versa.

A tendência a identificar o judaísmo com dinheiro, poder e, na verdade, com todos os males do capitalismo que as pessoas sofriam e condenavam, continuaria endêmica nos movimentos socialistas europeus, muitas vezes escondida logo abaixo da superfície. Surtos antissemitas eram frequentes nas maiores democracias do continente — a alemã e a austro-húngara. Em 1874, o líder da social-democracia alemã, August Bebel, prodigalizou elogios aos ensinamentos virulentamente antissemíticos de Karl Eugen Dührer — o que levou Engels a produzir, dois anos depois, um livro-resposta ao autoeleito profeta do socialismo germânico; fez isso, porém, não para defender os judeus, mas para salvar a posição de Marx como autoridade ideológica do crescente movimento trabalhista. No entanto, em várias ocasiões, esforços para conter os sentimentos antijudaicos no seu pretendido papel — o de acompanhante inevitável embora menor da posição anticapitalista — não funcionaram e as prioridades foram invertidas: o capitalismo foi rebaixado a derivativo da ameaça judaica. Assim, a maioria dos seguidores de August Blanqui, indômito mártir francês da guerra anticapitalista, fora levada por seu maior amigo, Ernest Granger, direto das barricadas da Comuna de Paris para as fileiras do nascente movimento nacional-socialista. Só com o advento do movimento nazista a oposição popular ao capitalismo finalmente se dividiu e polarizou-se, com o ramo socialista adotando a luta intransigente contra o antissemitismo como um dos elementos necessários no seu esforço para deter a maré montante do fascismo.

Se no Ocidente a mais empedernida resistência à nova ordem industrial ocorreu sobretudo entre os pequenos proprietários urbanos e rurais, no Leste a reação padrão foi uma ampla frente anticapitalista, antiurbana e antiliberal. Com a influência social e a dominação política da aristocracia fundiária ainda intactas, as ocupações urbanas eram mantidas na base inferior da escala de prestígio e tratadas com um misto de aversão e desprezo. Todos os meios de enriquecimento, à exceção do casamento e da renda agrícola, eram considerados indignos da verdadeira nobreza; mesmo a agricultura, como todas as demais atividades econômicas, era tradicionalmente deixada a cargo de empregados contratados ou arrendada a pessoas de status e qualidade reconhecidamente inferiores. Com as elites nativas indiferentes ou hostis ao desafio da modernização, os judeus — aceitos como estrangeiros do ponto de vista cultural — eram uma das poucas categorias livres das insuportáveis garras dos valores aristocráticos, elegantes, e portanto capazes de, e interessadas em, aproveitar as oportunidades abertas no Ocidente pelas revoluções industrial, financeira e tecnológica. Sua iniciativa, no entanto, foi recebida pela opinião pública dominada pela nobreza com uma hostilidade absoluta. Em seu cuidadoso estudo da industrialização polonesa no século XIX (processo não dessemelhante ao que ocorreu no resto da Europa oriental), Joseph Marcus concluiu que a chegada da indústria foi tratada pelas elites nativas, dominada pela aristocracia, como uma calamidade nacional.

> Enquanto empresários judeus construíam as ferrovias, um importante economista polaco, J. Supinski, queixava-se de que "as ferrovias são um abismo em que enormes recursos estão afundando, não deixando outros traços além da plataforma construída e dos trilhos sobre ela". Quando os judeus construíram plantas industriais, proprietários de terras acusaram-nos de destruir a agricultura, que supostamente carecia de braços. Quando as fábricas começaram a funcionar, seus proprietários passaram a ser não somente odiados pela elite literária e social polonesa, mas também sentiam pena deles por terem trocado as delícias do campo e a liberdade e prazeres da boemia pelo árido ambiente de uma fábrica, que escraviza e destrói o homem.
>
> Deve ficar claro que uma sociedade que participava dessas atitudes, que considerava o bem-estar material sem importância e ganhar dinheiro coisa desprezível, não podia produzir as qua-

> lidades empresariais exigidas numa era de industrialização capitalista. Também não é de surpreender que os únicos promotores do progresso industrial na Polônia fossem os judeus locais e imigrantes estrangeiros.
>
> A burguesia judaica tornou-se também a principal propagadora de ideias liberais do Ocidente. A opinião pública polonesa, aristocrática e católica conservadora, encarava essas ideias e o "materialismo ocidental" em geral como uma ameaça à tradição e ao "espírito nacional" da Polônia.[16]

Os judeus nativos, que aos olhos da atônita nobreza se transformavam na burguesia judaica, ameaçavam as elites estabelecidas de mais de uma forma. Eles exemplificavam a competição entre um novo poder social de base financeira e industrial, contra o poder tradicional baseado na propriedade da terra e dos favores políticos da herança fundiária. Também resumiam a dissimulação da outrora íntima relação entre o grau de prestígio e o de influência; um grupo de funcionários, da mais baixa consideração, buscava posições de poder galgando uma escada que pegou no monte de lixo dos valores descartados. Para a nobreza ávida em manter a liderança nacional, a industrialização apresentava uma dupla ameaça, por causa do que estava sendo feito e de quem o fazia. A iniciativa econômica dos judeus combinava o perigo para o poder social estabelecido com um golpe para a ordem social como um todo, que esse poder sustentava e que o sustentava. Era fácil, portanto, ligar os judeus mesmo à nova confusão e instabilidade. Os judeus eram vistos como uma força sinistra e destrutiva, como agentes do caos e da desordem; como aquela típica substância pegajosa, escorregadia, que apaga as fronteiras entre as coisas que devem ser mantidas separadas, que torna todas as escadas hierárquicas escorregadias, funde tudo o que tem solidez e profana tudo o que é sagrado.

Com efeito, quando o impulso assimilatório dos judeus aproximou-se do limite de absorção das sociedades que os recebiam, as elites culturais judaicas inclinaram-se com mais força para a crítica social e foram vistas por muito conservador nativo como força inerentemente desestabilizadora. À medida que se avizinhava o século XX, como resume David Biale de forma inteligente, "os liberais, nacionalistas e revolucionários judeus, que divergiam em tudo o mais, concordaram todos que as sociedades da Europa, em sua forma contemporânea, não eram hospitaleiras aos judeus. Só mudando a sociedade de algum modo ou mudando a relação dos judeus com ela poderiam ser resolvidos os problemas dos judeus na Europa... 'Normalidade' agora significava experiências sociais, ideais utópicos que nunca existiram".[17]

O apego à herança liberal do Iluminismo dava uma dimensão extra à "viscosidade" judaica. Como nenhum outro grupo, os judeus tinham interesse na cidadania que o liberalismo promovia. Como diz a memorável frase de Hannah Arendt, "em contraste com todos os outros grupos, os judeus eram definidos e sua posição determinada pelo corpo político. Uma vez, no entanto, que esse corpo político não tinha qualquer outra realidade social, eles estavam, socialmente falando, no vazio."[18] Essa foi a realidade com os judeus em toda a história pré-moderna da Europa. Eles eram *Königjuden*, propriedade e tutelados do rei, do príncipe ou senhor local, de acordo com o estágio ou variedade da ordem feudal. Seu status tinha origem e sustentatação política. Além disso, estavam coletivamente livres de complicações sociais; permaneciam fora da estrutura social, o que em termos práticos significava a irrelevância ou quase irrelevância das afinidades ou conflitos de classe para definir sua existência. Como extensão do Estado no seio da sociedade, os judeus eram inerentemente extraterritoriais no sentido social. Por causa disso, só podiam servir, para ambos os lados, como um abafador na relação muitas vezes tensa e conflituosa entre a sociedade e seus senhores políticos, sempre levando os primeiros e mais fortes golpes quando os conflitos se acercavam do ponto de fervura. Qualquer proteção com que podiam contar vinha do Estado, embora fosse precisamente esse fato que os tornava e mantinha tão implacavelmente dependentes da benevolência dos governantes políticos e tão impotentes quando confrontados com a maldade ou ganância principescos. A incongruência de sua posição — num vazio entre o Estado e a sociedade — refletia-se como era de esperar numa reação igualmente incongruente aos deslocamentos sociais e políticos que marcaram o advento da modernidade. Romper a velha dependência face aos governantes políticos requeria a formação de uma base social não política e, assim, uma autonomia política. O liberalismo prometia exatamente isso, com sua ênfase na autoconstrução e autoafirmação de indivíduos livres. E, no entanto, o direito de praticar os mandamentos liberais parecia depender, como todos os outros privilégios de que eventualmente gozaram os judeus no passado, de decisões políticas. A emancipação em relação ao Estado só podia vir — era o que parecia — do próprio Estado. Enquanto outros grupos se contentavam em defender seu poder social contra a excessiva intromissão do Estado, os judeus não podiam adquirir tal poder sem um Estado intromissor, preparado para desmantelar completamente os monopólios e bolsões estreitamente defendidos pelo velho sistema de classes. Para as elites instituídas, os judeus pareciam portanto sementes de destruição — não apenas por sua súbita escalada, mas também pelo colapso da segurança simbolizado nessa escalada. P.G.J. Pulzer cita vozes típicas de alarme: "A mais forte arma do judaísmo é a democracia dos não judeus." "O judeu precisa apenas apoderar-se do partido do esclarecimento e do individualismo para minar por dentro a estrutura do arcabouço social alemão. Assim, ele não tem que bajular para subir ao cume social; em vez disso, ele forçou sobre os alemães uma teoria social que estava fadada a ajudar o grupo a galgar os píncaros."[19] Por outro lado, a intensa preocupação dos judeus com a nova variedade de proteção política permitia à burguesia nativa, autoconfiante e que se fez por si mesma, projetar os judeus contra o campo dos inimigos da autoafirmação social e da liberdade política. Assim, simultaneamente, pôde surgir "um tipo de antissemitismo liberal" que "colocava judeus e aristocracia juntos e alegava que eles formavam algum tipo de aliança financeira contra a burguesia ascendente."[20]

A nação sem nacionalidade

Mas nenhuma dimensão da endêmica incompatibilidade judaica influenciou o moderno antissemitismo com mais força e de forma mais duradoura do que o fato de que os judeus eram, para citar Arendt de novo, um "elemento não nacional num mundo de nações já existentes ou em surgimento".[21] Por sua própria dispersão e onipresença territoriais, os judeus eram uma nação inter-nacional, uma nação não nacional. Por toda parte, eram um constante lembrete da relatividade e limites da autoidentidade individual e do interesse comum, que os critérios da nacionalidade deveriam determinar com absoluta e definitiva autoridade. Dentro de cada nação, eles eram o "inimigo interno". As fronteiras da nação eram muito estreitas para serem definidas; os horizontes da tradição nacional eram muito curtos para que se pudesse ver através deles. *Os judeus eram não somente diversos de qualquer outra nação; eram também diferentes de quaisquer outros estrangeiros*. Em suma, eles minavam a própria diferença entre hóspedes e hospedeiros, entre nativo e estrangeiro. E à medida que a nacionalidade se tornava a base suprema da autoconstituição do grupo, eles vinham minar a mais básica das diferenças: aquela entre "nós" e "eles". Os judeus eram flexíveis e adaptáveis; um veículo vazio, pronto para receber qualquer carga desprezível que esse "eles" devesse carregar. Assim, Toussenel via os judeus como portadores de veneno protestante antifrancês, enquanto Liesching, o famoso detrator de *Das junge Deutschland*, acusava os judeus de infiltrar na Alemanha o pestilencial espírito gaulês.

A característica supranacional dos judeus foi vivamente realçada no estágio inicial do processo de formação das nações — quando os conflitos de fronteira entre os reinos, incitado ou pelo menos complicado pelas novas e sem precedentes reivindicações feitas em nome de várias unidades nacionais, recompensavam o não envolvimento judaico em particularidades locais e a habilidade dos judeus para se comunicar passando por cima dos governos beligerantes e das linhas de batalha. A capacidade judaica de mediação foi avidamente utilizada pelos governantes envolvidos, muitas vezes contra a vontade, em conflitos que mal entendiam e a que queriam pôr fim, ao mesmo tempo que sonhavam apenas com um acordo ou pelo menos uma acomodação, uma forma de coexistência aceitável tanto pelos adversários como por seus próprios súditos nacionalistas ruidosos. Nas guerras que sobretudo ou unicamente visavam a um *modus coexistendi* mais satisfatório, os judeus — internacionalistas por natureza, digamos assim — se viam lançados no papel de arautos da paz e extintores da beligerância. Esse desempenho originalmente apreciado ricocheteou de forma vingativa contra eles assim que os reinos se transformaram em verdadeiros Estados nacionais e nacionalistas: o propósito da guerra passou a ser a destruição do inimigo e o patriotismo substituiu a lealdade ao rei, enquanto o sonho de supremacia silenciava os anseios de paz. Num mundo total e completamente dividido em domínios estatais, não havia mais espaço para o internacionalismo e cada pedacinho de terra sem dono era um convite permanente à agressão. *Ao mundo entupido de nações e Estados-nações abominava o vazio nacional. Os judeus encontravam-se nesse vazio: eram o vazio.* Eram suspeitos pela própria razão de serem capazes de negociar quando a única comunicação permissível estava na boca das armas. (A suspeita de que os seus judeus não tinham patriotismo e entusiasmo para abater os inimigos da nação era praticamente o único ponto em comum entre os campos adversários na Grande Guerra.) Embora já cheirando a alta traição, essa qualidade era no entanto um irritante menor se comparada com o inato e evidentemente irremediável cosmopolitismo judeu.

As piores suspeitas foram prontamente confirmadas pela pronunciada tendência dos judeus a refletir sua condição extraterritorial numa enfurecedora predileção pelos "valores humanos", pelo "ser humano como tal", pelo universalismo e outros lemas similarmente desmobilizantes e a partir daí impatrióticos. Bem no início do período nacionalista, Heinrich Leo alertou:

> A nação judaica destaca-se marcadamente dentre todas as nações deste mundo por uma mentalidade verdadeiramente corrosiva e deformadora. Da mesma maneira que existem fontes que transformam em pedra todo objeto que se lance nelas, assim os judeus, bem desde a origem e até os dias de hoje, transformaram tudo que caiu na órbita de sua atividade espiritual em uma generalidade abstrata.

Os judeus, com efeito, eram o próprio resumo do conceito de *estranhos* ou *estrangeiros* de Simmel — sempre de fora mesmo por dentro, examinando o que é conhecido como se fosse um estranho objeto de estudo, fazendo perguntas que ninguém mais fazia, questionando o inquestionável e desafiando o que não pode ser desafiado. De Ludwig Börne, companheiro de Heine, passando por Karl Krauss, às vésperas do colapso dos Habsburgo, a Kurt Tucholsky, no limiar do triunfo nazista, eles lançaram luz sobre o preconceito e mesquinhez paroquiais que identificavam, ridicularizaram o misto provinciano de atraso, convencimento e fanfarronice, combateram a lerdeza mental e o filistinismo no gosto. Ninguém com uma visão tão de fora podia ser realmente admitido na nação, definida como era por se dar como certa e pela disposição de viver em paz consigo mesma. O julgamento de Friedrich Rüh, o primeiro de uma longa série de agravos que o particularismo moveria contra toda generalidade abstrata, não foi surpresa: "O judeu de fato não é do país em que vive, pois assim como o judeu da Polônia não é polonês, o da Inglaterra não é inglês e o da Suécia não é sueco, o judeu da Alemanha não pode ser alemão e o da Prússia não pode ser prussiano."[22]

A sina da incongruência e incompatibilidade judaicas entre as nações não foi de modo algum facilitada pelo fato de os clamores nacionalistas serem eles mesmos, muitas vezes, incongruentes e mutuamente incompatíveis. Como norma, as nações tinham seus opressores, a quem temiam, e seus oprimidos, aos quais desprezavam. Poucas nações conhecidas endossaram de modo entusiástico o direito das outras ao mesmo tratamento que reivindicavam para si mesmas.

Ao longo de todo o turbulento e ainda não concluído período da autoprodução nacional, o jogo nacional tem dado empate: a soberania de um tem sido um assalto à do outro. Os direitos de uma nação significaram para outra agressão, intransigência ou arrogância.

Em nenhuma parte as consequências disso foram mais assustadoras que na Europa centro-oriental — verdadeiro caldeirão de nacionalismos no século XIX, quer os velhos nacionalismos ainda não saciados, quer os recentes e famintos. Era virtualmente impossível apoiar uma reivindicação nacionalista sem fazer inimigas várias outras nações estabelecidas ou aspirantes. Isso deixava os judeus em posição particularmente incômoda. Na opinião de Pulzer,

> a estrutura ocupacional [dos judeus], seu nível educacional geralmente mais elevado e sua necessidade de segurança política tornavam mais fácil associá-los às nacionalidades "históricas" dominantes (poloneses, magiares, russos) do que às nacionalidades camponesas submetidas, "não históricas" (tchecos, eslovacos, ucranianos e lituanos, por exemplo). Na Galícia e na Hungria, por isso, eles se livraram do estigma de serem alemães, o que no entanto não lhes foi de grande ajuda com as raças que os poloneses e magiares por sua vez oprimiam.[23]

Em pouquíssimos casos as elites das nações nascentes ou estabelecidas ansiaram dispor da competência e do zelo judaicos para promover resultados de outra forma improváveis com as massas marcadas (muitas vezes contra a vontade) como objetos do proselitismo nacional e da modernização econômica. Na Hungria sob governo Habsburgo, os judeus que alegremente se aculturavam eram benvindos pela aristocracia fundiária como os agentes mais dedicados e eficientes da magiarização nas regiões periféricas, na maioria eslavas, que a nobreza esperava colocar sob seu domínio na futura Hungria independente, e como os executores de uma impiedosa modernização da atrasada e estagnada economia camponesa. As fracas elites lituanas cooptaram avidamente o entusiasmo judeu para promover suas pretensões ao governo de uma complexa mistura étnica, linguística e religiosa que povoava o antigo território da Grande Lituânia histórica, que elas sonhavam ressuscitar. No geral, as elites políticas gostavam de usar os judeus em todos os tipos de tarefas desagradáveis e perigosas que julgavam necessárias mas que preferiam não executar elas mesmas. Isso era conveniente sob vários aspectos. Uma vez a necessidade dos serviços judeus perdesse a urgência, eles podiam facilmente ser dispensados; a decisão de "colocar os judeus no seu lugar" seria aplaudida pelas massas que os judeus comandaram em nome das elites e serviria de adoçante para um xarope mais amargo que as elites, agora firmemente de rédeas na mão, queriam fazer as massas provarem.

Mesmo as elites, porém, ainda que temporariamente, não podiam confiar plenamente na lealdade judaica. Ao contrário da adesão dos "nascidos dentro" de uma comunidade nacional, para os judeus a adesão era uma questão de escolha e, portanto, em princípio, revogável, "até aviso em contrário". Os traçados de fronteira das comunidades nacionais (e mais ainda os seus domínios territoriais) ainda eram incertos, contidos, não se podia permitir a complacência, a vigilância estava na ordem do dia. As barricadas são erguidas para dividir e ai daqueles que as utilizem como passagens. A visão de um grande grupo de pessoas livres para passar à vontade de uma fortaleza nacional a outra deve ter despertado profunda ansiedade. Isso desafiava a própria verdade em que todas as nações, velhas ou novas, baseavam suas pretensões, o caráter atribuído à nacionalidade, à hereditariedade e naturalidade das entidades nacionais. O breve sonho liberal da assimilação (e, de modo mais geral, a concepção do "problema judeu" como um problema sobretudo cultural, como tal fadado a ser resolvido pela aculturação voluntária e prontamente aceita) afundou na *incompatibilidade essencial entre nacionalismo e a ideia da livre escolha.* Por mais paradoxal que isso possa parecer, os nacionalistas convictos devem no final lamentar os poderes de absorção exercidos por suas nações. Eles podem alegremente aceitar o louvor prodigalizado pelos admiradores às virtudes de suas nações. De tal honraria fariam eles uma condição para conceder aos admiradores — quanto mais zelosos e vociferantes, melhor — a benevolência patronal que acompanha a posição de clientela. Mas dificilmente perdoariam que se tomasse a admiração (mesmo uma admiração habitual, equivalente imitativo da autodissolução) a título de inclusão. Como diz o enérgico conselho de Geoff Dench a todas as nações-clientes: "Declarem de todas as formas uma crença na justiça e igualdade futuras. Faz parte do papel. Mas não esperem que isso se materialize."[24]

Como mostra este breve balanço da longa lista de incongruências judaicas, praticamente não houve uma única porta fechada na cara da modernidade em que os judeus não tenham batido. Do processo que levou a sua libertação do gueto eles só poderiam sair seriamente contundidos. *Eles eram o lado opaco de um mundo que lutava pela claridade, a ambiguidade de um mundo ansioso por certeza.* Eles transpunham todas as barreiras e atraíam balas de todas as direções. O judeu conceitual foi, de fato, construído como a "viscosidade" arquetípica do moderno sonho de ordem e clareza, como o inimigo de toda ordem, velha, nova e, particularmente, a ordem desejada.

Modernidade do racismo

Uma coisa importante aconteceu aos judeus no caminho para a modernidade. Eles embarcaram nesse caminho quando eram postos de lado em segurança, segregados e enclausurados por trás das muralhas de pedra ou imaginárias da *Judengasse*. Seu isolamento era um fato da vida, como o ar e a morte. Não incitava à mobilização do sentimento popular, de argumentos sofisticados ou ao alerta de autonomeados vigilantes; práticas e hábitos difusos, muitas vezes não codificados mas no geral bem coordenados, bastavam para reproduzir a mútua repugnância que garantia a continuidade da separação. Tudo isso mudou com o advento da modernidade, com o desmantelamento que produziu nas diferenças legais, com seus lemas de igualdade e a mais estranha das novidades: a cidadania. Como coloca Jacob Katz,

> Quando os judeus viviam no gueto e imediatamente depois que o deixaram, a acusação contra eles partia de cidadãos que gozavam de um status legal negado aos judeus. Tais acusações destinavam-se apenas a justificar e reconfirmar o *status quo* e a fornecer um fundamento lógico para manter os judeus numa posição social e legal inferior. Agora, porém, as acusações eram levantadas por cidadãos como cidadãos iguais perante a lei e o propósito desses indiciamentos era mostrar que os judeus não mereciam a posição social e legal a eles conferida.[25]

Não era apenas, por assim dizer, o valor moral ou social que estava em jogo. O problema era infinitamente mais complicado. Estavam envolvidos nada menos que o projeto de mecanismos sem precedentes e a aquisição de habilidades até então impensadas — necessários, uns e outras, para produzir *artificialmente* o que no passado se deu *naturalmente*. Nos tempos pré-modernos, os judeus foram uma casta entre outras, um povo dentre outros, uma classe social dentre as classes. Sua especificidade não era uma questão, um problema, e hábitos e práticas de segregação virtualmente irrefletidos impediam efetivamente que se tornasse um. Com a ascensão da modernidade, a separação dos judeus virou de fato um problema. Como tudo o mais na sociedade moderna, ela agora tinha que ser fabricada, construída, racionalmente defendida, tecnologicamente planejada, administrada, supervisionada e executada. Os responsáveis pelas sociedades pré-modernas podiam assumir a atitude descansada e confiante do couteiro, do guarda-caça: deixada a sua própria conta, a sociedade iria reproduzir-se ano após ano, geração após geração, praticamente sem uma única mudança digna de nota. O mesmo não ocorria com sua moderna sucessora. Aqui, nada mais podia ser tido como certo. Nada cresceria se não fosse plantado e tudo que crescesse por conta própria devia estar errado e, portanto, ser uma coisa perigosa a ameaçar ou confundir o plano geral. A complacência do couteiro seria um luxo que mal se poderia permitir. O que se fazia necessário, em vez disso, eram a postura e as habilidades do jardineiro, alguém armado de um detalhado plano do gramado, indicando seus limites e os regos divisórios entre a grama e as bordas; alguém que entendesse de combinação de cores e a diferença entre agradável harmonia e detestável barafunda; alguém com a determinação de tratar como erva daninha toda planta intrometida que interferisse com o seu plano e a sua visão de ordem e harmonia; alguém, em suma, com os instrumentos e venenos adequados à tarefa de exterminar as ervas daninhas e simultaneamente preservar as divisões tais como exigidas e definidas no desenho geral.

A separação dos judeus perdera sua naturalidade, sugerida no passado pela segregação territorial e reforçada por uma profusão de sinais e avisos impositivos. Parecia, agora, irremediavelmente artificial e frágil. O que antes era um axioma, uma pressuposição aceita tacitamente, tornara-se verdade a ser demonstrada, provada, e "essência das coisas" escondida por trás de fenômenos que aparentemente a contradiziam. Nova *naturalidade* tinha agora que ser laboriosamente *construída* e apoiada numa autoridade outra que não a simples evidência das impressões sensoriais. Como situou Patrick Girard,

> A assimilação judaica na sociedade circundante e o desaparecimento das distinções sociais e religiosas levaram a uma situação na qual judeus e cristãos não podiam ser diferenciados. Tendo-se tornado um cidadão como outro qualquer e misturado aos cristãos pelo casamento, o judeu não era mais identificável. Este fato teve peso significativo para os teóricos antissemitas. Edouard Drumont, autor do panfleto *França judaica*, escreveu: "Certo sr. Cohen, que vai à sinagoga e usa kosher, é uma pessoa respeitável.

> Não tenho nada contra ele. Desgosta-me, sim, o judeu que não é óbvio."
>
> Encontram-se ideias semelhantes na Alemanha, onde os judeus ritualmente de túnica e cabelos cacheados eram menos alvo de zombarias... que correligionários seus, patriotas alemães de fé judaica que imitavam o patrício cristão... [O] antissemitismo moderno nasceu não da grande diferença entre grupos, mas sim da ameaça de não haver diferenças, da homogeneização da sociedade ocidental e da abolição das antigas barreiras sociais e legais entre judeus e cristãos.[26]

A modernidade produziu o nivelamento das diferenças — pelo menos na sua aparência exterior, de cujo estofo mesmo são feitas as distâncias simbólicas entre grupos segregados. À falta de tais diferenças, não bastava meditar filosoficamente sobre a sabedoria da realidade tal como era — algo que a doutrina cristã havia feito anteriormente quando queria justificar a separação de fato dos judeus. Agora as diferenças tinham que ser criadas ou protegidas do espantoso poder de erosão da igualdade social e legal e do intercâmbio cultural.

A herdada explicação religiosa da fronteira — a rejeição de Cristo pelos judeus — era singularmente inadequada à nova tarefa. Tal explicação inevitavelmente implicava a possibilidade de escapar do campo segregado. Enquanto a fronteira foi nítida e bem traçada, essa explicação serviu a um bom propósito. Ela fornecia o necessário elemento de flexibilidade que atava o destino dos homens a sua suposta liberdade de alcançar a salvação ou pecar, de aceitar ou rejeitar a Graça divina; e conseguia todo o seu objetivo sem afrouxar sequer minimamente a solidez da própria fronteira. O mesmo elemento de flexibilidade, no entanto, revelar-se-ia desastroso uma vez que as práticas de segregação se tornaram cruéis e indiferentes demais para sustentar a "naturalidade" da fronteira — fazendo-a, em vez disso, refém do livre arbítrio humano. A visão de mundo moderna, afinal, proclamava o ilimitado potencial de educação e autoaperfeiçoamento. Tudo era possível, dependendo do esforço e da boa vontade. Ao nascer, o homem era *tabula rasa*, um quadro vazio a ser preenchido mais tarde, no curso do processo civilizador, com conteúdos fornecidos pela pressão niveladora das ideias culturais do grupo. Paradoxalmente, referir as diferenças entre judeus e seus anfitriões cristãos unicamente à diversidade de credos e rituais relacionados parecia se encaixar bem com a visão moderna da natureza humana. Junto com a rejeição de outros preconceitos, o abandono das superstições judaicas e a conversão a uma fé superior pareciam ser veículos adequados e suficientes para o autodesenvolvimento; atitude que só se poderia esperar, e em escala maciça, no caminho para a vitória final da razão sobre a ignorância.

O que realmente ameaçava a solidez das velhas fronteiras não era, claro, a fórmula ideológica da modernidade (embora também não a reforçasse), mas a recusa do moderno Estado secular a legislar práticas sociais diferenciadas. Não havia problema aí enquanto os próprios judeus (o "sr. Cohen" de Drumont) se recusassem a seguir o Estado no seu impulso para a uniformidade e se aferrassem às próprias práticas discriminatórias. Verdadeira confusão era causada por aqueles judeus, bem mais numerosos, que efetivamente aceitavam a oferta e se convertiam, quer na forma legada, religiosa, quer na forma moderna da assimilação cultural. Na França, na Alemanha e na parte da Áustria-Hungria sob domínio alemão, a probabilidade de que todos os judeus mais cedo ou mais tarde fossem "socializados" ou "se autossocializar" como não judeus, tornando-se então culturalmente indistinguíveis e socialmente invisíveis, era bem real. Na ausência de velhas práticas de segregação com base legal, essa falta de marcas diferenciais visíveis só podia equivaler a uma eliminação das próprias fronteiras.

Nas condições da modernidade, a segregação exigia um método moderno de traçar fronteiras, um método capaz de suportar e neutralizar o impacto nivelador e o poder supostamente infinito das forças educadoras e civilizadoras; um método capaz de delimitar uma área "proibida" à pedagogia e ao autodesenvolvimento, de traçar um limite intransponível ao potencial de aquisição de cultura (método avidamente aplicado, mas com sucesso variável, a todos os grupos que se pretende manter permanentemente em posição subalterna — por exemplo, as classes trabalhadoras e as mulheres). Para salvá-la do assalto da moderna igualdade, *a diferenciação dos judeus tinha que ser reformulada e fundada em novas bases, mais firmes que os poderes humanos da cultura e do livre arbítrio, da autodeterminação.* Como diz a sucinta frase de Hannah Arendt, o judaísmo tem que ser substituído pela qualidade de judeu: "Os judeus puderam escapar do judaísmo pela conversão; mas da qualidade de judeus não havia escapatória."[27]

Ao contrário do judaísmo, a condição de judeu tinha que ser fundamentalmente mais forte que a vontade humana e o potencial criativo humano. Tinha que situar-se no nível da lei natural (o tipo de lei que tem de ser descoberta, levada em conta e então explorada em benefício do homem, mas que não pode ser descartada, falseada ou desprezada — pelo menos não sem consequências terríveis). Era essa lei que a anedota de Drumont pretendia lembrar aos leitores: "Quer ver como o sangue fala?" — perguntou certa vez aos amigos um duque francês que, apesar da desaprovação chorosa da mãe, havia se casado com uma Rothschild de Frankfurt. Ele chamou o filhinho, tirou do bolso um luís de ouro e mostrou a moeda à criança. Os olhos do menino brilharam. "Viram?" — disse o duque. "O instinto semita revela-se de imediato." Algum tempo mais tarde, Charles Maurras insistiria que "aquilo que se é determina a atitude da pessoa desde o início. A ilusão da escolha, da razão, só pode levar ao *déracinement* pessoal e ao desastre político." Só é possível desprezar essa lei com risco próprio e coletivo — ou pelo menos é o que nos diz Maurice Barrès: "Confrontada apenas com palavras, uma criança perde todo contato com a realidade: a doutrina kantiana arranca-a do solo de seus ancestrais. Um excesso de diplomas cria o que podemos chamar, com Bismarck, de um 'proletariado de bacharéis'. É a acusação que fazemos às universidades; o que acontece com o produto delas, o 'intelectual', é que ele se torna inimigo da sociedade."[28] O produto da conversão — seja religiosa ou cultural — não é a mudança, mas a *perda* de qualidade. Do outro lado da conversão espreita um vazio, não outra identidade. O convertido perde sua identidade sem adquirir nada em troca. O homem *é* antes de *agir*; nada que ele faça pode mudar o que ele é. Esta, grosso modo, é a essência filosófica do racismo.

3

Modernidade, racismo e extermínio II

Há um aparente paradoxo na história do racismo e do racismo nazista em particular.

No caso de longe mais espetacular e mais conhecido dessa história, o racismo serviu de instrumento para a mobilização de sentimentos e ansiedades antimodernistas e foi aparentemente eficaz basicamente por causa dessa conexão. Adolf Stöcker, Dietrich Eckart, Alfred Rosenberg, Gregor Strasser, Joseph Goebbels e praticamente todos os demais profetas, teóricos e ideólogos do nacional-socialismo usaram o fantasma da raça judaica como grampo para prender os medos das vítimas do passado e das presumíveis vítimas da modernização, que eles preparavam, à *volkisch* sociedade ideal futura que se propunham a criar para impedir novos avanços da modernidade. Na sua apelação ao horror profundamente arraigado à rebelião social que a modernidade pressagiava, identificavam a modernidade como o reinado dos valores econômicos e monetários e atribuíam a características raciais dos judeus a responsabilidade por assalto tão implacável ao modo de vida e aos padrões *volkisch* de valor humano. A eliminação dos judeus foi então apresentada como sinônimo da rejeição à ordem moderna. Isso dá a entender um caráter essencialmente pré-moderno do racismo, sua afinidade natural, digamos assim, com emoções antimodernas e sua seletiva adequação como veículo dessas emoções.

Por outro lado, porém, como concepção do mundo e, mais importante, como instrumento efetivo de prática política, o racismo é impensável sem o avanço da ciência moderna, da tecnologia moderna e das formas modernas de poder estatal. Como tal, o racismo é estritamente um produto moderno. A modernidade tornou possível o racismo. Também criou uma demanda de racismo; uma era que declarava o ganho a única medida do valor humano precisava de uma teoria da imputação para redimir as preocupações com o traçado e a guarda de fronteiras nas novas condições em que cruzar fronteiras era mais fácil do que jamais fora. O racismo, em suma, é uma arma inteiramente nova usada na condução de batalhas pré-modernas ou pelo menos não exclusivamente modernas.

Da heterofobia ao racismo

De maneira bastante comum (mas errônea), o racismo é encarado como uma modalidade de ressentimento e preconceito entre grupos. Às vezes o racismo é isolado, por sua intensidade emotiva, de outros sentimentos ou crenças de categoria mais geral; outras vezes, é isolado por referência a atributos hereditários, biológicos e extraculturais que ele, ao contrário de variantes não racistas de animosidade grupal, normalmente contém. Em alguns casos, pessoas que escrevem sobre racismo assinalam as pretensões científicas que outros estereótipos não racistas mas similarmente negativos de grupos estrangeiros geralmente não possuem. Seja qual for a característica escolhida, porém, o hábito de analisar e interpretar o racismo no quadro de uma categoria mais ampla de preconceito raramente é rompido.

À medida que o racismo ganha destaque entre as formas contemporâneas de ressentimento intergrupal, sendo a única dentre elas a manifestar acentuada afinidade com o espírito científico da época, uma tendência interpretativa inversa torna-se ainda mais saliente: a de estender a noção de racismo de modo a abarcar todas as modalidades de ressentimento. Todos os tipos de preconceito grupal são então interpretados como outras tantas expressões de predisposições racistas inatas, naturais. Pode-se provavelmente não ficar muito perturbado com essa troca de posições, vendo-a filosoficamente apenas como uma questão de definições, que podem afinal ser escolhidas ou rejeitadas à vontade. Num exame mais detido, no entanto, a complacência parece imprudente. Com efeito, se toda antipatia e toda animosidade intergrupais são formas de racismo e se a tendência de manter os estrangeiros à distância e abominar sua proximidade foi amplamente documentada pela pesquisa histórica e etnológica como atributo praticamente constante e universal dos agrupamentos humanos, então não há nada essencial e radicalmente novo no racismo que adquiriu tamanha importância em nossa época: trata-se apenas de uma reencenação da mesma peça, montada embora, admite-se, com diálogos um tanto atualizados. Em especial, a ligação íntima do racismo com outros aspectos da vida moderna é sumariamente negada ou desfocada.

No seu recente estudo sobre o preconceito[1], de impressionante erudição, Pierre-André Taguieff trata o racismo como sinônimo de heterofobia (ressentimento da diferença). Ambos ocorrem, afirma, "em três níveis" ou em três formas distintas, segundo o nível crescente de sofisticação. O "racismo primário" é, a seu ver, universal. É uma reação natural à presença de um estranho desconhecido, a qualquer forma estrangeira e intrigante de vida humana. Invariavelmente, a primeira resposta à estranheza é a antipatia, que o mais das vezes leva à agressividade. A universalidade anda de mãos dadas com a espontaneidade. O racismo primário não precisa de inspiração ou instigação; nem de uma teoria para legitimar o ódio elementar — embora possa eventual e deliberadamente ser estimulado e utilizado como instrumento de mobilização política.[2] Em tais circunstâncias ele pode ser elevado a um nível mais complexo e se transformar num racismo "secundário" (ou racionalizado). Essa transformação ocorre quando se fornece (e se introjeta) uma teoria que cria bases lógicas para o ressentimento. O Outro repelido é representado de má vontade ou "objetivamente" como perigoso — em ambos os casos, uma ameaça ao bem-estar do grupo ressentido. Por exemplo, a categoria repelida pode ser pintada como conspirando com as forças do mal na forma construída pela religião do grupo ressentido ou retratada como um concorrente econômico inescrupuloso; a escolha do campo semântico em que se teoriza a "periculosidade" do Outro repelido é presumivelmente ditada pelo enfoque de momento na relevância, conflitos e divisões sociais. A xenofobia ou, mais particularmente, o etnocentrismo (ambos surgidos na época do nacionalismo desenfreado, quando uma das linhas de divisão com defesa mais cerrada era traçada em termos de história, tradição e cultura comuns) é um caso bem corriqueiro de "racismo secundário" contemporâneo. Finalmente, o racismo "terciário" ou mistificador, que pressupõe os outros dois níveis "inferiores", distingue-se pela utilização de argumentos quase biológicos.

Da forma como foi construída e interpretada por Taguieff, a classificação tripartite parece logicamente falha; se o racismo secundário já é caracterizado pela teorização do ressentimento primário, parece não haver uma boa razão para destacar apenas uma das muitas ideologias possíveis que podem ser (e são) utilizadas para esse fim como características de um racismo de "alto nível". O racismo de terceiro nível parece muito uma unidade do grupo secundário. Talvez Taguieff pudesse defender sua classificação dessa acusação se, em vez de destacar teorias biológicas em função de sua natureza supostamente "mistificadora" (pode-se argumentar interminavelmente sobre o grau de mistificação de todas as demais teorias racistas secundárias), assinalasse a tendência do argumento biológico a enfatizar o caráter irreversível e incurável da prejudicial "alteridade" do Outro. Poder-se-ia com efeito assinalar que — em nossa época de artificialidade da ordem social, de suposta onipotência da educação e, de modo mais amplo, de planejamento social — a biologia em geral e a hereditariedade em particular representam para a opinião pública uma área ainda infensa à manipulação cultural, algo com que ainda não sabemos como lidar e como moldar e remodelar à nossa vontade. Taguieff, no entanto, insiste que a moderna forma biológico-científica de racismo não parece "diferente, em natureza, operação e função, dos tradicionais discursos de exclusão por desqualificação"[3], concentrando-se em vez disso no grau de "paranóia delirante" ou extremo "especulativismo" como características específicas do "racismo terciário".

Sugiro, ao contrário, que *são precisamente a natureza, a função e o modo de operação do racismo que diferem marcadamente da heterofobia* — esse difuso desconforto, embaraço ou ansiedade (sentimentais, mais que práticos) que as pessoas sentem normalmente sempre que são confrontadas com "ingredientes humanos" de sua situação que não compreendem plenamente, com os quais não se relacionam de maneira fácil e não podem esperar que se comportem de modo corriqueiro, familiar. A heterofobia parece ser uma manifestação concentrada de um fenômeno de ansiedade ainda mais amplo despertado pela sensação de que a pessoa não tem controle da situação e assim não pode nem influenciar seu desdobramento nem prever as consequências dos próprios atos. A heterofobia pode parecer uma objetivação realista ou irreal dessa ansiedade — mas é provável que a ansiedade em questão busque sempre um objeto para ancorar e que, por conseguinte, a heterofobia seja um fenômeno bastante comum em todas as épocas e mais comum ainda na era da modernidade, quando se tornaram mais frequentes as ocasiões para a sensação de "descontrole" e mais plausível sua interpretação como interferência de um grupo humano intruso.

Proponho também que, assim definida, *a heterofobia deve ser analiticamente diferenciada da inimizade competitiva*, antagonismo mais específico gerado pelas práticas humanas de busca da identidade e estabelecimento de limites. No último caso, os sentimentos de antipatia e ressentimento parecem mais apêndices emocionais da atividade de separação; separação que por si mesma requer uma atividade, um esforço, uma ação continuada. O alienígena do primeiro caso, no entanto, não é meramente uma categoria de pessoa cuja proximidade incomoda apesar de sua clara separação e de ser fácil de localizar e manter à necessária distância, mas um tipo de gente cuja "coletividade" não é óbvia, de reconhecimento geral, podendo mesmo ser contestada e muitas vezes escondida ou negada pelos membros do grupo estranho. O forasteiro, neste caso, ameaça penetrar o grupo nativo e fundir-se com ele — se medidas preventivas não forem tomadas e rigorosamente observadas. O elemento estranho, portanto, ameaça a unidade e a identidade do grupo nativo, não tanto por confundir o seu controle sobre um território ou sua liberdade de ação pelos padrões conhecidos, mas por borrar a fronteira do próprio território e apagar a diferença entre o modo de vida familiar (certo) e o modo de vida estranho (errado). Este é o caso do "inimigo em nosso meio" — que desencadeia um vivo alvoroço para traçar limites, o que por sua vez gera uma pesada precipitação radioativa de antagonismo e ódio àqueles considerados culpados ou suspeitos de jogo duplo, de ficar em cima do muro.

O racismo difere tanto da heterofobia quando da inimizade competitiva. A diferença não está nem na intensidade de sentimentos nem no tipo de argumento usado para racionalizá-la. *O racismo destaca-se por um costume de que é parte integrante e que racionaliza: costume que combina estratégias de arquitetura e jardinagem com a da medicina a serviço da construção de uma ordem social artificial, pelo corte de elementos da realidade presente que nem se adequam à realidade perfeita visada nem podem ser mudados para que se adequem.* Num mundo que se gaba de uma capacidade sem precedentes de melhorar as condições humanas com a reorganização das atividades em bases racionais, o racismo expressa a convicção de que certa categoria de seres humanos não pode ser incorporada à ordem racional, seja qual for o esforço que se faça. Num mundo que se notabiliza pela contínua redução dos limites à manipulação científica, tecnológica e cultural, o racismo proclama que certas falhas de determinada categoria de pessoas não podem ser removidas ou retificadas — que elas estão para além das fronteiras das práticas reformatórias e assim permanecerão para sempre. Num mundo que proclama a formidável capacidade de treinamento e conversão cultural, o racismo isola certa categoria de pessoas que não pode ser alcançada (e portanto não pode ser efetivamente cultivada) pela argumentação ou qualquer outro instrumental de treinamento, devendo pois continuar perpetuamente estranha. Resumindo: no mundo moderno, caracterizado pela ambição do autocontrole e da autogestão, o racismo declara certa categoria de pessoas endêmica e irremediavelmente resistente ao controle e imune a todos os esforços de melhoria. Para usar a metáfora médica, podem-se exercitar e modelar partes "saudáveis" do corpo, mas não um tumor cancerígeno. Este só pode "melhorar" sendo eliminado.

A consequência é que *se associa inevitavelmente o racismo à estratégia de isolamento*. Se as condições permitem, o racismo exige que a categoria ofensora deve ser removida para além do território ocupado pelo grupo que ela ofende. Se tais condições não existem, o racismo exige que a categoria ofensora seja fisicamente exterminada. A expulsão e a destruição são métodos intercambiáveis de isolamento.

Sobre os judeus escreveu Alfred Rosenberg: "Zunz chama o judaísmo de capricho da alma [judaica]. Agora o judeu não pode livrar-se desse 'capricho' mesmo se for batizado dez vezes, e o resultado necessário dessa influência será sempre o mesmo: a falta de vida, o anticristianismo e o materialismo."[4] O que é verdadeiro em termos religiosos aplica-se a todas as demais intervenções culturais. Os judeus não têm remédio. Só a distância física ou o corte na comunicação, só o cerco ou o extermínio pode torná-los inofensivos.

Racismo como forma de planejamento social

O racismo atua segundo as especificações no contexto de um projeto de sociedade perfeita e da intenção de realizar esse projeto através de um esforço planejado e consistente. No caso do Holocausto, o projeto era o *Reich* de mil anos — o reino do Espírito Alemão liberado. Um reino que só tinha lugar para o Espírito Alemão. Não tinha lugar para os judeus, uma vez que os judeus não podiam ser convertidos a abraçar o *Geist* do *Volk* alemão. Essa incapacidade espiritual foi elaborada como atributo da hereditariedade, do sangue — substâncias que pelo menos naquela época incorporavam o outro lado da cultura, o território que a cultura não podia sonhar em cultivar, um sertão que jamais se tornaria objeto de jardinagem. (As perspectivas da engenharia genética ainda não eram seriamente consideradas.)

A revolução nazista foi um exercício de engenharia social em grandiosa escala. O "gado racial" era o elo-chave na cadeia das medidas de planejamento. No conjunto de metas oficiais da política nazista, publicadas em inglês por iniciativa de Ribbentrop com o propósito de propaganda internacional e por essa razão expressas em linguagem cautelosa e cuidadosamente moderada, o dr. Arthur Gütt, chefe do Departamento Nacional de Higiene do Ministério do Interior, define como principal tarefa do governo nazista "uma política ativa que busca consistentemente a preservação da saúde racial" e explica a estratégia que isso necessariamente implicava: "Se facilitarmos a reprodução de gado saudável com a seleção sistemática e a eliminação de elementos doentios, poderemos melhorar os padrões físicos, não talvez da atual geração, mas daquelas que nos sucederão." Gütt não tinha dúvida de que a seleção e eliminação que tal política contemplava ia "de par com as linhas universalmente adotadas em conformidade com as pesquisas de Koch, Lister, Pasteur e outros cientistas famosos"[5], constituindo portanto uma extensão lógica — com efeito, uma culminação — do avanço da ciência moderna.

O dr. Walter Gross, chefe do Bureau de Instrução sobre Política Populacional e Bem-Estar Racial, explicou detalhadamente o lado prático da política racial: reverter a tendência de "natalidade declinante entre os habitantes mais ajustados e de reprodução desenfreada dos incapazes hereditários, dos mentalmente deficientes, dos imbecis e criminosos hereditários etc."[6] Como escreve para um público internacional improvavelmente simpático às políticas dos nazistas, não estorvados como era por coisas tão irracionais como a opinião pública ou o pluralismo político de ver as realizações da ciência e tecnologia modernas levadas a suas últimas consequências, Gross não se aventura além da necessidade de esterilizar os incapazes hereditários.

A realidade da política racial era, no entanto, muito mais horripilante. Ao contrário do que dava a entender Gütt, os líderes nazistas não viam razão para restringir suas preocupações àqueles "que nos sucederão". De acordo com os recursos disponíveis, puseram-se a melhorar a geração *presente*. A estrada imperial para esse objetivo passava pela remoção forçada de *unwertes Leben* [vida inútil]. Tudo era usado para alcançar essa meta. Dependendo das circunstâncias, falava-se em "eliminar", "livrar-se de", "evacuar" ou "reduzir" (leia-se "exterminar"). Seguindo as ordens de Hitler de 1º de setembro de 1939, foram criados centros em Brandenburgo, Hadamar, Sonnenstein e Eichberg que se disfarçavam sob duas mentiras: eram chamados à boca pequena, entre os iniciados, de "institutos de eutanásia", mas para o amplo consumo apresentados sob nomes ainda mais enganadores e ilusórios, como Centro de Caridade para "Cuidados Institucionais" ou "transporte de doentes" — ou mesmo o inofensivo código "T4" (do endereço rua Tiergarten 4, Berlim, onde ficava o escritório de coordenação de toda a operação de morticínio).[7] Quando a ordem teve que ser anulada em 28 de agosto de 1941 em função da grita de eminentes autoridades da Igreja, o princípio de "administrar ativamente as tendências populacionais" não foi de modo algum abandonado. Apenas desviou o foco, como a tecnologia do gás que a campanha de eutanásia ajudou a desenvolver, para um alvo diferente: os judeus. E para locais diferentes, como Sobibor ou Chelmno.

O tempo todo o alvo foi a *unwertes Leben*. Para os planejadores nazistas da sociedade perfeita, o projeto que perseguiam e estavam decididos a realizar através da engenharia social dividia a vida humana em útil e inútil, com ou sem valor, aquela a ser amorosamente cultivada e receber *Lebensraum* [espaço vital], a outra a ser "afastada" ou — se o afastamento se revelasse infactível — exterminada. Os simplesmente alienígenas não eram objeto de política estritamente racial: a eles podiam ser aplicadas velhas e provadas estratégias tradicionalmente associadas à inimizade competitiva — deviam ser mantidos além de fronteiras estreitamente vigiadas. Os deficientes físicos ou mentais eram um caso mais difícil e exigiam uma política nova, original: não podiam ser expulsos ou colocados atrás de cercas, uma vez que não pertenciam de direito a nenhuma das "outras raças", embora indignos também de participar do Reich de mil anos. Os judeus constituíam caso essencialmente similar. Não eram uma raça como as outras; eram uma antirraça, uma raça que minava e envenenava todas as outras, que solapava não apenas a identidade de qualquer raça em particular, mas a própria ordem racial. (Lembrem-se dos judeus como a "nação sem nacionalidade", como o inimigo incurável da ordem nacional como tal.) Com aprovação e prazer, Roseberg cita o conceito autodepreciativo de Weiniger para os judeus como "uma invisível rede coesiva de fungo limoso (plasmódio) que existe desde tempos imemoriais e se espalha por toda a terra".[8] Assim, o isolamento dos judeus só podia ser um paliativo, um estágio no caminho para a meta final. A questão possivelmente não seria resolvida com a simples extirpação dos judeus da Alemanha. Mesmo vivendo bem longe das fronteiras alemãs, os judeus continuariam a produzir erosão e desintegração da lógica natural do universo. Ao ordenar a suas tropas que lutassem pela supremacia da raça *alemã*, Hitler acreditava que a guerra que ele desencadeava travava-se em nome de *todas as raças*, era em suma um serviço que prestava à humanidade racialmente organizada.

Nessa concepção de engenharia social como obra cientificamente fundada com vistas à instituição de uma nova e melhor ordem (obra que necessariamente implica a contenção ou, de preferência, a eliminação de quaisquer fatores de ruptura), o racismo refletia de fato a visão de mundo e a prática da modernidade. E isso pelo menos em dois aspectos vitais.

Primeiro, com o Iluminismo, foi entronizada uma nova divindade, a Natureza, junto com a legitimação da ciência como seu único culto ortodoxo e dos cientistas como seus profetas e sacerdotes. Tudo, em princípio, fora aberto à investigação objetiva; tudo podia, em princípio, ser conhecido de forma confiável e verdadeira. A verdade, a bondade e a beleza, aquilo que é e o que devia ser, tudo tornou-se objeto legítimo de observação sistemática e precisa. Por outro lado, só podiam legitimar-se pelo conhecimento objetivo que resultaria de tal observação. Como George L. Mosse resumiu sua história do racismo, documentada de modo bastante convincente, "é impossível separar os questionamentos filosóficos do Iluminismo sobre a natureza e o exame que fez da moralidade e do caráter humano... [Desde] o início... a ciência natural e os ideais morais e estéticos dos antigos se deram as mãos." Da forma em que foi moldada pelo Iluminismo, a atividade científica era marcada por uma "tentativa de determinar o lugar exato do homem na natureza através da observação, mensurações e comparações entre grupos de homens e animais" e da "crença na unidade do corpo e da mente". Esta última "supostamente se expressava de forma tangível, física, que podia ser medida e observada".[9] A frenologia (arte de medir o caráter pelas medidas do crânio) e a fisiognomonia (medir o caráter pela aparência facial) resumiam muito bem a confiança, a estratégia e a ambição da nova era científica. O temperamento, o caráter, a inteligência, os talentos estéticos e até as inclinações políticas do homem eram determinados pela Natureza; de forma que exatamente podia-se descobrir pela diligente observação e comparação do "substrato" visível, material, mesmo do mais esquivo ou encoberto atributo espiritual. As fontes materiais das impressões sensoriais eram outras tantas chaves dos segredos da Natureza, sinais a serem lidos, registros feitos num código que a ciência tem que desvendar.

O que restava ao racismo era meramente postular uma distribuição sistemática e geneticamente reproduzida de atributos materiais do organismo humano responsáveis por traços de caráter, morais, estéticos ou políticos. Mesmo essa tarefa, porém, já tinha sido executada para eles por respeitáveis e justamente respeitados pioneiros da ciência que raramente ou quase nunca são listados entre os luminares do racismo. Observando *sine ira et studio* a realidade tal como a encontraram, dificilmente poderiam deixar de perceber a palpável, concreta, material, indubitavelmente "objetiva" superioridade desfrutada pelo Ocidente sobre o resto do mundo habitado. Assim, o pai da taxonomia científica, Lineu, registrou a divisão entre os habitantes da Europa e os da África com a mesma e escrupulosa precisão que usou para definir a diferença entre crustáceos e peixes. Só podia descrever e descreveu a raça branca como "inventiva, engenhosa, organizada e governada por leis...Em contraste com os Negros, dotados de todas as qualidades negativas que faziam deles um canhoto da raça superior: eram considerados preguiçosos, desonestos e incapazes de governar a si mesmos."[10] O pai do "racismo científico", Gobineau, não teve que usar grande inventiva para definir os negros como uma raça de pouca inteligência, embora superdotada de sensualidade e portanto de um poder bruto aterrador (exatamente como a multidão desgovernada), e os brancos como uma raça que ama a liberdade, a honra e tudo o que é espiritual.[11]

Em 1938, Walter Frank descreveu a perseguição aos judeus como a saga da "cultura alemã em luta contra a Judiaria Mundial". Desde o primeiro dia do regime nazista, as instituições científicas, dirigidas por professores universitários de renome em biologia, história e ciência política, foram colocadas para investigar "a questão judaica" segundo os "padrões internacionais da ciência avançada". O Reichinstitut für Geschichte des neuen Deutschlands (Instituto Imperial para a Pesquisa da Nova Alemanha), o Institut zum Studium der Judenfrage (Instituto para o Estudo da Questão Judaica), o Institut zur Erforschung des jüdischen Einflusses auf das deutsche kirchliche Leben (Instituto para Investigação da Influência Judaica na Vida eclesiástica alemã) e o famoso Institut zur Erforschung der Judenfrage, de Rosenberg, foram apenas alguns dos centros científicos que atacaram questões teóricas e práticas da "política judaica" aplicando uma metodologia culta e que nunca tiveram falta de pessoal qualificado, com credenciais acadêmicas. Uma típica exposição de princípios de sua atividade dizia que:

> toda a vida cultural, durante décadas, esteve mais ou menos sob a influência do pensamento da biologia, particularmente a partir de meados do século passado, com os ensinamentos de Darwin, Mendel e Galton, e depois desenvolvido pelos estudos de Plötz, Schallmayer, Correns, de Vries, Tschermak, Baur, Rüdin, Fischer, Lenz e outros... Admitiu-se que as leis naturais descobertas para as plantas e animais deviam também ser válidas para o homem...[12]

Além disso, a partir do Iluminismo o mundo moderno se caracterizou por uma posição ativa, planejada, em relação à natureza e a si mesmo. A ciência não devia ser praticada por si mesma; passou a ser vista, antes e acima de tudo, como um instrumento de poder tremendo que capacita seu detentor a melhorar a realidade, a moldá-la de acordo com os projetos e interesses humanos e a contribuir para o seu autoaperfeiçoamento. A jardinagem e a medicina davam os arquétipos da postura construtiva, enquanto a normalidade, a saúde e o saneamento forneciam as arquimetáforas para as tarefas e estratégias humanas na condução dos negócios humanos. A existência e a coexistência humanas viraram objeto de planejamento e administração; como plantas num jardim ou um organismo vivo, não podiam ser abandonadas à própria conta, do contrário seriam infestadas de ervas daninhas ou destruídas por tecido cancerígeno. A jardinagem e a medicina são formas funcionalmente distintas da mesma atividade de *separar elementos úteis destinados a viver e prosperar, isolando-os de elementos perigosos e mórbidos que devem ser exterminados.*

O discurso, a linguagem de Hitler era carregada de imagens de doença, infecção, infestação, putrefação, pestilência. Ele comparava o cristianismo e o bolchevismo à sífilis e à peste, falava dos judeus como bacilos, micróbios da decomposição, vermes. "A descoberta do vírus judaico", disse a Himmler em 1942, "foi uma das grandes revoluções que tiveram lugar no mundo. A batalha em que estamos empenhados hoje é semelhante à que travaram, no século passado, Pasteur e Koch. Quantas doenças têm sua origem no vírus judaico... Só recobraremos a saúde eliminando o judeu."[13] Em outubro do mesmo ano, Hitler proclamou: "Exterminando a peste, estaremos servindo à humanidade."[14] Os executores da vontade de Hitler falaram do extermínio dos judeus como *Gesundung* (cura) da Europa, *Selbstreinigung* (autopurificação), *Judensäuberung* (expurgo dos judeus). Num artigo em *Das Reich* publicado em 5 de novembro de 1941,

Goebbels saudou a adoção do símbolo da estrela de Davi para marcar os judeus como uma medida "higiênica profilática". Isolar os judeus de uma comunidade racialmente pura era "regra elementar de higiene, racial, nacional e social". Havia pessoas boas e pessoas más, argumentava Goebbels, assim como há bons e maus animais. "O fato de que o judeu ainda vive entre nós não significa que ele pertence ao meio, assim como uma mosca não vira animal doméstico pelo fato de viver na casa."[15] A questão judaica, nas palavras do assessor de imprensa do Ministério do Exterior, era "eine Frage der politischen Hygiene" ["uma questão de higiene política"].

Dois cientistas alemães de reputação mundial, o biólogo Erwin Baur e o antropólogo Martin Stämmler, colocaram na linguagem comum e precisa da ciência aplicada o que os líderes da Alemanha nazista expressavam com frequência no vocabulário emotivo e passional da política:

> Todo fazendeiro sabe que se abater os melhores animais, sem deixar que procriem, continuando a criar em vez disso espécimes inferiores, seu gado vai inevitalmente degenerar. Tal erro, que nenhum fazendeiro cometeria com seus animais e plantas de cultivo, permitimos que em larga medida persista no nosso meio. Por consideração a nossa humanidade atual, devemos cuidar para que essas pessoas inferiores não se reproduzam. Simples operação executada em poucos minutos torna isso possível sem mais demora... Ninguém é mais favorável do que eu às novas leis de esterilização, mas devo repetir e insistir que constituem apenas um começo...
>
> A extinção e a salvação são os dois pólos em torno dos quais gira todo o cultivo da raça, os dois métodos com os quais tem que trabalhar... Extinção é a destruição biológica do hereditariamente inferior através da esterilização, da repressão quantitativa dos doentes e indesejáveis... A tarefa consiste em proteger o povo de uma reprodução excessiva de ervas daninhas.[17]

Resumindo: bem antes das câmaras de gás, os nazistas tentaram, por ordem de Hitler, exterminar seus próprios compatriotas com deficiências físicas ou mentais recorrendo ao "assassinato de misericórdia" (falsamente chamado de "eutanásia") e criar uma raça superior através da fertilização de mulheres racialmente superiores por homens racialmente superiores (eugenia). À semelhança dessas tentativas, o assassínio de judeus foi um procedimento de administração racional da sociedade. E um esforço sistemático de colocar a seu serviço a postura, a filosofia e os preceitos da ciência aplicada.

Da repulsa ao extermínio

"A teologia cristã nunca advogou o extermínio dos judeus", escreve George L. Mosse, "mas sim sua exclusão da sociedade como testemunhas vivas do deicídio. Os pogroms foram secundários em relação ao isolamento judeu nos guetos."[18] "Um crime", afirma Hannah Arendt, "é punido; um vício só pode ser eliminado."[19]

Só dessa forma racista moderna, "científica", a antiga repulsa aos judeus foi elaborada como procedimento sanitário; só com a moderna reencarnação do ódio ao judeu foram os judeus acusados de um vício incurável, de uma falha imanente que não pode ser isolada dos seus portadores. Antes disso, os judeus eram pecadores e, como todos os pecadores, estavam condenados a sofrer por seus pecados num purgatório terrestre ou do além — para se arrepender e, quem sabe, ganhar a salvação. Seu sofrimento devia ser visível para que as consequências do pecado e a necessidade do arrependimento fossem vistas. Nenhum benefício desse tipo pode provavelmente decorrer da observação do vício, mesmo se coroado com sua punição. (Em caso de dúvida, consultem dona Maria Casabranca.) O câncer, os parasitas e as ervas daninhas não podem se arrepender. Eles não pecaram, apenas viveram de acordo com a sua natureza. Não há nada por que puni-los. Pela própria natureza do seu mal, devem ser exterminados. Só para si mesmo, em seu diário, Joseph Goebbels manifestou isso com a mesma clareza que vimos antes na abstrata historiografia de Rosenberg: "Não há esperança de reconduzir os judeus ao rebanho da humanidade civilizada através de castigos excepcionais. Serão para sempre judeus, assim como somos para sempre integrantes da raça ariana."[20] Ao contrário do "filósofo" Rosenberg, porém, Goebbels era ministro de um governo que gozava de um terrível e incontestado poder, além do mais um governo que — graças às conquistas da civilização moderna — podia conceber a possibilidade da vida sem o câncer, a verminose ou as ervas daninhas e tinha à sua disposição recursos materiais para tornar tal possibilidade uma realidade.

É difícil, talvez impossível, chegar à ideia do extermínio de todo um povo sem uma imaginação racial, isto é, sem uma visão de defeitos endêmicos e fatais por princípio incuráveis e capazes, além disso, de se propagarem caso não controlados. É difícil e provavelmente impossível chegar a tal ideia sem uma arraigada prática médica (tanto da medicina propriamente dita, voltada para o corpo do ser humano, como de suas inúmeras aplicações alegóricas), com seu modelo de saúde e normalidade, sua estratégia de isolamento e sua técnica cirúrgica. É particularmente difícil e quase impossível conceber tal ideia isolada da abordagem da engenharia social, da crença na artificialidade da ordem social, da instituição da especialidade e da prática de controle científico do ambiente e da interação humanos. Por essas razões, *a versão exterminadora que desenvolveu o antissemitismo deve ser vista como um fenômeno totalmente moderno*, isto é, algo que só poderia ocorrer num estágio avançado de modernidade.

Essas não foram, no entanto, as únicas ligações entre os desígnios de extermínio e as evoluções corretamente associadas à civilização moderna. O racismo, mesmo quando combinado à predisposição tecnológica da mente moderna, dificilmente bastaria para produzir a façanha do Holocausto. Para isso, teria que ser capaz de garantir a passagem da teoria à prática — o que provavelmente significaria estimular, com o simples poder mobilizador das ideias, um número suficiente de agentes humanos para dar conta da magnitude da tarefa e sustentar sua dedicação por quanto tempo isso fosse necessário. Com treinamento ideológico, propaganda e lavagem cerebral, o racismo teria que incutir nas massas não judaicas um ódio e repulsa tão intensos aos judeus que desencadeasse uma violenta ação contra eles sempre e onde quer que fossem encontrados.

De acordo com opinião bastante disseminada entre os historiadores, isso não aconteceu. Apesar dos enormes recursos investidos pelo regime nazista na propaganda racista, do esforço concentrado do ensino nazista e da ameaça real do terror contra os que resistissem às suas práticas, a aceitação popular do programa racista (e particularmente das suas consequências lógicas últimas) ficou bem longe do nível que um extermínio emocional exigiria. Como se outra prova fosse necessária, esse fato demonstra mais uma vez *a ausência de continuidade ou progressão natural entre a heterofobia ou inimizade competitiva e o racismo*. Os líderes nazistas que esperavam capitalizar o difuso ressentimento aos judeus de forma a ganhar apoio para a política racista de extermínio foram logo forçados a reconhecer seu erro.

Mas mesmo que o credo racista tivesse conseguido maior êxito (caso improvável, de fato) e fossem muito mais numerosos os voluntários para o linchamento e a degola, a violência da multidão ter-nos-ia espantado como uma forma flagrantemente pré-moderna e marcadamente ineficaz de engenharia social ou do projeto inteiramente moderno de higiene racial. Na verdade, como observam de forma convincente Sabini e Silver, o episódio de maior êxito — o mais amplo e materialmente eficaz — de violência antijudaica de massa na Alemanha, a famosa *Kristallnacht* [Noite dos Cristais], foi

> um pogrom, um instrumento de terror... típico da longa tradição europeia de antissemitismo, não da ordem názi ou do extermínio sistemático dos judeus da Europa. É um método eficiente de aterrorizar uma população, de manter as pessoas no seu lugar, talvez mesmo de forçar algumas a abandonar suas convicções políticas ou religiosas, mas tais nunca foram os alvos de Hitler em relação aos judeus: ele queria destruí-los.[21]

Não havia "turba" suficiente para a violência; a visão do assassinato e da destruição desgostava um número equivalente aos que inspirava, enquanto a maioria esmagadora preferia fechar os olhos, tapar os ouvidos e, sobretudo, pôr uma mordaça na boca. A dizimação em massa foi acompanhada não de comoção emocional, mas de um silêncio mortal de indiferença. Não era motivo de júbilo mas de desinteresse público, que "se tornou uma corda a mais no laço que apertava inexoravelmente centenas de milhares de pescoços".[22] *O racismo é política primeiro, ideologia depois. E, como toda política, precisa de organização, administradores e especialistas.* Como todas as políticas, sua realização requer uma divisão do trabalho e um afastamento eficaz da tarefa dos efeitos desorganizadores da improvisação e do espontaneísmo. Requer que os especialistas não sejam perturbados e tenham liberdade para executar sua tarefa.

Nem mesmo aquela indiferença era indiferente; sem dúvida não era, pelo menos no tocante ao sucesso da Solução Final. Foi a paralisia do povo não transformado em turba, paralisia alcançada com o fascínio e o medo gerados pela exibição de poder, que permitiu à lógica mortal da solução do problema seguir seu curso sem empecilhos. Nas palavras de Lawrence Stoke, "o fracasso, com o regime ainda inseguro no poder, dos protestos contra suas medidas desumanas tornou impossível evitar a sua culminação lógica, por mais indesejada e desaprovada que ela sem dúvida fosse".[23] A ampla e profunda heterofobia pareceu suficiente para o povo alemão não protestar contra a violência, mesmo que a maioria não a aprovasse e continuasse imune à doutrinação racista. Disso os nazistas tiveram muitas oportunidades de se convencer. No seu relato impecavelmente equilibrado das atitudes alemãs, Sarah Gordon cita um informe oficial nazista que expressava claramente o desapontamento do *establishment* com as reações do povo à *Kristallnacht*:

> Sabe-se que o antissemitismo, hoje, na Alemanha, está essencialmente confinado ao partido e suas organizações e que existe um grupo na população que não tem a menor compreensão pelo antissemitismo e ao qual falta qualquer possibilidade de empatia.
>
> Nos dias seguintes à *Kristallnacht* essas pessoas foram correndo aos negócios dos judeus...
>
> Isso em grande medida se deve ao fato de que somos, com certeza, um povo antissemita, um Estado antissemita, mas mesmo assim, em todas as manifestações estatais ou populares de vida, o antissemitismo praticamente não é expresso... Há ainda grupos de *Spiessern* [burgueses] no povo alemão que falam dos pobres judeus e que não têm qualquer compreensão pelas atitudes antissemitas do povo alemão e que intercederam em toda oportunidade pelos judeus. Não apenas a liderança e o partido devem ser antissemitas.[24]

O desgosto com a violência — em particular a violência que podia ser vista e era feita para ser vista — coexistia, no entanto, com uma atitude muito mais simpática em relação às medidas administrativas tomadas contra os judeus. Grande número de alemães apoiava uma ação enérgica e divulgada de modo vociferante para a segregação, separação e perda de poder dos judeus — tradicionalmente expressão e instrumento da heterofobia ou da inimizade competitiva. Além disso, muitos alemães apoiavam as medidas retratadas como punição do judeu (na medida em que fosse possível fingir que se tratava de fato do judeu conceitual) como solução imaginária (embora plausível) de ansiedades e medos bem reais (ainda que subconscientes) de deslocamento e insegurança. Fossem quais fossem, porém, os motivos de sua satisfação, pareciam radicalmente diferentes dos implicados em exortações no estilo Streicher à violência como forma demasiado realista de pagar por crimes econômicos e sexuais imaginários. Do ponto de vista daqueles que planejaram e comandaram o assassinato em massa dos judeus, estes deviam morrer não porque houvesse ressentimento contra eles (ou pelo menos não basicamente por essa razão): *eles mereciam a morte (e por isso havia ressentimento contra eles) porque se colocavam entre esta realidade imperfeita dominada pelas tensões e o ansiado mundo de tranquila felicidade.* Como veremos no próximo capítulo, o desaparecimento dos judeus era um instrumento na produção desse mundo perfeito. A ausência de judeus era precisamente a diferença entre aquele mundo e o imperfeito mundo do aqui e agora.

Examinando fontes neutras e críticas além de informes oficiais, Gordon documentou uma ampla e crescente aprovação dos "alemães comuns" à exclusão dos judeus de posições de poder, riqueza e influência.[25] O gradual desaparecimento dos judeus da vida pública foi aplaudido ou estudadamente olhado com vista grossa. À relutância em tomar parte pessoalmente da perseguição aos judeus correspondia, em suma, a presteza em apoiar ou pelo menos não interferir com a ação do Estado nesse sentido. "Se a maioria dos alemães não era antissemita fanática ou 'paranóica', era antissemita 'latente', 'branda' ou passiva, para a qual os judeus se haviam tornado uma entidade estranha, 'despersonalizada', abstrata, para além da empatia humana, e a 'Questão Judaica' um assunto legítimo da política estatal que merecia solução."[26]

Essas considerações demonstram mais uma vez a suprema importância da outra ligação, operacional mais que ideológica, entre a forma exterminatória do antissemitismo e a modernidade. A *ideia* de extermínio, descontínua com a tradicional heterofobia e por essa razão dependente dos dois fenômenos implacavelmente modernos da teoria racista e da síndrome médico-terapêutica, forneceu a primeira ligação. Mas a ideia moderna precisava também de meios adequadamente modernos de realização. Encontrou tais meios na moderna burocracia.

A única solução adequada para problemas colocados pela visão racista de mundo é um total e absoluto isolamento da raça patogênica e infecciosa — fonte de doença e contaminação — através de sua completa separação espacial ou destruição física. Por sua natureza, esta é uma tarefa assustadora, impensável exceto se estiverem disponíveis imensos recursos, meios de mobilização e distribuição planejada, capacidade de dividir a tarefa global em grande número de funções parciais e especializadas e de coordenar sua execução. Em suma, a tarefa é inconcebível sem a burocracia moderna. Para ser eficiente, o moderno antissemitismo de extermínio tinha de se casar com a moderna burocracia. E foi o que aconteceu na Alemanha. No seu famoso relato de Wandsee, Heydrich falou da "aprovação" ou "autorização" da política judaica do RSHA pelo Führer.[27] Confrontada com os *problemas* decorrentes dessa ideia e os propósitos dela (Hitler mesmo preferia falar em "profecia", em vez de propósito ou tarefa), a organização burocrática chamada *Reichsicherheithauptamt* [Departamento Central de Segurança do *Reich*, o RSHA] pôs-se a elaborar *soluções* práticas adequadas. E o fez da maneira que todas as burocracias fazem: calculando custos, comparando com os recursos disponíveis e tentando estabelecer a melhor relação. Heydrich ressaltou a necessidade de acumular experiência prática, insistiu que o processo era gradual e que cada passo tinha um caráter provisório, definido pelo ainda limitado *know-how*; o RSHA buscava ativamente a melhor solução. O Führer expressou sua visão romântica do mundo expurgado da raça fatalmente doente. O resto era questão de um processo burocrático friamente racional, nada romântico.

A mistura letal combinava a ambição tipicamente moderna de engenharia e planejamento social com uma concentração tipicamente moderna de poder, recursos e técnicas administrativas. Na concisa e inesquecível frase de Gordon, "quando milhões de judeus e outras vítimas pensavam na morte iminente e se perguntavam por que tinham que morrer sem ter feito nada para merecer isso, talvez a resposta mais simples fosse que o poder estava totalmente concentrado nas mãos de um homem e esse homem odiava a 'raça' deles".[28] O ódio do homem e o poder concentrado não tinham que estar unidos (na verdade, nenhuma teoria satisfatória foi apresentada até hoje para provar que o antissemitismo é funcionalmente indispensável a um regime totalitário; ou, vice-versa, que a presença do antissemitismo na sua forma racista moderna resulta inevitavelmente em tal regime. Klaus von Beyme descobriu no seu recente estudo que, por exemplo, os falangistas espanhóis tinham especial orgulho da ausência de uma única nota antissemita em todos os escritos de Antonio Primo de Rivera e que mesmo um fascista "clássico" como Serrano Suñer, cunhado de Franco, considerava o racismo em geral uma heresia para o bom católico. O neofascista francês Maurice Bardech afirmou que a perseguição aos judeus foi o maior erro de Hitler e estava *hors du contrat fasciste*, fora do contrato fascista[29]). Mas o fato foi que aquele ódio e aquele poder se encontraram. E podem se encontrar de novo.

Olhando adiante

A história do moderno antissemitismo — tanto na sua forma heterofóbica como na forma moderna, racista — não terminou, do mesmo modo que a história da modernidade em geral e do Estado moderno em particular. Os processos de modernização parecem atualmente deixar a Europa. Embora algum instrumento de traçar fronteiras tenha parecido necessário na passagem para a cultura moderna, do tipo "jardim", assim como nas mais traumáticas perturbações em sociedades submetidas à mudança modernizadora, a escolha dos judeus para o papel desse instrumento foi ditado com toda probabilidade pelas vicissitudes específicas da história europeia. A conexão entre judeofobia e modernidade europeia era histórica — e, pode-se dizer, historicamente única. Por outro lado, sabemos muito bem que os estímulos culturais viajam de forma relativamente livre se não forem acompanhados de condições estruturais intimamente relacionadas a eles no seu lugar de origem. O estereótipo do judeu como uma força perturbadora da ordem, como um agrupamento incongruente de oposições que solapa todas as identidades e ameaça todos os esforços de livre arbítrio e autodeterminação, foi de há muito sedimentado na cultura extremamente autoritária da Europa e está disponível para transações de exportação e importação, como tudo o mais nessa cultura reconhecida como superior e confiável. Esse estereótipo, como antes tantos outros conceitos e itens culturalmente moldados, pode ser adotado como veículo na solução de problemas locais mesmo se faltar no local a experiência histórica de que se originou; mesmo que (ou talvez particularmente se) as sociedades que o adotarem não tenham anteriormente tido conhecimento direto dos judeus.

Observou-se recentemente que o antissemitismo sobreviveu às populações contra as quais foi ostensivamente dirigido. Em países onde os judeus simplesmente desapareceram, o antissemitismo (como sentimento ligado hoje, claro, a práticas originalmente relacionadas a alvos outros que não os judeus) continua incólume. Ainda mais notável é a falta de ligação entre a aceitação de sentimentos antijudaicos e quaisquer outros preconceitos nacionais, religiosos ou raciais com os quais se pensava que estivesse intimamente relacionado. Os sentimentos antissemíticos também não estão ligados hoje a idiossincrasias de grupo ou individuais, especialmente a problemas não resolvidos geradores de ansiedade, aguda insegurança etc. Bernd Martin, que pesquisou o caso austríaco de "antissemitismo sem judeus", cunhou o termo *sedimentação cultural* para definir um fenômeno relativamente novo: certos traços humanos ou padrões culturais (geralmente depreciativos, mórbidos, pouco atraentes ou vergonhosos) adquiriram na consciência popular a definição de judaicos. À falta de comprovação prática dessa conexão, a definição cultural negativa e a antipatia pelos aspectos a que se refere alimentam-se e reforçam mutuamente.[30]

Para muitos outros casos de antissemitismo moderno, no entanto, a explicação em termos de "sedimentação cultural" não serve. Na nossa aldeia global, as notícias voam rápido para toda parte e de há muito a cultura se tornou um jogo sem fronteiras. *Mais do que um produto de sedimentação cultural, o antissemitismo contemporâneo parece estar submetido aos processos de difusão cultural*, hoje muito mais intensa que em qualquer época passada. Como outros objetos dessa difusão, o antissemitismo, ainda que mantendo a afinidade com sua forma original, é transformado no processo — aguçado ou enriquecido — para adaptar-se aos problemas e necessidades de seu novo lar. Não há escassez de problemas e necessidades nestes tempos de "desenvolvimento desigual" da modernidade, com as resultantes tensões e traumas. O estereótipo da judeofobia oferece uma inteligibilidade óbvia, pronta, a deslocamentos de outra forma intrigantes e assustadores e formas de sofrimento ainda desconhecidas. Por exemplo, no Japão tem-se tornado nos últimos anos cada vez mais popular como chave-mestra para compreender obstáculos imprevistos no caminho da expansão econômica; a atuação dos judeus em todo o mundo é apresentada como explicação para eventos tão diversos quanto a supervalorização do iene e a suposta ameaça de precipitação radioativa no caso de outro acidente nuclear semelhante a Tchernobyl seguido de outro encobrimento soviético.[31]

Uma variedade de estereótipo antissemítico que se propaga fácil é definida em detalhe por Norman Cohn: a imagem dos judeus como uma conspiração internacional para destruir todos os poderes, tradições e culturas locais e unir o mundo sob dominação judaica. Com certeza, esta é a forma mais ofensiva e potencialmente letal de antissemitismo; foi sob os auspícios desse estereótipo que os nazistas tentaram exterminar os judeus. Parece que no mundo contemporâneo a imagem multifacetada do povo judeu, outrora inspirada em múltiplas dimensões da "incongruência judaica", tende a ser reduzida a apenas um simples atributo: *o de uma elite supranacional de poder invisível por trás de todos os poderes visíveis, o de um administrador oculto de supostamente espontâneas e incontroláveis mas geralmente infelizes e desconcertantes reviravoltas do destino.*

A forma hoje dominante de antissemitismo é produto da teoria, não da experiência elementar; é sustentada pelo processo de ensino e aprendizado, não por reações não processadas intelectualmente ao contexto da interação cotidiana. No começo deste século, a variante de longe mais comum de antissemitismo nos países afluentes da Europa ocidental voltava-se contra as massas de imigrantes judeus empobrecidos e por demais esquisitos; originou-se da reação imediata das classes inferiores nativas, únicas em contato com esses bizarros estrangeiros e que reagiam com suspeita e desconfiança a sua presença desconcertante e desestabilizadora. Raramente suas opiniões eram partilhadas pelas elites, que não tinham experiência direta de interação com os recém-chegados de língua ídiche e para as quais os imigrantes não eram essencialmente diferentes do resto das classes inferiores, rebeldes, deprimidas e potencialmente perigosas. Enquanto permaneceu não processada por uma teoria que só os intelectuais da classe média ou das classes altas podiam fornecer, a heterofobia elementar das massas ficou (parafraseando a famosa frase de Lênin) no nível da "consciência sindical"; dificilmente poderia ultrapassar esse plano enquanto se fizesse referência apenas à experiência de base do relacionamento com os judeus pobres. Podia ser generalizada numa plataforma para a agitação de massas com o simples acréscimo de ansiedades individuais e a apresentação dos problemas pessoais como problemas comuns (como no caso do Movimento Britânico Mosley, que visava sobretudo aos imigrantes do East End londrino, ou da atual Frente Nacional Britânica, com o mesmo alvo em Leicester e Notting Hill, e da Frente Nacional francesa, que tem como alvo Marselha). Podia chegar a exigir que os estranhos fossem mandados de volta ao lugar de onde vieram. Mas não havia como transformar essa heterofobia ou mesmo a ansiedade limitadora das massas, de certa forma "assunto particular" das classes inferiores, em sofisticadas teorias antissemíticas de ambições universais, como a da raça mortífera ou a da "conspiração mundial". Para fascinar a imaginação popular, essas teorias devem se referir a fatos normalmente inacessíveis às massas e desconhecidos para elas, fatos certamente não situados no âmbito de sua experiência diária e imediata.

Nossa análise anterior levou-nos, porém, à conclusão de que o verdadeiro papel das formas teóricas, sofisticadas, de antissemitismo está não tanto na sua capacidade de fomentar atitudes de antagonismo nas massas, mas na sua ligação única com os projetos e ambições de engenharia social do Estado moderno (ou, mais precisamente, com as variantes extremas e radicais dessas ambições). Com as evidentes tendências atuais para a retirada do Estado ocidental da administração direta de muitas áreas da vida social anteriormente mantidas sob controle e a inclinação por uma estrutura social geradora de pluralismo e orientada pelo mercado, parece improvável que uma forma racista de antissemitismo possa de novo ser usada por um Estado no Ocidente como instrumento de um projeto de engenharia social em larga escala. Pelo menos, esclareça-se, num futuro *previsível*; a situação pós-moderna da maioria das sociedades ocidentais, centradas no mercado e orientadas para o consumo, parece assentar-se na base frágil de uma excepcional superioridade econômica, por enquanto assegurada pela posse de uma parcela demasiadamente grande dos recursos mundiais mas que não vai durar para sempre. Podemos supor que num futuro não muito distante possam muito bem ocorrer situações que convidem o Estado a exercer um controle social direto — e então a arraigada e bem testada perspectiva racista poderá de novo vir a calhar. Nesse meio tempo, versões não racistas e menos dramáticas da judeofobia podem em várias ocasiões menos radicais ser utilizadas como meio de propaganda política e mobilização.

Com os judeus deslocando-se hoje maciçamente para as classes média e alta e portanto fora de alcance da experiência direta das massas, os antagonismos de grupo decorrentes de recentes preocupações com o estabelecimento e manutenção de fronteiras tendem a se voltar na maioria dos países ocidentais contra os trabalhadores imigrantes. Há forças políticas ávidas em capitalizar esses sentimentos. Elas muitas vezes usam uma linguagem desenvolvida pelo racismo moderno para argumentar em favor da segregação e separação física: um lema usado com sucesso pelos nazistas na sua caminhada para o poder, como meio de ganhar para suas intenções racistas o apoio da combativa animosidade das massas. Em todos os países que no período de reconstrução econômica do pós-guerra atraíram grandes levas de trabalhadores imigrantes, a imprensa popular e os políticos de tendência populista dão inúmeros exemplos dos novos usos dados atualmente à linguagem racista. Gérard Fuchs, Pierre Jouve e Ali Magoudi[32] publicaram recentemente amplas coletâneas e análises convincentes desses usos. Pode-se ler aí sobre a edição de 26 de outubro de 1985 da revista *Le Figaro,* dedicada à questão: "Seremos ainda franceses daqui a 30 anos?" Pode-se ver também o primeiro-ministro Jacques Chirac falando de um fôlego só sobre a determinação de seu governo de lutar firmemente pelo reforço da segurança pessoal e da identidade da comunidade nacional francesa. O leitor britânico, com certeza, não precisa ir a autores franceses em busca de uma linguagem segregacionista, quase racista, a serviço da mobilização dos medos populares, da heterofobia e do estabelecimento de limites.

Por mais abomináveis que sejam e por maior que se mostre o seu reservatório de violência em potencial, a heterofobia e as ansiedades da briga de fronteiras não resultam — direta ou indiretamente — em genocídio. *Confundir a heterofobia com o racismo e o crime organizado do tipo Holocausto é um equívoco e também potencialmente perigoso, pois desvia o exame das verdadeiras causas do desastre, que estão enraizadas em alguns aspectos da mentalidade moderna e da organização social moderna*, mais do em que reações atemporais aos estrangeiros ou mesmo em conflitos menos universais, embora bem onipresentes, de identidade. Para iniciar e sustentar o Holocausto, a heterofobia tradicional desempenhou apenas um papel auxiliar. Os fatores realmente indispensáveis foram de outro tipo e guardavam no máximo uma relação meramente histórica com formas mais familiares de ressentimento de grupo. A *possibilidade* do Holocausto teve raiz em certos aspectos universais da civilização moderna; sua *efetivação*, por outro lado, teve a ver com uma relação específica e de forma alguma universal entre Estado e sociedade. O próximo capítulo dedica-se a uma investigação mais detalhada dessas conexões.

4
Singularidade e normalidade do Holocausto

Até então, o mal — pois um nome tem que ser dado a essa assombrosa conjunção de circunstâncias apenas aparentemente inesperadas — infiltrara-se aos poucos, em silêncio, em estágios que pareciam inofensivos... Ainda assim, revendo as coisas, fazendo uma análise retrospectiva, parecia óbvio que o acúmulo de sinais não resultava de mera casualidade. Possuíam ao contrário, por assim dizer, uma dinâmica própria, embora ainda secreta, como uma corrente subterrânea que vai aumentando, encorpando e, de repente, impetuosamente, aflora; bastava voltar atrás, à época em que surgiram os primeiros sinais ameaçadores, e traçar um gráfico, um quadro clínico, de sua irresistível ascensão.

Juan Goytisolo, *Paisagens depois da batalha*

"Vocês não ficariam mais felizes se eu pudesse mostrar que todos os que perpetraram [o crime] eram loucos?" — pergunta o grande historiador do Holocausto, Raul Hilberg. Mas é exatamente isso que ele *não pode* mostrar. A verdade que ele de fato mostra não traz nenhum alívio, é improvável que deixe alguém feliz. Os criminosos foram pessoas educadas de sua época. Esta é a questão crucial sempre que indagamos o significado da Civilização Ocidental depois de Auschwitz. Nossa evolução foi além da nossa compreensão; já não podemos fingir que temos pleno alcance do funcionamento de nossas instituições sociais, estruturas burocráticas e tecnologia.[1]

Isso é sem dúvida má notícia para os filósofos, sociólogos, teólogos e todos os outros homens e mulheres cultos profissionalmente ocupados em compreender e explicar. As conclusões de Hilberg significam que eles não fizeram direito o seu trabalho: não podem explicar o que aconteceu e por que, nem podem nos ajudar a compreender. Esta acusação já é ruim o bastante no que concerne aos cientistas (está fadada a inquietar os estudiosos e pode mesmo mandá-los, como se diz, de volta à prancheta), mas não é em si motivo para alarme geral. Houve, afinal, muitos outros acontecimentos importantes no passado que não compreendemos plenamente. Às vezes isso nos irrita, mas em geral não ficamos muito perturbados. Afinal de contas — eis o nosso consolo — tais acontecimentos do passado são assunto de *interesse acadêmico*.

Mas será que são? Não é o Holocausto que achamos difícil de entender em toda a sua monstruosidade. *É a nossa Civilização Ocidental que o Holocausto tornou quase incompreensível* — e isto numa época em que achamos ter chegado a um acordo com ela, em que perscrutamos os seus mais íntimos impulsos e desvendamos até as suas perspectivas, numa época em que sua expansão cultural atinge uma dimensão planetária sem precedentes. Se Hilberg tem razão ao afirmar que nossas instituições sociais mais decisivas nos escapam ao controle prático e ao alcance mental, então não são apenas os acadêmicos profissionais que devem se preocupar. Verdade, o Holocausto aconteceu há quase meio século. Verdade, seus resultados imediatos estão ficando rapidamente para trás. A geração que viveu essa experiência direta praticamente já desapareceu. Mas — e este é um terrível e sinistro "mas" — aqueles aspectos de nossa civilização outrora familiares e que o Holocausto tornou de novo misteriosos ainda fazem bem parte de nossa vida. Não foram eliminados. Também não o foi, portanto, a *possibilidade* do Holocausto.

Desdenhamos tal possibilidade. Damos as costas a esses poucos obcecados que se irritam com a nossa indiferença. Reservamos para eles um nome especial, depreciativo — são os "profetas do caos", do juízo final. É fácil desprezar seus angustiados alertas. Já não somos vigilantes? Não condenamos a violência, a imoralidade, a crueldade? Não aplicamos todo o nosso engenho e os nossos consideráveis recursos, cada vez maiores, para combatê-las? Além disso, há seja lá o que for em nossas vidas que indique a mera possibilidade de uma catástrofe? A vida está melhorando e ficando mais confortável. No geral, nossas instituições parecem firmes. Contra o inimigo estamos todos protegidos, e nossos amigos certamente não farão nada de mau. Confiados, de tempos em tempos ouvimos falar de atrocidades que algum povo não muito civilizado e por isso mesmo espiritualmente afastado comete contra vizinhos igualmente bárbaros. Os euês massacram um milhão de ibôs, depois de chamá-los de vermes, criminosos, ladrões e sub-humanos sem cultura;[2] os iraquianos envenenam com gás seus concidadãos curdos sem sequer se dar ao trabalho de insultá-los antes; grupos do povo tâmil massacram cingaleses; etíopes exterminam eritreus; ugandenses exterminam a si mesmos (ou foi o contrário?). Tudo isso é triste, claro, mas o que tem a ver conosco? Se isso tudo prova alguma coisa, certamente prova como é ruim ser diferente de nós e como é bom estar são e salvo atrás do escudo de nossa civilização superior.

O ponto até o qual nossa complacência pode acabar se revelando refratária fica evidente se lembrarmos que, ainda em 1941, o Holocausto não era esperado; que, dado o conhecimento então existente dos "fatos", não era de esperar-se; e que, passado apenas um ano, sua realidade deparava-se com a incredulidade geral. As pessoas recusavam-se a acreditar nos fatos gritantes diante dos seus olhos. Não que fossem obtusas ou tivessem má vontade. Apenas, nada do que tinham visto antes as havia preparado para acreditar. Por tudo o que conheciam e acreditavam, o assassinato em massa para o qual ainda nem tinham nome era pura e simplesmente inimaginável. Em 1988, é de novo inimaginável. Mas em 1988 sabemos o que não sabíamos em 1941: que também *o inimaginável deve ser imaginado*.

O problema

Há duas razões pelas quais o Holocausto, ao contrário de muitos outros temas de estudo acadêmico, não pode ser visto como assunto de interesse exclusivamente acadêmico e pelas quais o problema que levanta não pode ser reduzido a matéria de pesquisa histórica e contemplação filosófica.

A primeira é que, mesmo sendo plausível que o Holocausto, "como acontecimento histórico fundamental — à semelhança da Revolução Francesa, da Descoberta da América ou da roda — tenha mudado o curso da história subsequente"[3], com toda a certeza mudou pouco, se é que mudou, o curso da história subsequente de nossa consciência coletiva e autopercepção. Causou pouco impacto visível na imagem que fazemos do significado e da tendência histórica da civilização moderna. Deixou as ciências em geral, e a sociologia em particular, virtualmente intactas e imóveis, exceto pelas áreas ainda marginais da pesquisa especializada e por alguns alertas obscuros e sinistros sobre as propensões mórbidas da modernidade. Ambas exceções mantidas consistentemente à distância do cânone da prática sociológica. Por essas razões, não avançou muito nossa compreensão dos fatores e mecanismos que um dia tornaram possível o Holocausto. E com essa compreensão não muito desenvolvida do que se passou meio século atrás poderemos estar mais uma vez despreparados para notar e decodificar os sinais de alerta — se estiverem agora, como estiveram então, flagrantemente exibidos por toda parte.

A segunda razão é que, o que quer que tenha acontecido ao "curso da história", não aconteceu muita coisa àqueles produtos da história que com toda a probabilidade continham o potencial do Holocausto — ou pelo menos não podemos ter certeza do contrário. Até onde se sabe (ou, melhor, até onde não se sabe), eles podem ainda estar entre nós, à espera de uma oportunidade. Só podemos suspeitar que as condições que um dia deram origem ao Holocausto não foram radicalmente transformadas. Se havia algo em nossa ordem social que tornou possível o Holocausto em 1941, não podemos ter certeza de que foi eliminado desde então. Um número cada vez maior de estudiosos renomados e respeitados nos alerta de que é melhor não sermos complacentes.

> A ideologia e o sistema que deram origem a [Auschwitz] permanecem intactos. Isso significa que a própria nação-Estado está fora de controle e é capaz de desencadear atos de canibalismo social em escala sequer sonhada. Se não for controlada, ela pode consumir toda uma civilização pelo fogo. Ela não pode carregar uma missão humanitária; suas transgressões não podem ser controladas por códigos legais ou morais, ela não tem consciência. (Harry L. Feingold)[4]

> Muitas características da sociedade "civilizada" contemporânea encorajam o fácil recurso a holocaustos genocidas...
>
> O Estado territorial soberano reivindica, como parte integral de sua soberania, o direito de cometer genocídio ou promover massacres genocidas de povos sob o seu governo e... a ONU, para todos os efeitos práticos, defende esse direito. (Leo Kuper)[5]

Dentro de certos limites estabelecidos por questões de poder político e militar, o Estado moderno pode fazer o que bem entende àqueles sob seu controle. Não há limite ético-moral que o Estado não possa transcender para fazer o que quiser, porque não há poder ético-moral mais alto que o Estado. Em matéria de ética e moralidade, a situação do indivíduo no Estado moderno é em princípio rigorosamente equivalente à do prisioneiro em Auschwitz: ou age de acordo com os padrões dominantes de conduta impostos pelos que detêm a autoridade ou se arrisca a todas as consequências que eles queiram infligir...

> A existência agora está reconhecidamente cada vez mais de acordo com os princípios que governavam a vida e a morte em Auschwitz. (George M. Kren e Leon Rappoport)[6]

Esmagados pelas emoções que mesmo uma leitura superficial dos números do Holocausto não pode senão despertar, alguns dos autores citados são propensos a exagerar. Algumas das suas afirmações são incríveis e sem dúvida de um alarmismo indevido. Podem ser mesmo contraproducentes; se tudo o que conhecemos é como Auschwitz, então pode-se viver com Auschwitz e em muitos casos viver até razoavelmente bem. Se os princípios que regeram a vida e a morte dos prisioneiros de Auschwitz eram semelhantes aos que nos regem agora, então por que toda essa grita, toda essa lamentação? Na verdade, seria de bom alvitre evitar a tentação de usar as imagens desumanas do Holocausto a serviço de uma posição partidarista sobre conflitos humanos maiores ou menores mas no geral corriqueiros, de rotina. O extermínio em massa foi a forma extrema de antagonismo e opressão, mas nem todos os casos de opressão, ódio e injustiça comunitários são "como" o Holocausto. A similaridade premeditada e portanto superficial é mau guia para a análise de causas. Ao contrário do que sugerem Kren e Rappoport, ter que optar pela conformidade ou arcar com as consequências da desobediência não significa necessariamente viver em Auschwitz, e os princípios pregados e praticados pela maioria dos Estados contemporâneos não bastam para transformar seus cidadãos em vítimas do Holocausto.

A verdadeira causa de preocupação, que não pode ser facilmente negada ou descartada como consequência natural embora enganadora do trauma pós-Holocausto, está em outra parte. Pode ser colhida em dois fatos relacionados.

Primeiro, processos ideativos que por sua própria lógica interna podem levar a projetos de genocídio e os recursos técnicos que permitem a sua efetivação, não apenas se revelaram plenamente compatíveis com a civilização moderna, como foram condicionados, criados e fornecidos por ela. O Holocausto não só, misteriosamente, evitou o choque com as normas e instituições sociais da modernidade, mas foram essas normas e instituições que o tornaram factível. Sem a civilização moderna e suas conquistas mais fundamentais, não teria havido Holocausto.

Segundo, mostraram-se ineficazes todas essas redes intricadas de controle e equilíbrio, barreiras e obstáculos que o processo civilizador erigiu e que, como esperamos e confiamos, nos defenderiam da violência e coibiram todas as forças superambiciosas e inescrupulosas. Quando chegou a hora do assassinato em massa, as vítimas se viram sozinhas. Não apenas se haviam iludido com uma sociedade aparentemente pacífica e humana, legalista e ordeira — seu senso de segurança seria um fator poderosíssimo da sua ruína.

Para colocar as coisas claramente, há razões para a gente se preocupar, porque sabemos agora que *vivemos num tipo de sociedade que tornou possível o Holocausto e que não teve nada que pudesse evitá-lo*. Só por essas razões já seria necessário estudar as lições do Holocausto. Tal estudo é muito mais que um tributo à memória de milhões de seres trucidados, muito mais que um acerto de contas com os assassinos e muito mais que a cura das feridas morais ainda abertas das testemunhas passivas e silenciosas.

Obviamente, o próprio estudo, mesmo o mais diligente, não é garantia suficiente contra a volta dos assassinatos em massa e de espectadores indiferentes. No entanto, sem esse estudo sequer saberíamos a que ponto tal volta é provável ou improvável.

Genocídio adicional

O assassinato em massa não é uma invenção moderna. A história está cheia de antagonismos entre comunidades e seitas, sempre mutuamente prejudiciais e potencialmente destrutivos, muitas vezes degenerando em aberta violência, que por vezes leva ao massacre e, em alguns casos, ao extermínio de populações e culturas inteiras. Diante disso, parece negar-se a singularidade do Holocausto. Em especial, sua íntima ligação com a modernidade, a "afinidade eletiva" entre o Holocausto e a civilização moderna. O fato sugere, ao contrário, que o ódio comunitário mortífero sempre esteve entre nós e provavelmente nunca deixará de existir; e que nesse ponto a única importância da modernidade foi que, ao contrário do que prometia e da expectativa generalizada, não aparou suavemente as arestas sabidamente ásperas da coexistência humana e portanto não pôs um fim definitivo à desumanidade do homem para com o homem. A modernidade não cumpriu o prometido. Ela falhou. Mas não é responsável pelo Holocausto, uma vez que o genocídio acompanha a história da humanidade desde o início.

Não é esta, porém, a lição contida no Holocausto. Sem dúvida o Holocausto foi mais um episódio na extensa série de tentativas e na série bem mais curta de êxitos em matéria de assassinatos em massa. Também tem aspectos que não compartilha com nenhum dos casos de genocídio anteriores. São esses aspectos que merecem especial atenção. Eles tiveram um nítido sabor moderno. Sua presença sugere que a modernidade contribuiu para o Holocausto mais de forma direta do que por sua própria fraqueza e inépcia. Sugere que o papel da civilização moderna na perpetração e extensão efetiva do Holocausto foi um papel ativo, não passivo. Sugere que o Holocausto foi tanto um produto como um fracasso da civilização moderna. Como tudo o mais que se faça à maneira moderna — racional, planejada, cientificamente fundamentada, especializada, eficientemente coordenada e executada — o Holocausto superou e esmagou todos os seus supostos equivalentes pré-modernos, expondo-os comparativamente como primitivos, perdulários e ineficientes. Como tudo o mais na nossa sociedade moderna, o Holocausto foi um empreendimento em todos os aspectos superior, se medido pelos padrões que esta sociedade pregou e institucionalizou. Paira bem acima de episódios anteriores de genocídio, da mesma forma que a fábrica moderna está muito acima da antiga oficina do artesão ou que a fazenda mecanizada, com seus tratores, ceifeiras-debulhadoras e pesticidas, supera em muito a velha roça, com seu arado puxado a cavalo e a capina de enxada.

Em 9 de novembro de 1938, teve lugar na Alemanha um acontecimento que passou para a história com o nome de *Kristallnacht*. Lojas, lares e templos judeus foram atacados por uma multidão desgovernada, embora oficialmente encorajada e sub-repticiamente controlada. Houve destruição, incêndios, vandalismo. Cerca de cem pessoas foram mortas. A Noite dos Cristais foi o único pogrom em larga escala ocorrido nas cidades da Alemanha durante todo o Holocausto. Foi também o único episódio do Holocausto que seguiu a tradição secular da violência de turba contra os judeus. Não diferiu muito dos pogroms anteriores; praticamente nada a destaca na extensa lista de violência desse tipo que vai da Antiguidade, passando pela Idade

Média, até as quase contemporâneas mas ainda em grande parte pré-modernas Rússia, Polônia ou Romênia. Se o que os nazistas fizeram com os judeus tivesse sido apenas Noites de Cristal e coisas do gênero, só teriam acrescentado mais um parágrafo, um capítulo no máximo, à crônica em vários volumes de emoções que degeneram em violência, grupos de linchamento, soldados que saqueiam e estupram ao invadir cidades. Mas não foi isso que aconteceu.

E não foi o que aconteceu por uma simples razão: por mais *Kristallnächte* que ocorressem, não se poderia conceber nem realizar dessa forma o assassinato em massa na escala do Holocausto.

> Vejam os números. O Estado alemão exterminou seis milhões de judeus aproximadamente. À média de 100 por dia, isso levaria quase 200 anos. A violência de turba assenta-se numa base psicológica errada, na emoção violenta. As pessoas podem ser manipuladas até a fúria, mas a fúria não pode ser mantida por 200 anos. As emoções e sua base psicológica têm uma duração natural; a luxúria, mesmo a da sede de sangue, é em algum momento saciada. Além disso, as emoções são notoriamente instáveis, podem mudar. Não se pode confiar em uma multidão de linchadores, por vezes eles podem ser movidos pela simpatia — digamos, pelo sofrimento de uma criança. Para se exterminar uma "raça" é essencial matar as suas crianças.
>
> O assassinato integral, abrangente, exaustivo exigia a substituição da turba por uma burocracia, a substituição da raiva grupal pela obediência à autoridade. A burocracia requerida seria eficiente, quer exercida por antissemitas extremados, quer por moderados, o que ampliava consideravelmente o espectro de possíveis funcionários; as ações deles não seriam dirigidas pela paixão, mas por rotinas de organização; ela só faria distinções para as quais estivesse programada, não as que os funcionários fossem tentados a fazer, digamos, entre crianças e adultos, doutor e ladrão, inocente e culpado; seria sensível à vontade da autoridade última por meio de uma hierarquia de responsabilidades — fosse qual fosse aquela vontade.[7]

A raiva e a fúria são deploravelmente primitivas e ineficazes como instrumentos de extermínio em massa. Elas normalmente se exaurem antes que se conclua a tarefa. Não se podem erguer grandes projetos sobre essa base. Certamente não projetos que visem para além de efeitos momentâneos como uma onda de terror, a ruptura de uma velha ordem, abrindo terreno para uma nova. Gengis Khan e Pedro, o Eremita, não precisavam de tecnologia moderna nem de métodos científicos modernos de coordenação e administração. Stálin e Hitler precisavam. São aventureiros e diletantes como Gengis Khan e Pedro, o Eremita, que foram desacreditados por nossa sociedade racional, moderna, e postos de lado. Foi para os praticantes de genocídio frio, completo e sistemático como Stálin e Hitler que a moderna sociedade racional preparou o caminho.

O mais notável nos casos modernos de genocídio é, simplesmente, sua escala. Em nenhuma outra oportunidade, fora os regimes de Hitler e Stálin, tanta gente foi assassinada em tão pouco tempo. Esta não foi, porém, a única novidade, talvez nem mesmo uma novidade básica, mas apenas um subproduto de outras características mais fundamentais. O assassínio em massa contemporâneo caracteriza-se, por um lado, pela ausência quase absoluta de espontaneidade e, por outro, pelo predomínio de um projeto cuidadosamente calculado, racional. É marcado pela quase completa eliminação da contingência e do acaso, assim como pela independência face às emoções grupais e as motivações pessoais. Sobressai-se pelo papel marginal ou de mera tapeação, dissimulado ou decorativo, da mobilização ideológica. Mas, antes e acima de tudo, destaca-se pelo propósito.

As motivações homicidas em geral, e as do extermínio em massa em especial, têm sido muitas e variadas. Vão do puro cálculo a sangue-frio de um lucro competitivo até o ódio igualmente puro e desinteressado, quer dizer, a heterofobia. A maioria das rivalidades comunitárias e campanhas genocidas contra aborígenes está seguramente entre esses dois pólos. Se acompanhada de uma ideologia, a heterofobia não vai muito além de uma visão de mundo que se resume na fórmula "ou eles ou nós" e no preceito "não há lugar para os dois", ou "índio bom é índio morto". Espera-se que o adversário siga princípios-modelo apenas se isso lhe for permitido. A maioria das ideologias genocidas assenta-se numa simetria tortuosa de falsas intenções e ações.

O genocídio realmente moderno é diferente. *É genocídio com um propósito.* Livrar-se do adversário não é um fim em si. É um meio para atingir determinado fim, uma necessidade que decorre do objetivo último, um passo que se deve dar caso se queira chegar um dia à meta final. *O fim em si mesmo é a visão grandiosa de uma sociedade melhor e radicalmente diferente.* O genocídio moderno é um elemento de engenharia social, que visa a produzir uma ordem social conforme um projeto de sociedade perfeita.

Para os que lançam e executam genocídios modernos, a sociedade é objeto de planejamento e projeto conscientes. Pode e deve-se fazer mais pela sociedade do que mudar um ou vários dos seus detalhes, melhorá-la aqui e ali, curar algumas das suas aflições mais problemáticas. Podem e devem ser estabelecidas metas mais ambiciosas e radicais; a sociedade pode e deve ser refeita, forçada a conformar-se a um plano geral cientificamente concebido. É possível criar uma sociedade objetivamente melhor do que a que "apenas existe" — isto é, a que existe sem intervenção consciente. Invariavelmente, há uma dimensão estética nesse projeto: o mundo ideal a ser criado conforma-se aos padrões de uma beleza superior. Uma vez construído, será imensamente satisfatório, como uma obra de arte perfeita; será um mundo que, nas imortais palavras de Alberti, nenhum acréscimo, redução ou alteração poderá melhorar.

É a visão de um jardineiro, projetada em tela de tamanho planetário. Os pensamentos, sentimentos, sonhos e impulsos dos projetistas desse mundo perfeito são conhecidos de todo jardineiro digno desse nome, embora talvez em escala um tanto menor. Alguns jardineiros odeiam as ervas daninhas que estragam seus projetos — uma feiura no meio da beleza, desordem na serena ordenação. Outros não são nada emocionais: trata-se apenas de um problema a ser resolvido, uma tarefa a mais. O que não faz diferença para as ervas: ambos os jardineiros as exterminam. Se indagados e com tempo para refletir, os dois concordariam que as ervas devem morrer não tanto pelo que são, mas pelo que deve ser o belo e organizado jardim.

A cultura moderna é um canteiro de jardim. Define-se como um projeto de vida ideal e um arranjo perfeito das condições humanas. Constrói sua própria identidade desconfiando da natureza. Com efeito, define a si mesma e à natureza, assim como a distinção entre as duas, por sua desconfiança endêmica em relação à espontaneidade e seu anseio por uma ordem melhor, necessariamente artificial. À parte o plano geral, a *ordem* artificial do jardim precisa de instrumentos e matérias-primas. Também precisa de proteção contra a ameaça implacável de — óbvio — uma desordem. A ordem, concebida originalmente como um projeto, determina o que é um instrumento, o que é matéria-prima, o que é inútil, o que é irrelevante, o que é perigoso, o que é uma erva daninha e o que é uma praga. Classifica todos os elementos do universo pela relação que têm com ela. Tal relação é o único sentido que lhes concede e tolera — e a única justificativa para os atos do jardineiro, diversos como as próprias relações. Do ponto de vista do plano geral, todas as ações são instrumentais, enquanto todos os objetos de ação são coisas que facilitam ou estorvam o plano.

O genocídio moderno, como a cultura moderna em geral, é um trabalho de jardineiro. É apenas uma das muitas tarefas que precisam empreender as pessoas que tratam a sociedade como um jardim. Se o projeto de um jardim define o que é erva daninha, há ervas daninhas em todo jardim. E ervas daninhas devem ser exterminadas. Eliminá-las não é uma tarefa destrutiva, mas criativa. Que não difere em essência de outras atividades que se somam para a construção e manutenção de um perfeito jardim. Todas as visões da sociedade como um jardim definem parte da população como ervas daninhas. Que, como quaisquer ervas daninhas, devem ser segregadas, contidas, impedidas de proliferar, removidas e mantidas fora dos limites da sociedade; se todos esses meios se revelarem insuficientes, elas devem ser mortas.

As vítimas de Hitler e de Stálin não foram mortas para a conquista e colonização do território que ocupavam. Muitas vezes foram mortas de uma maneira mecânica, enfadonha, sem o estímulo de emoções humanas — sequer do ódio. Foram mortas por não se adequarem, por uma ou outra razão, ao esquema de uma sociedade perfeita. Sua morte não foi um trabalho de destruição, mas de criação. Foram eliminadas para que uma sociedade humana objetivamente melhor — mais eficiente, mais moral, mais bela — pudesse ser criada. Uma sociedade Comunista. Ou uma sociedade Ariana, racialmente pura. Nos dois casos, um mundo harmonioso, livre de conflitos, dócil aos governantes, ordeiro, controlado. Pessoas manchadas pela inerradicável praga do seu passado ou origem não podiam se adequar a esse mundo impecável, saudável e brilhante. Como ervas daninhas, sua natureza não podia ser alterada. Elas não podiam ser melhoradas ou reeducadas. Tinham que ser eliminadas por razões de hereditariedade genética ou ideológica — por razão de um mecanismo natural, resistente, imune ao processamento cultural.

Os dois casos mais notórios e extremos de genocídio moderno foram fiéis ao espírito da modernidade. Não se desviaram da rota principal do processo civilizador. Foram as mais consistentes e desinibidas expressões desse espírito. Tentaram alcançar os objetivos mais ambiciosos do processo civilizador, que a maioria dos outros processos apenas beirou, não necessariamente por falta de boa vontade. Mostraram o que os sonhos de racionalização, planejamento e controle e o que os esforços da moderna civilização são capazes de realizar se não forem abrandados, refreados ou neutralizados.

Esses sonhos e esforços têm estado conosco há muito tempo. Eles fizeram proliferar o vasto e poderoso arsenal de tecnologia e técnicas gerenciais. Deram origem a instituições que servem ao único propósito de instrumentalizar o comportamento humano a tal ponto que qualquer objetivo pode ser perseguido com eficiência e vigor, com ou sem dedicação ideológica ou aprovação moral da parte dos que o perseguem. Legitimizam o monopólio dos governantes sobre os fins e o confinamento dos governados ao papel de meios. Definem a maioria das ações como meios e os meios, como subordinação — ao fim último, àqueles que o estabelecem, à suprema vontade, ao saber supraindividual.

Enfatizemos que isso não significa que vivemos todos, no dia a dia, segundo os princípios de Auschwitz. Pelo fato de o Holocausto ser moderno, não segue que a modernidade é um Holocausto. O Holocausto é um subproduto do impulso moderno em direção a um mundo totalmente planejado e controlado, uma vez que esse impulso deixe de ser controlado e corra à solta. A maior parte do tempo, a modernidade é impedida de chegar a esse ponto. Suas ambições chocam-se com o pluralismo do mundo humano; elas não se realizam por falta de um poder absoluto suficientemente absoluto e de um agente monopolista suficientemente monopolista para conseguir desprezar, deixar de lado ou esmagar toda a força autônoma e portanto compensatória e suavizante.

Peculiaridade do genocídio moderno

Quando o sonho modernista é abraçado por um poder absoluto capaz de monopolizar veículos modernos de ação racional, e quando esse poder alcança libertar-se do efetivo controle social, o que se segue é o genocídio. Um genocídio moderno — como o Holocausto. O curto-circuito (é quase uma tentação dizer: o encontro casual) entre uma elite de poder ideologicamente obcecada e as tremendas facilidades de ação racional e sistêmica desenvolvidas pela sociedade moderna é de ocorrência relativamente rara. Quando ocorre, no entanto, são revelados certos aspectos da modernidade que, em circunstâncias diferentes, são menos visíveis e podem, portanto, ser facilmente descartados por "teorização".

O Holocausto moderno é único num duplo sentido. *É único entre outros casos históricos de genocídio porque é moderno. E é único face à rotina da sociedade moderna porque traz à luz certos fatores ordinários da modernidade que normalmente são mantidos à parte.* Neste segundo sentido de sua singularidade, só a combinação de fatores é rara e incomum, mas não os fatores combinados. Separadamente, cada fator é comum e normal. E o conhecimento que se tem sobre salitre, enxofre e carvão não é completo a menos que se saiba que, misturados, eles se transformam em pólvora.

A singularidade e a normalidade simultâneas do Holocausto encontrou excelente expressão no resumo das descobertas de Sarah Gordon:

> o extermínio sistemático, ao contrário dos pogroms esporádicos, só podia ser executado por um governo extremamente poderoso e provavelmente só teria tido êxito com a cobertura das condições de guerra. Só o aparecimento de Hitler com seus radicais seguidores antissemitas e sua subsequente centralização do poder tornou possível o extermínio dos judeus na Europa...
>
> o processo de exclusão e assassinato organizados exigia a cooperação de vastas seções da estrutura militar e burocrática, assim como a aquiescência do povo alemão, quer aprovasse ou não a perseguição e extermínio nazistas.[8]

Gordon enumera vários fatores que tiveram de concorrer para produzir o Holocausto: um antissemitismo radical (e, como vimos no capítulo anterior, moderno, isto é, racista e exterminador) de tipo nazista; a transformação desse antissemitismo em politicagem de um poderoso Estado centralizado; o fato de comandar esse Estado um imenso e eficiente aparato burocrático; o "estado de emergência" — condição extraordinária de tempo de guerra que permitiu ao governo e à burocracia por ele controlada levar a cabo coisas que possivelmente teriam enfrentado obstáculos mais sérios em tempos de paz; e a não interferência, a aceitação passiva dessas coisas pela população em geral. Dois desses fatores (é possível reduzi-los a um: com os nazistas no poder, a guerra era virtualmente inevitável) poderiam ser tidos na conta de coincidências — não necessariamente atributos de uma sociedade moderna, mas sempre uma possibilidade. Os outros fatores, no entanto, são inteiramente "normais". São presença constante em toda sociedade moderna, tornada possível e inevitável pelos processos propriamente ligados à ascensão e consolidação da civilização moderna.

No capítulo anterior tentei descrever a conexão entre o antissemitismo radical, de extermínio, e as transformações sociopolíticas e culturais a que geralmente nos referimos como desenvolvimento da sociedade moderna. No último capítulo do livro tentarei analisar esses mecanismos sociais, também acionados em condições contemporâneas, que silenciam ou neutralizam as inibições morais e, de modo mais geral, fazem as pessoas evitarem a resistência ao mal. Aqui pretendo enfocar apenas um, mas provavelmente o mais crucial dos fatores constituintes do Holocausto: os padrões tipicamente modernos, tecnológico-burocráticos, de ação e a mentalidade que eles geram, institucionalizam, mantêm e reproduzem.

Há dois modos antitéticos de abordar a explicação do Holocausto. Um pode considerar os horrores do assassinato em massa uma evidência da fragilidade da civilização ou de seu potencial aterrador. Outro pode argumentar que, com os criminosos no poder, as regras civilizadas de comportamento podem ser suspensas e assim libertar-se a eterna besta sempre escondida sob a pele do ser socialmente treinado. Dito de outra forma, pode-se argumentar que, armados com os sofisticados produtos técnicos e conceituais da civilização moderna, os homens são capazes de fazer coisas que sua natureza de outro modo os impediria de fazer. Em outras palavras, seguindo a tradição hobbesiana, pode-se concluir que a desumana condição pré-social ainda não foi plenamente erradicada, apesar de todos os esforços civilizatórios. Ou, ao contrário, insistir que o processo civilizador teve êxito em substituir os impulsos naturais por padrões artificiais e flexíveis de conduta humana e portanto tornou possível uma escala de desumanidade e destruição que foi inconcebível enquanto as predisposições naturais guiaram a ação humana. Proponho a opção por esta segunda abordagem, fundamentando-a na seguinte discussão.

O fato de que a maioria das pessoas (incluindo muitos teóricos sociais) opta instintivamente pela primeira abordagem, em vez da segunda, é testemunho do notável sucesso do mito etiológico que, numa ou noutra variante, a civilização ocidental utilizou ao longo do tempo para legitimar sua hegemonia espacial, projetando-a como superioridade temporal. A civilização ocidental formulou sua luta pela dominação como uma guerra santa da humanidade contra a barbárie, da razão contra a ignorância, da objetividade contra o preconceito, do progresso contra a decadência, da verdade contra a superstição, da ciência contra a magia, da racionalidade contra a paixão. Interpretou a história da sua ascendência como a substituição gradual e inexorável do domínio da natureza sobre o homem pelo domínio do homem sobre a natureza. Apresentou sua própria conquista como, primeiro e acima de tudo, um avanço decisivo na liberdade de ação humana, no seu potencial criativo e na sua segurança. Identificou liberdade e segurança com a sua própria ordem social: a moderna sociedade ocidental é definida como sociedade *civilizada*, que por sua vez é entendida como um Estado do qual a maior parte da feiura e morbidez naturais, assim como da imanente propensão humana à crueldade e à violência, foi eliminada ou pelo menos abafada. A imagem popular de sociedade civilizada é, mais que qualquer outra coisa, a da ausência de violência, a de uma sociedade gentil, polida, branda.

Talvez a mais saliente expressão simbólica dessa imagem-mestra da civilização seja a da santidade do corpo humano: o cuidado que se toma em não invadir este espaço o mais privado de todos, em evitar o contato corporal, em acatar a distância corporal culturalmente prescrita, e a aversão e repulsa adquiridas que sentimos ao ver ou saber de uma invasão desse espaço sagrado. A civilização moderna pode-se permitir a ficção da santidade e autonomia do corpo humano, graças aos eficientes mecanismos de autocontrole que desenvolveu e que no geral são reproduzidos com êxito no processo de educação individual. Uma vez em funcionamento, os mecanismos de autocontrole reproduzidos descartam a necessidade de uma subsequente interferência externa com o corpo. Por outro lado, a privacidade do corpo reforça a responsabilidade pessoal por seu comportamento e assim acrescenta poderosos estímulos ao exercício físico. (Nos últimos anos, a intensidade dos estímulos, amplamente explorada pelo mercado consumidor, produziu finalmente a tendência a interiorizar a demanda do exercício; o desenvolvimento do autocontrole individual tende a ser também autocontrolado e perseguido de maneira privada.) A proibição cultural de entrar em contato estreito com outro corpo serve portanto como efetiva salvaguarda contra influências difusas, contingentes, que podem, caso se permita, contrapor-se ao padrão de ordem social de administração centralizada. A não violência da interação humana difusa e diária é uma condição indispensável e um produto constante da coerção centralizada.

Em suma, o caráter geral não violento da civilização moderna é uma ilusão. Mais exatamente, é parte integrante da sua autoapologia e autoapoteose, ou seja, do seu mito legitimador. Não é verdade que a nossa civilização extermine a violência devida ao caráter desumano, degradante ou imoral da anterior. Se a modernidade:

> é de fato antítese das paixões selvagens da barbárie, não é de modo algum antítese da destruição, da matança e da tortura eficientes, desapaixonadas... À medida que a qualidade do pensamento se torna mais racional, aumenta a quantidade de destruição. Em nosso tempo, por exemplo, o terrorismo e a tortura já não são instrumentos de paixões; viraram instrumentos de racionalidade política.[9]

O que de fato aconteceu no curso do processo civilizador foi a reutilização da violência e a redistribuição do acesso à violência. Como tantas outras coisas que fomos treinados a abominar e detestar, a violência foi retirada da vista, não da existência. Tornou-se invisível, quer dizer, do confortável ponto de vista da experiência pessoal estritamente circunscrita e privada. Em vez disso, foi encerrada em territórios segregados e isolados, no geral inacessíveis aos membros comuns da sociedade, ou expulsa para "áreas de sombra" crepusculares, fora dos limites para uma larga maioria (a maioria que conta), ou então exportada para lugares distantes em geral sem maior interesse para a vida e os negócios dos seres humanos civilizados (sempre se pode cancelar reservas para os feriados).

A consequência última de tudo isso é a concentração da violência. Uma vez concentrados e livres de concorrência, os meios de coerção seriam capazes de alcançar resultados inauditos, ainda que não tecnicamente perfeitos. Sua concentração, no entanto, desencadeia e estimula a escalada de melhorias técnicas e assim os efeitos da concentração são ampliados. Como Anthony Giddens enfatizou repetidas vezes (veja-se, sobretudo, sua *Crítica contemporânea do materialismo histórico*, 1981, e *A constituição da sociedade*, 1984), a remoção da violência da vida cotidiana das sociedades civilizadas sempre esteve intimamente associada a uma radical militarização da troca intersocietária e da produção de ordem intrassocietária; os exércitos regulares e as forças policiais levaram à produção de armas tecnologicamente superiores e de uma tecnologia superior de administração burocrática. Nos últimos dois séculos, o número de pessoas que sofreram morte violenta como resultado de tal militarização cresceu firmemente até alcançar um volume de que jamais se ouviu falar antes.

O Holocausto absorveu um enorme volume de meios de coerção. Usando-os a serviço de um único propósito, também estimulou sua posterior especialização e aperfeiçoamento técnico. Mais, no entanto, do que a mera quantidade de instrumentos de destruição e mesmo que sua qualidade técnica, o que importava era a maneira pela qual eram utilizados. Sua formidável eficiência baseou-se sobretudo na submissão do seu uso a considerações meramente burocráticas, técnicas (o que tornou esse uso quase totalmente imune às pressões opostas, a que provavelmente se submeteria se os meios de violência fossem controlados por agentes dispersos e descoordenados e utilizados de maneira difusa). A violência tornou-se uma técnica. Como todas as técnicas, é livre de emoções e puramente racional. "É, de fato, inteiramente razoável, se por 'razão' entende-se a razão instrumental, empregar a força militar americana, os bombardeiros B-52, as bombas de napalm e todo o resto no Vietnã 'dominado pelos comunistas' (claramente uma 'coisa indesejável') como um 'operador' para transformá-lo numa 'coisa desejável'."[10]

Efeitos da divisão hierárquica e funcional do trabalho

O uso da violência é mais eficiente e menos dispendioso quando os meios são submetidos a critérios instrumentais e racionais e, assim, dissociados da avaliação moral dos fins. Como assinalei no primeiro capítulo, todas as burocracias são boas nesse tipo de operação dissociativa. Pode-se mesmo dizer que dele provêm a essência da estrutura e do processo burocráticos e, com ela, o segredo desse tremendo crescimento do potencial mobilizador e coordenador e da racionalidade e eficiência de ação, alcançados pela civilização moderna graças ao desenvolvimento da administração burocrática. A dissociação é, de modo geral, resultado de dois processos paralelos, ambos centrais ao modelo burocrático de ação. O primeiro é a *meticulosa divisão funcional do trabalho* (enquanto adicional à — e em suas consequências distinta da — linear graduação do poder e subordinação); o segundo é a *substituição da responsabilidade moral pela técnica.*

Toda divisão de trabalho (tal divisão também resultante da mera hierarquia de comando) cria uma distância entre a maioria dos contribuintes para o resultado final da atividade coletiva e o resultado mesmo. Antes que os últimos elos da cadeia burocrática de poder (os executores diretos) enfrentem sua tarefa, a maioria das operações preparatórias que levaram a ela já foi executada por pessoas que não tinham experiência pessoal e às vezes nem o conhecimento da tarefa em questão. Ao contrário do que ocorre numa unidade de trabalho pré-moderna, na qual todos os degraus da hierarquia partilham as mesmas habilidades ocupacionais e o conhecimento prático das operações de trabalho efetivamente aumenta à medida que se galga a escada (o mestre sabe a mesma coisa que o artesão ou o aprendiz, só que mais e melhor), as pessoas que ocupam degraus sucessivos na burocracia moderna diferem marcadamente no tipo de especialização e treinamento profissional exigidos pelo seu trabalho. Elas podem ser capazes de se imaginar na posição dos subordinados; isso pode mesmo ajudar a manter o "bom relacionamento humano" no local de trabalho, mas não é condição para a execução adequada da tarefa nem da eficiência da burocracia como um todo. Com efeito, a maioria das burocracias não trata seriamente a receita romântica que exige de cada burocrata, e particularmente daqueles que ocupam o topo, que "comecem de baixo", de forma tal que no caminho para o alto possam adquirir e memorizar a experiência de todo o escalão. Cientes da multiplicidade de talentos que demandam as tarefas administrativas de várias magnitudes, a maioria das burocracias trilha, em vez disso, caminhos distintos de recrutamento para os diferentes níveis da hierarquia. Talvez seja verdade que cada soldado carregue na mochila o bastão de um marechal, mas poucos marechais e, aliás, poucos coronéis ou capitães levam baionetas de soldado na maleta.

O que essa distância prática e mental do produto final significa é que a maioria dos funcionários da hierarquia burocrática pode dar ordens sem pleno conhecimento dos seus efeitos. Em muitos casos achariam difícil visualizar esses efeitos. Geralmente, têm apenas uma consciência abstrata e distanciada deles — o tipo de conhecimento que é melhor expresso pela estatística, que mede os resultados sem fazer qualquer julgamento, nenhum julgamento moral com certeza. Nos seus arquivos e mentes os resultados são no máximo representados em diagramas, como curvas ou setores de um círculo; idealmente figurariam como uma coluna de números. Representados gráfica ou numericamente, os resultados finais de suas ordens são desprovidos de substância. Os gráficos medem o *progresso* do trabalho, nada dizem da natureza da operação ou dos seus objetos. Eles tornam tarefas de caráter amplamente diverso mutuamente intercambiáveis; só o sucesso ou fracasso quantificável interessa e, encaradas desse ponto de vista, as tarefas não diferem.

Todos esses efeitos de distanciamento criados pela divisão hierárquica do trabalho são radicalmente ampliados uma vez que a divisão se torne funcional. Agora não é apenas a falta de experiência pessoal direta na efetiva execução da tarefa para a qual contribuem ordens sucessivas, mas também a falta de similaridade entre a tarefa imediata e a tarefa do escritório como um todo (uma não é uma versão em miniatura ou um ícone da outra) que distancia o participante da tarefa executada pela burocracia que integra. O impacto psicológico desse distanciamento é profundo e de longo alcance. Uma coisa é dar uma ordem num avião para que se lancem bombas, outra bem diferente é cuidar do fornecimento regular de aço a uma fábrica de bombas. No primeiro caso, quem dá a ordem pode não ter nenhuma impressão visual nítida da devastação que o bombardeio irá causar. No segundo caso, porém, o diretor de suprimentos da fábrica, se quiser, não precisa pensar no uso a que se destinam as bombas. Mesmo o conhecimento abstrato, uma mera noção, do resultado final é redundante e sem dúvida irrelevante para o êxito da sua parte no processo. Numa divisão funcional do trabalho, tudo o que alguém faz é em princípio *multifinal*, isto é, pode ser combinado e integrado em mais de uma totalidade definidora de sentido. Por si mesma, a função é desprovida de significado, e o significado que será por fim a ela conferido não é de forma alguma preenchido pelas ações dos seus executores. Serão "os outros" (na maioria dos casos, anônimos e fora de alcance) que em algum momento, em alguma parte, decidirão esse significado. "Será que os operários das indústrias químicas produtoras de napalm se sentiriam responsáveis por bebês queimados?" — perguntam Kren e Rappoport. "Será que esses operários teriam sequer consciência de que outras pessoas poderiam racionalmente pensar que eles eram responsáveis?"[11] Claro que não. E não há razão burocrática por que deveriam. A fragmentação do processo de queimar bebês numa série de tarefas funcionais insignificantes e mutuamente separadas tornaram tal consciência irrelevante — e extremamente difícil de alcançar. Lembrem-se também do seguinte: são as indústrias químicas que produzem napalm, não qualquer dos seus operários considerado individualmente...

O segundo processo responsável pelo distanciamento está intimamente relacionado ao primeiro. A substituição da responsabilidade moral pela técnica seria inconcebível sem a meticulosa dissecação e separação funcional das tarefas. Pelo menos não seria concebível na mesma extensão. A substituição tem lugar, em certo grau, já dentro da graduação puramente linear do controle. Cada pessoa dentro da hierarquia de comando é responsável perante o seu superior imediato e por isso está naturalmente interessada na opinião dele e na sua aprovação do trabalho. Por mais que essa aprovação lhe interesse, ela ainda é, embora apenas teoricamente, consciente do que está fadado a ser o resultado final do seu trabalho. E portanto há pelo menos uma chance abstrata de uma consciência ser medida em relação a outra, a benevolência dos superiores confrontada com a repulsa dos efeitos. E sempre que é possível uma comparação, também o é a opção. Numa divisão puramente linear de comando, a responsabilidade técnica permanece, pelo menos em tese, vulnerável. Pode ainda ser chamada a se justificar moralmente e a competir com a consciência moral. Um funcionário pode, por exemplo, achar que ao dar uma ordem específica seu superior excedeu a própria competência, ao passar do terreno de interesse puramente técnico para outro carregado de significados éticos (fuzilar soldados, por exemplo, tudo bem; já fuzilar bebês é diferente) e que o dever de obedecer a uma ordem superior não chega ao ponto de justificar uma coisa que o funcionário considere moralmente inaceitável. Todas essas possibilidades teóricas desaparecem, no entanto, ou são consideravelmente enfraquecidas quando a hierarquia linear de comando é suplementada ou substituída pela divisão funcional e a separação de tarefas. O triunfo da responsabilidade técnica é então completo, incondicional e, para todos os efeitos práticos, incontestável.

A responsabilidade técnica difere da responsabilidade moral pelo fato de esquecer que a ação é um meio para alcançar algo para além dela mesma. Como as conexões exteriores da ação são efetivamente removidas do campo visual, o próprio ato burocrático se torna um fim em si mesmo. Pode ser julgado apenas pelos seus critérios intrínsecos de adequação e sucesso. De mãos dadas com a arrogante autonomia relativa do funcionário condicionado por sua especialização funcional, vai a distância que o separa dos efeitos gerais do trabalho dividido, embora coordenado, da organização como um todo. Uma vez isolados de suas longínquas consequências, a maior parte dos atos funcionalmente especializados ou passa facilmente no teste moral ou é moralmente indiferente. Quando desembaraçado de preocupações morais, o ato pode ser julgado em termos racionais inequívocos. O que importa então é se o ato foi executado de acordo com o melhor conhecimento tecnológico disponível e se o resultado alcançou a melhor relação custo-benefício. Os critérios são claros e fáceis de operar.

Para o nosso tema, dois efeitos desse contexto de ação burocrática são mais importantes. Primeiro é o fato de que os talentos, conhecimentos especializados, inventividade e dedicação dos atores, somados às motivações pessoais que os levaram ao uso pleno dessas qualidades, podem ser plenamente mobilizados e colocados a serviço do propósito burocrático geral mesmo se (ou talvez porque) os atores detêm relativa autonomia funcional em relação a esse propósito e mesmo se esse propósito não está de acordo com a própria filosofia moral dos atores. Para colocar claramente, *o resultado é a irrelevância dos padrões morais para o sucesso técnico da operação burocrática.* O instinto artesanal, que segundo Thorstein Veblen existe em todo ator, concentra-se inteiramente na execução adequada da tarefa imediata. A dedicação prática à tarefa pode ser ainda melhorada pelo caráter covarde do ator e pela severidade dos seus superiores, ou pelo interesse do ator em promover-se, sua ambição ou curiosidade desinteressada, e por muitas outras circunstâncias, motivações e traços de caráter pessoal — mas, em geral, mesmo com a ausência desses, o instinto artesanal bastará. De modo geral, os atores querem superar-se; seja o trabalho que for, querem fazê-lo bem. Uma vez distanciados, graças à complexa diferenciação funcional dentro da burocracia, dos resultados últimos da operação para a qual contribuem, suas preocupações morais podem concentrar-se inteiramente na boa execução da tarefa à sua frente. A moralidade resume-se ao comando para ser um bom, eficiente e diligente especialista e trabalhador.

Desumanização dos objetos burocráticos

Outro efeito igualmente importante do contexto da ação burocrática é a *desumanização dos objetos da operação burocrática*, a possibilidade de expressá-los em termos puramente técnicos, eticamente neutros.

Associamos a desumanização às fotos horripilantes de prisioneiros dos campos de concentração — humilhados com a redução de suas ações ao nível mais básico de sobrevivência primitiva, com a proibição de usarem símbolos culturais de dignidade humana (tanto corpóreos quanto comportamentais), com sua privação até de um aspecto humano reconhecível. Como disse Peter Marsh, "de pé junto à cerca em Auschwitz, olhando esses esqueletos mirrados de pele encolhida e olhos encovados, quem poderia acreditar que fossem realmente pessoas?"[12] Essas fotos, porém, representam apenas a manifestação extrema de uma tendência que pode ser descoberta em todas as burocracias, por mais benignas e inócuas as tarefas nas quais estejam empenhadas no momento. Sugiro que a discussão da tendência desumanizante, em vez de enfocar suas manifestações mais sensacionais e vis mas felizmente incomuns, deveria concentrar-se nas manifestações mais universais e, por essa razão, potencialmente mais perigosas.

A desumanização começa no ponto em que, graças ao distanciamento, os objetos visados pela operação burocrática podem e são reduzidos a um conjunto de medidas quantitativas. Para os administradores de ferrovias, a única formulação significativa do seu objeto é em termos de toneladas por quilômetro. Eles não lidam com seres humanos, ovelhas ou arame farpado; só lidam com a carga e isso significa uma entidade que consiste inteiramente de medidas e desprovida de qualidade. Para a maioria dos burocratas, mesmo uma categoria desse tipo — carga — é restrição presa demais à qualidade. Eles lidam apenas com os efeitos financeiros de suas ações. Seu objeto é o dinheiro. Dinheiro é o único objeto que aparece nas pontas de entrada e saída, e decididamente, como diziam com astúcia os antigos, *pecunia non olet.* Quando crescem, as companhias burocráticas raramente se permitem ficar confinadas a uma área de atividade qualitativamente definida. Elas se expandem lateralmente, guiadas em seus movimentos por uma espécie de *lucrotropismo* — uma força de atração gravitacional para os mais elevados índices de retorno do capital. Como nos lembramos, toda a operação do Holocausto foi gerenciada pelo departamento financeiro do *Reichsicherheithauptamt.* Sabemos que essa atribuição, excepcionalmente, não pretendia ser um estratagema ou camuflagem.

Reduzidos, como todos os outros objetos de gerenciamento burocrático, a meros números desprovidos de qualidade, os objetos humanos perdem sua identidade. Eles são sempre desumanizados — no sentido de que a língua em que são narradas as coisas que acontecem a eles (ou que são feitas a eles) preserva seus referenciais de qualquer avaliação ética. De fato, essa língua não se adequa a frases normativo-morais. Só os humanos podem ser objetos de proposições éticas. (As verdadeiras declarações morais por vezes se extendem com efeito a outros seres vivos, não humanos; mas só podem fazê-lo partindo de sua base antropomórfica original.) Os seres humanos perdem essa capacidade assim que reduzidos a cifras.

A desumanização liga-se de modo inextricável à tendência mais essencial, racionalizante, da moderna burocracia. Como todas as burocracias afetam em alguma medida alguns objetos humanos, o impacto negativo da desumanização é muito mais comum do que sugeriria o hábito de identificá-lo quase totalmente com seus efeitos genocidas. Mandam os soldados atirar em *alvos*, que *caem* quando são *atingidos*. Os empregados de grandes companhias são encorajados a destruir a *concorrência.* Funcionários de agências previdenciárias operam com *abonos discricionários* numa hora e *créditos pessoais* em outra. Seus objetos são os *segurados com benefícios extras*. É difícil perceber e lembrar os seres humanos por trás de todos esses termos técnicos. A questão, no que concerne às metas burocráticas, é que é melhor não percebê-los e não lembrá-los.

Uma vez efetivamente desumanizados e portanto cancelados como sujeitos potenciais de demandas morais, os objetos humanos da execução de tarefas burocráticas são vistos com indiferença ética, que logo vira desaprovação e censura quando sua resistência ou falta de cooperação torna mais lento o fluxo macio da rotina burocrática. Objetos desumanizados não podem possivelmente ter uma "causa", muito menos uma causa "justa"; eles não têm interesses a serem considerados, com efeito nenhuma reivindicação à subjetividade. Objetos humanos tornam-se portanto um "fator incômodo". Sua rebeldia reforça mais a autoestima e os laços de camaradagem que unem os funcionários. Estes veem-se então como companheiros numa luta difícil, que pede coragem, autossacrifício e dedicação desinteressada à causa. Não são os objetos da ação burocrática mas os seus sujeitos que sofrem e merecem compaixão e exaltação moral. Podem com justiça sentir orgulho e confiança na própria dignidade, por esmagarem as vítimas recalcitrantes — da mesma forma que sentem orgulho de superar qualquer outro obstáculo. A desumanização dos objetos e a autoavaliação moral positiva reforçam-se mutuamente. Os funcionários podem servir com lealdade a qualquer meta e manter sua consciência moral intacta.

A conclusão geral é que o modo de ação burocrático, tal como desenvolvido no curso do processo civilizador, contém todos os elementos técnicos que se revelaram necessários à execução de tarefas genocidas. Esse modo pode ser colocado a serviço de um objetivo genocida sem maior revisão de sua estrutura, mecanismos e normas comportamentais.

Além disso, ao contrário de difundida opinião, a burocracia não é meramente um instrumento que pode ser usado com igual facilidade ora com propósitos cruéis e moralmente desprezíveis, ora com propósitos humanos profundos. Mesmo que se mova para onde quer que a empurrem, a burocracia se parece mais com um lance de sorte nos dados. Tem uma lógica e um momento próprios. O que torna certas soluções mais prováveis e outras menos. Dado o impulso inicial (de acordo com um propósito), ela transporá facilmente — como as vassouras do aprendiz de feiticeiro — todos os limites em que teriam parado muitos dos que lhe deram aquele primeiro impulso se ainda tivessem controle do processo por eles desencadeado. A burocracia é programada para buscar a solução ótima, mais favorável. É programada para medir essa solução ótima em termos tais que não fizesse distinção entre um e outro objeto humano ou entre objetos humanos e desumanos. O que importa é a eficiência e a diminuição dos custos para produzi-la.

O papel da burocracia no Holocausto

Assim foi que na Alemanha de meio século atrás essa burocracia recebeu a tarefa de tornar o país *judenrein*, livre de judeus. E a burocracia começou onde as burocracias começam: na definição precisa do objeto, com a posterior listagem dos que se encaixavam na definição e a criação de uma ficha, um arquivo, para cada um. Prosseguiu segregando os que figuravam nos arquivos do resto da população, a que não se aplicava a citação recebida. Por fim, passou a expulsar a categoria segregada da terra ariana a ser purificada — primeiro cutucando-a para que emigrasse e depois deportando-a para territórios não germânicos, assim que tais territórios caíam sob controle alemão. Por essa época a burocracia desenvolveu magníficas técnicas de limpeza, que não se deveriam desperdiçar e deixar enferrujar. *A burocracia que se incumbiu tão bem da tarefa de limpar a Alemanha tornava factíveis tarefas mais ambiciosas e quase natural a escolha delas.* Com um aparato tão soberbo de limpeza, por que ficar na *Heimat* [terra natal] dos arianos? Por que não limpar todo o seu império? De fato, como o império era agora ecumênico, não havia nenhum lado de "fora" onde despejar o lixo judeu. Só restava uma direção de deportação: para cima, sob a forma de fumaça.

Já há muitos anos os historiadores do Holocausto se dividiram em "intencionalistas" e "funcionalistas". Os primeiros insistem que matar os judeus era desde o início firme decisão de Hitler, à espera apenas das condições oportunas para emergir. Os segundos atribuem a Hitler apenas a ideia geral de "encontrar uma solução" para o "problema judeu", clara apenas na visão de uma "Alemanha limpa", mas vaga e lamacenta quanto aos passos práticos a serem tomados para tornar essa visão mais próxima. O mundo acadêmico apoia mais decididamente a visão funcionalista. Seja qual for o resultado final desse debate, praticamente não há dúvidas, porém, de que o espaço que se estendeu entre a ideia e sua execução foi preenchido de ponta a ponta pela ação burocrática. Também não há dúvida de que, por mais fértil que fosse a imaginação de Hitler, ela teria concretizado pouco dos seus desígnios se não fosse assumida por um vasto e racional aparelho burocrático e traduzida em termos de processo e rotina para solução de problemas. Por fim e talvez mais importante, o modo de ação burocrática deixou sua marca indelével do processo do Holocausto. Suas impressões digitais estão por toda a história do Holocausto para todo mundo ver. Verdade, a burocracia não gerou o medo da contaminação racial e a obsessão com a higiene racial. Para isso precisava de visionários, pois a burocracia começa de onde param os visionários. Mas a burocracia fez o Holocausto. E o fez à sua própria imagem.

Hilberg disse que no momento em que um funcionário alemão redigisse a primeira norma de exclusão dos judeus, o destino dos judeus da Europa estaria selado. Há uma verdade muito profunda e terrível nessa frase. O que a burocracia precisava era da definição de sua tarefa. Racional e eficiente como era, podia se confiar nela para levar a tarefa ao fim.

A burocracia contribuiu para a continuidade do Holocausto não apenas por sua inerente capacidade e suas técnicas, mas também por sua imanente enfermidade e afecções. A tendência de todas as burocracias a perderem de vista o objetivo original e se concentrarem em vez disso nos meios — meios que se transformam em fins — foi amplamente ressaltada, analisada e descrita. A burocracia nazista não escapou ao seu impacto. Uma vez em movimento, o mecanismo do assassinato ganhou ímpeto próprio: quanto mais se superava em extirpar os judeus dos territórios que controlava, mais ativamente buscava novas terras onde pudesse exercitar suas habilidades recém-adquiridas. Com a aproximação da derrota militar da Alemanha, o propósito original da *Endlösung* [Solução Final] tornava-se cada vez mais irreal. O que mantinha a máquina assassina em funcionamento então era unicamente sua própria rotina e ímpeto. As técnicas do assassinato em massa tinham que ser usadas simplesmente porque estavam lá. Os especialistas criavam os objetos de sua própria especialidade. Lembremos os especialistas dos Bureaus Judeus de Berlim inventando todo tipo de restriçãozinha nova para os judeus alemães que de há muito já haviam praticamente desaparecido do solo alemão; lembremos os comandantes SS que proibiram generais da *Wehrmacht* de preservar a vida dos artesãos judeus dos quais tinham grande necessidade para as operações militares. Mas em nenhum outro caso ficou mais visível a mórbida tendência de substituir os fins pelos meios do que no sinistro e macabro episódio do extermínio dos judeus romenos e húngaros, perpetrado a umas poucas milhas da frente oriental e a um enorme custo para o esforço de guerra: inestimáveis locomotivas e vagões, tropas e recursos administrativos foram desviados das tarefas militares para limpar regiões europeias distantes destinadas a colonização germânica que jamais ocorreria.

A burocracia é intrinsecamente *capaz* de ação genocida. Para *enveredar* por uma ação dessas, precisa encontrar outra invenção da modernidade: um amplo projeto de ordem social melhor, mais razoável e racional — digamos, uma sociedade racialmente uniforme ou sem classes — e, acima de tudo, a capacidade para traçar esses projetos e a determinação de torná-los eficazes. Segue-se o genocídio quando duas invenções comuns e abundantes dos tempos modernos se encontram. Ocorre apenas que esse encontro até aqui tem sido raro, incomum.

Falência das salvaguardas modernas

A violência física e sua ameaça

> já não são mais uma perpétua insegurança na vida do indivíduo, mas uma forma peculiar de segurança... uma pressão contínua, uniforme, é exercida sobre a vida individual pela violência física armazenada por trás dos cenários da vida cotidiana, uma pressão totalmente familiar e dificilmente percebida conduz e dirige a economia, ajustada que foi desde tenra infância a essa estrutura social.[13]

Com essas palavras, Norbert Elias reafirmou a autodefinição da sociedade civilizada. A eliminação da violência da vida diária é a principal asserção em torno da qual gira essa definição. Como vimos, a aparente eliminação é de fato meramente uma expulsão, que leva a uma reunião de recursos e à criação de centros de violência em novas locações do sistema social. De acordo com Elias, os dois processos são intimamente interdependentes. A área da vida cotidiana fica comparativamente livre da violência precisamente porque em alguma parte, nas margens físicas da sociedade, ela está armazenada — em tal quantidade que se torna efetivamente incontrolável, por parte dos membros ordinários da sociedade, dotando-a então de um poder irresistível para suprimir eclosões não autorizadas de violência. As maneiras cotidianas abrandaram-se principalmente porque agora as pessoas são ameaçadas de violência caso sejam violentas — com uma violência que não podem enfrentar nem racionalmente esperam repelir. O desaparecimento da violência do horizonte da vida diária é assim mais uma manifestação das tendências centralizadoras e monopolizadoras do poder moderno; a violência está ausente da relação interpessoal porque é agora controlada por forças definitivamente fora do alcance individual. Mas as forças não estão fora do alcance de *todo mundo*. Assim, o tão gabado abrandamento de maneiras (que Elias, seguindo o mito etiológico do Ocidente, celebra com tanto prazer) e a confortável segurança resultante para a vida cotidiana têm seu preço. Um preço que nós, moradores da casa da modernidade, podemos ser chamados a pagar a qualquer momento. Ou obrigados a pagar, sem sermos primeiro chamados.

A pacificação da vida cotidiana significa ao mesmo tempo a sua falta de defesa. Ao concordarem ou serem forçados a renunciar ao uso da força física em suas relações recíprocas, os membros da sociedade moderna desarmam-se diante dos desconhecidos e normalmente invisíveis agentes da coerção, no entanto potencialmente sinistros e sempre formidáveis. Sua fraqueza é preocupante não tanto por causa da alta probabilidade de que esses agentes irão de fato tirar vantagem disso, apressando-se em virar os meios de violência que controlam contra a sociedade desarmada, quanto pelo simples fato de que, seja ou não tirada tal vantagem, isso não depende em princípio do que façam os homens e mulheres comuns. Por si mesmos, os membros da sociedade moderna não podem evitar a ocorrência de um uso maciço da coerção. O abrandamento de maneiras anda de mãos dadas com uma radical mudança no controle da violência.

A consciência da ameaça constante contida no desequilíbrio caracteristicamente moderno de poder tornaria a vida insuportável, se não fosse pela nossa confiança nas salvaguardas que acreditamos terem se tornado o próprio tecido da sociedade civilizada, moderna. A maior parte do tempo não temos razão para pensar que a confiança está mal depositada. Só em umas poucas ocasiões dramáticas a confiabilidade das salvaguardas é colocada em dúvida. Talvez o principal significado do Holocausto foi ter sido uma das mais temíveis ocasiões desse tipo até hoje. *No período que levou à Solução Final, as salvaguardas mais confiáveis foram colocadas à prova. Todas falharam, cada uma delas, e todas ao mesmo tempo.*

Talvez o fracasso mais espetacular tenha sido o da ciência — como corpo de ideias e como rede de instituições de estudo e ensino. Veio à luz o potencial mortífero dos princípios e conquistas mais reverenciados da ciência moderna. A emancipação da razão face às emoções, da racionalidade ante as pressões normativas, da eficiência em relação à ética era o lema da ciência desde os primórdios. Uma vez concretizado, porém, esse lema fez da ciência e das formidáveis aplicações que ela gerava dóceis instrumentos nas mãos de um poder inescrupuloso. O papel sombrio e ignóbil que a ciência desempenhou na continuidade do Holocausto foi direto e indireto.

Indiretamente (embora de forma central à sua função social geral), a ciência abriu caminho ao genocídio pelo solapamento da autoridade e o questionamento da força aglutinadora de todo o pensamento normativo, particularmente o da religião e o da ética. A ciência faz o balanço da sua história como a da longa e vitoriosa batalha da razão contra a superstição e a irracionalidade. Na medida em que a religião e a ética não podiam racionalmente legitimar as exigências que faziam de comportamento humano, foram condenadas e viram sua autoridade negada. Como os valores e as normas foram proclamados imanente e irremediavelmente subjetivos, a instrumentalidade ficou sendo o único campo em que a busca da excelência era factível. A ciência queria ser livre de valoração e tinha orgulho disso. Por pressão institucional e ridicularização, ela silenciou os pregadores de moralidade. No processo, tornou-se moralmente cega e muda. Desmantelou todas as barreiras que a podiam impedir de cooperar com entusiasmo e entrega total no desenvolvimento dos métodos mais eficientes e rápidos de esterilização em massa e de assassinato em massa; ou de conceber a escravidão nos campos de concentração como uma oportunidade única e maravilhosa para conduzir pesquisas médicas com vistas ao avanço do conhecimento e — claro — da humanidade.

A ciência (ou melhor, dessa vez o cientista) ajudou os executores do Holocausto também de forma direta. A ciência moderna é uma instituição gigantesca e complexa. A pesquisa custa caro, uma vez que requer prédios imensos, equipamento dispendioso e grandes equipes de especialistas muito bem pagos. Assim, a ciência depende de um fluxo constante de dinheiro e de recursos não monetários, que só instituições igualmente vastas são capazes de oferecer e garantir. A ciência não é, entretanto, mercantil, nem são os cientistas avarentos. A ciência lida com a verdade e os cientistas com a sua busca. Os cientistas são esmagados pela curiosidade e estimulados pelo desconhecido. Comparada a todas as outras preocupações terrenas, incluindo a monetária, a curiosidade é desinteressada. Os cientistas só pregam e buscam o valor do conhecimento e da verdade. É apenas uma coincidência e de preferência um fator menor de irritação o fato de que a curiosidade não pode ser saciada e tampouco a verdade encontrada sem recursos financeiros cada vez maiores, laboratórios cada vez mais dispendiosos, folhas salariais cada vez maiores. O que os cientistas querem é meramente a permissão de ir aonde sua sede de conhecimento os leva.

Um governo que estende sua mão solícita e oferece exatamente isso pode contar com a gratidão e cooperação dos cientistas. A maioria dos cientistas, em troca, estaria pronta a abdicar de uma lista bem longa de preceitos menores. Estariam prontos, por exemplo, a tolerar o súbito desaparecimento de alguns colegas com o formato do nariz ou o perfil biográfico errados. Se levantarem alguma objeção, será pelo fato de que varrer com todos esses colegas de uma vez pode colocar em risco o cronograma de pesquisa. (Não se trata de uma crítica ou revolta; foi nisso que acabaram dando os protestos dos acadêmicos alemães, médicos e engenheiros, quando chegaram a ser registrados. Menos ainda se ouviu dos seus colegas soviéticos durante os expurgos.) Com prazer, os cientistas alemães pegaram o trem puxado pela locomotiva nazista rumo a um bravo, novo e purificado mundo de dominação germânica. Os projetos de pesquisa tornavam-se mais ambiciosos a cada dia e os institutos de pesquisa pululavam mais e mais de gente e recursos. Fora isso, pouca coisa importava.

No seu fascinante novo estudo sobre a contribuição da biologia e da ciência médica para o planejamento e a execução da política racial nazista, Robert Proctor põe fim ao mito popular da ciência sob o nazismo, primeiro e sobretudo como vítima de perseguição e objeto de intensa doutrinação vinda de cima (mito que remonta pelo menos a um livro de repercussão publicado em 1941, *O ataque nazista à ciência internacional*, de Joseph Needham). À luz da meticulosa pesquisa de Proctor, a opinião comum subestima em demasia a que ponto a própria comunidade científica gerou iniciativas políticas (de fato, algumas das mais horripilantes), mais do que foram impostas de fora sobre equipes relutantes mas covardes, e a que ponto a própria política racial foi iniciada e dirigida por renomados cientistas com impecáveis credenciais acadêmicas. Se havia coerção, "era muitas vezes de uma parte da comunidade científica sobre outra". No geral, "muitas das fundações sociais e intelectuais [para os programas raciais] foram lançadas muito antes da ascensão de Hitler ao poder" e a área de ciências biomédicas "desempenhou um papel ativo, até de liderança, no lançamento, administração e execução dos programas raciais nazistas".[14] Que os cientistas biomédicos em questão não fossem, sob qualquer avaliação, um grupo lunático ou fanático dentro da profissão revela-se no detalhado estudo de Proctor sobre a composição dos quadros editoriais de 147 publicações médicas editadas na Alemanha nazista. Após a ascensão de Hitler, os quadros permaneceram os mesmos ou trocaram uma pequena minoria dos seus integrantes (com toda a probabilidade, em função do expurgo de acadêmicos judeus).[15]

Na melhor das hipóteses, o culto da racionalidade, institucionalizado como ciência moderna, revelou-se impotente para impedir o Estado de partir para o crime organizado; na pior, revelou-se instrumental na produção da transformação. Seus rivais, no entanto, não fizeram um placar maior. No seu silêncio, os acadêmicos alemães tiveram muitos companheiros. Bem notoriamente, juntaram-se a eles as igrejas — todas elas. O silêncio diante da desumanidade organizada foi o único ponto a unir as igrejas, normalmente em total desacordo. Nenhuma delas tentou reclamar sua autoridade ridicularizada. Nenhuma das igrejas (como instituição distinta dos fiéis tomados individualmente, em geral isolados) admitiu sua responsabilidade por fatos perpetrados num país que proclamavam como seu território, nem o fizeram seus encarregados pastorais. (Hitler nunca deixou a Igreja católica, nem foi excomungado.) Nenhuma sustentou seu direito de fazer julgamentos morais sobre o rebanho e de impor penitência aos desgarrados.

Pior, a repulsa cultural à violência revelou-se pobre salvaguarda contra a coerção organizada; enquanto as maneiras civilizadas mostraram uma espantosa habilidade para coexistir pacífica e harmoniosamente com o assassinato em massa. O demorado e muitas vezes penoso processo civilizador fracassou em erguer uma única barreira segura contra o genocídio. Tais mecanismos precisavam do código civilizado de comportamento para coordenar ações criminosas de tal forma que raramente se chocassem com o farisaísmo dos seus perpetradores. Entre os espectadores, a repulsa civilizada da desumanidade não se mostrou forte o bastante para encorajar uma resistência ativa a ela. A maioria dos espectadores reagiu como as normas civilizadas aconselham e nos levam a reagir diante de coisas bárbaras e repugnantes: viraram os olhos para o outro lado. Os poucos que se levantaram contra a crueldade não tinham normas ou sanções sociais para apoiá-los e tranquilizá-los. Eram solitários, que para justificar a sua luta contra o mal só podiam citar um dos seus ilustres antepassados: "Ich kann nicht anders." ["Não posso agir de outro modo."]

Diante de uma equipe inescrupulosa que sobrecarregava a poderosa máquina do Estado moderno com seu monopólio de violência e coerção física, as mais decantadas conquistas da civilização moderna falharam como salvaguardas contra a barbárie. *A civilização mostrou-se incapaz de garantir a utilização moral dos terríveis poderes que trouxe à luz.*

Conclusões

Se indagarmos agora que pecado original possibilitou que isso acontecesse, o colapso (ou não emergência) da democracia parece ser a resposta mais convincente. Na ausência de autoridade tradicional, os controles e contrapesos capazes de manter o corpo político longe dos extremismos só podem ser fornecidos pela democracia política. Esta, no entanto, não chega rápido e é mais lenta ainda para lançar raízes depois que o poder da velha autoridade e do velho sistema de controle foi rompido — em especial se a ruptura se deu de forma apressada. Tais situações de interregno e instabilidade tendem a ocorrer durante e após revoluções profundas, que conseguem anular os velhos fundamentos do poder social, sem no entanto substituí-los por novas bases — e criam por essa razão um estado de coisas no qual *as forças políticas e militares não são nem contrabalançadas nem restringidas por forças sociais influentes e talentosas.*

Tais situações também surgiam, presume-se, nos Estados pré-modernos — no rasto de conquistas sangrentas ou prolongadas carnificinas que por fim levavam ao quase total autoaniquilamento das elites instituídas. As consequências que se podiam esperar dessas situações eram, no entanto, diferentes. Seguia-se em geral um colapso da ordem social mais ampla. A destruição causada pela guerra raramente afetava as arraigadas redes comunitárias de controle social; ilhas localizadas de ordem social, comunitariamente reguladas, eram então expostas a atos desnorteados de violência e pilhagem, mas contavam consigo mesmas para se reerguerem assim que se desintegrasse a organização social acima do nível local. Na maioria dos casos, mesmo os golpes mais profundos contra as autoridades tradicionais nas sociedades pré-modernas diferiam das modernas rebeliões em dois aspectos cruciais:

primeiro, deixavam intactos ou pelo menos aindas viáveis os primitivos controles comunitários; e, segundo, enfraqueciam, em vez de reforçar, a possibilidade da ação organizada em nível supralocal, quando a organização social de nível mais alto se rompia e o que restava de intercâmbio entre as localidades era de novo submetido à ação livre de forças descoordenadas.

Nas condições modernas, ao contrário, rebeliões semelhantes ocorrem em geral depois que os mecanismos comunitários de regulação social praticamente desapareceram e as comunidades locais praticamente deixaram de ser autossuficientes e autoconfiantes. Em vez do reflexo instintivo de reerguer-se com os próprios pés, o vazio tende a ser preenchido por forças novas, mas de novo supralocais, que tentam utilizar o monopólio estatal de coerção para impor uma nova ordem em escala societária. Em vez de cair, o poder político torna-se, portanto, praticamente a única força por trás da ordem emergente. Não é detido nem contido no seu ímpeto por forças econômicas e sociais, seriamente minadas pela destruição ou imobilização das velhas autoridades.

Este, claro, é um modelo teórico, que raramente ocorre de forma integral na prática. Utilizá-lo serve, porém, para chamar a atenção para esses deslocamentos sociais que parecem tornar mais provável o surgimento de tendências genocidas. Os deslocamentos podem diferir na forma e intensidade, mas são iguais no efeito geral da *acentuada supremacia do poder político em relação ao poder econômico e social, do Estado sobre a sociedade.* Foram talvez mais fundo e mais longe no caso da Revolução Russa e no subsequente monopólio prolongado do Estado como único fator de integração social e reprodução da ordem. Mas também na Alemanha foram mais longe e mais fundo do que se crê popularmente. Sucedendo ao breve interlúdio de Weimar, o regime nazista assumiu e completou a revolução que a República de Weimar — essa difícil interação de velhas e novas (mas imaturas) elites que só na superfície se parecia com democracia política — foi por várias razões incapaz de administrar. As velhas elites foram consideravelmente enfraquecidas ou postas de lado. Uma a uma, as formas de articulação das forças econômicas e sociais foram desintegradas e substituídas por novas formas centralmente supervisionadas que emanavam e eram legitimadas pelo Estado. Todas as classes foram profundamente afetadas, mas o golpe mais radical foi deixado às classes que só podem carregar o poder não político coletivamente, isto é, as classes não proprietárias, sobretudo a classe operária. A estatização ou desmantelamento de todas as instituições sindicais autônomas, combinada com a sujeição do governo local ao controle central praticamente total, deixaram as massas populares virtualmente sem poder e, para todos os efeitos práticos, excluídas do processo político. A resistência das forças sociais foi evitada, além disso, pelo cerco da atividade estatal com uma impenetrável muralha de segredo — na verdade, a conspiração estatal do silêncio contra a própria população que esse Estado governava. O efeito geral último foi a substituição das autoridades tradicionais não pelas novas e vibrantes forças da cidadania autogovernada, mas por um quase total monopólio do Estado político, com os poderes sociais impedidos de se autoarticularem e criarem assim uma base estrutural de democracia política.

As condições modernas tornaram possível a emergência de um Estado pleno de recursos, capaz de substituir toda a rede de controles sociais e econômicos pelo comando político e a administração. Ainda mais importante, as condições modernas fornecem substância para esse comando e essa adminsitração. Lembremos que a modernidade é uma era de ordem artificial e de grandiosos projetos societários, a era dos planejadores, visionários e, de forma mais geral, "jardineiros" que tratam a sociedade como um torrão virgem de terra a ser planejado de forma especializada e então cultivado e cuidado para se manter dentro da forma planejada.

Não há limite para a ambição e a autoconfiança. Com efeito, pelas lentes do poder moderno, a "humanidade" parece tão onipotente e seus membros individuais tão "incompletos", ineptos, submissos e tão necessitados de melhoria, que tratar as pessoas como plantas a serem podadas (ou arrancadas se necessário) ou gado a ser engordado não parece uma fantasia, nem moralmente odioso. Um dos primeiros e mais importantes ideólogos do nacional-socialismo alemão, R.W. Darré, encarava os modelos de criação animal como um padrão para a "política populacional" a ser implantada pelo futuro governo *volkisch*.

> Quem deixa as plantas crescerem por si mesmas no jardim, logo verá com surpresa que está coberto de ervas daninhas e que mesmo o caráter básico das plantas mudou. Se o jardim deve continuar sendo o lugar de cultivo das plantas, se, em outras palavras, deve superar o estado agreste submetido às forças naturais, então é necessária a vontade formadora do jardineiro, um jardineiro que, criando condições favoráveis para o cultivo

> ou eliminando influências daninhas, ou ambas as coisas, é cuidadoso com o que deve ser cuidado e elimina sem compaixão as ervas que privariam as melhores plantas de nutrição, ar, luz e sol... Assim, estamos vendo que as questões de cultivo não são triviais para o pensamento político, mas que devem estar no centro de todas as considerações e que suas respostas devem decorrer da atitude espiritual e ideológica de um povo. Temos mesmo que afirmar que um povo só pode alcançar equilíbrio espiritual e moral se um plano de cultivo bem concebido está no *centro* mesmo de sua cultura...[16]

Darré expôs de forma clara e radical as ambições de "melhoria da realidade" que são a essência da atitude moderna e que só os recursos do poder moderno nos permitem assumir seriamente.

Períodos de profundos deslocamentos sociais são aqueles em que essa característica notável da modernidade está acentuada. Com efeito, em nenhuma outra época a sociedade parece tão informe — "inacabada", indefinida e dócil — literalmente à espera de uma visão e de um talentoso e competente projetista para lhe dar forma. Em nenhuma outra época a sociedade parece tão desprovida de forças e tendências próprias, portanto incapaz de resistir à mão do jardineiro e pronta a ser moldada da forma que ele quiser. *A combinação de maleabilidade e desamparo constitui um atrativo a que poucos visionários aventureiros e autoconfiantes poderiam resistir. Também gera uma situação em que eles se tornam irresistíveis.*

Com os mensageiros do grandioso projeto à frente da moderna burocracia estatal, livres das restrições dos poderes não políticos (econômicos, sociais, culturais), temos a receita para o genocídio. O genocídio ocorre como parte integrante do processo pelo qual é implantado o grandioso projeto. *O projeto lhe dá a sua legitimação; a burocracia estatal, o seu veículo; e o imobilismo da sociedade, o "sinal verde".*

As condições propícias a que se perpetre o genocídio são portanto especiais, embora de forma alguma excepcionais. Raras, mas não únicas. Não são atributo imanente da sociedade moderna, mas também não um fenômeno estranho. No que diz respeito à modernidade, o genocídio não é nem uma anormalidade nem uma disfunção. Ele mostra do que é capaz a tendência racionalizante do planejamento moderno se não controlada e abrandada, se o pluralismo dos poderes sociais for destruído — como quer o ideal moderno de uma sociedade harmoniosa, ordeira, livre de conflitos, totalmente controlada e projetada. Qualquer empobrecimento da capacidade do povo de formular seus interesses e se autogovernar, qualquer assalto à diversidade social e cultural e às suas possibilidades de expressão, qualquer tentativa de cercear a liberdade plural do Estado com uma muralha de segredos políticos, cada passo no sentido do enfraquecimento das bases sociais da democracia política torna um pouquinho mais possível um desastre social na escala do Holocausto. Os projetos criminosos precisam de veículos sociais para se efetivarem. Mas também precisa desses veículos a vigilância daqueles que querem evitar sua implantação.

Até agora os meios de vigilância parecem escassos, embora não haja escassez de instituições que parecem capazes de servir aos propósitos criminosos ou — pior ainda — incapazes de evitar que uma atividade corriqueira voltada para a execução de tarefas adquira uma dimensão criminosa. Joseph Weizenbaum, um dos mais agudos observadores e analistas do impacto social da informática (reconhecidamente um avanço moderno, não disponível à época do Holocausto), sugere que a capacidade de ação genocida foi, de qualquer forma, aumentada:

> A Alemanha executou a "solução final" do seu "problema judeu" como um exercício escolar de raciocínio instrumental. Logo a humanidade dava de ombros, quando já não podia evitar olhar o que se passara, quando as fotografias tiradas pelos próprios assassinos começaram a circular e quando os desgraçados sobreviventes regressaram à luz do dia. Mas no final não fez diferença. A mesma lógica, a mesma velha aplicação fria e impiedosa da razão calculista, dizimou pelo menos tanta gente nos vinte anos seguintes quanto o número de vítimas dos técnicos do Reich de mil anos. Não aprendemos nada. A civilização corre tanto perigo hoje quanto naquela época.[17]

E os motivos pelos quais a racionalidade instrumental e as redes humanas desenvolvidas para servi-la permanecem moralmente cegas, hoje como então, são praticamente os mesmos. Em 1966, mais de vinte anos após a horripilante descoberta do crime nazista, um grupo de renomados acadêmicos elaborou o projeto, cientificamente elegante e exemplarmente racional, do *campo de batalha eletrônico* para uso dos generais na guerra do Vietnã. "Esses homens eram capazes de aconselhar como o faziam porque operavam a uma enorme distância psicológica das pessoas que seriam mutiladas e mortas pelos sistemas bélicos resultantes da ideia que eles passavam a seus patrocinadores."[18]

Graças à nova tecnologia de informática em rápido desenvolvimento, que mais que qualquer outra tecnologia precedente teve êxito em obliterar a humanidade dos seus objetos humanos ("Pessoas, coisas, eventos são 'programados', fala-se de *inputs* e de *outputs*, de saltos de *feedback*, variáveis, percentagens, processos e assim por diante, até que por fim todo contato com situações concretas acaba abstraído. Então, restam somente gráficos, conjuntos de dados, impressos"[19]) — a distância psicológica cresce sem parar e num ritmo sem precedentes. Assim também a autonomia do progresso puramente tecnológico em relação a quaisquer propósitos humanos deliberadamente escolhidos e discursivamente acordes. Hoje, mais que em qualquer outra época, os meios tecnológicos disponíveis minam suas próprias aplicações e subordinam a avaliação destas a seu próprio critério de eficiência e eficácia. Ademais, a autoridade da avaliação política e moral da ação foi reduzida a uma consideração menor — se é que não desacreditada e tornada irrelevante. Dificilmente a ação precisa de qualquer outra justificação além do reconhecimento de que a tecnologia disponível a viabilizou. Jacques Ellul advertiu que, tendo se emancipado da restrição das tarefas sociais colocadas discursivamente, a tecnologia

> só avança em direção a alguma coisa *porque* é empurrada de trás. O técnico não sabe por que está trabalhando e geralmente não se importa. Ele trabalha *porque* tem instrumentos que lhe permitem executar determinada tarefa, ter êxito numa nova operação... Não há conclamações a uma meta; há a coerção de um motor situado atrás e que não tolera qualquer parada da máquina.[20]

Parece haver menos esperança que antes em poder contar com as garantias civilizadas contra a desumanidade para controlar a aplicação do potencial instrumental-racional humano, uma vez que o cálculo da eficiência foi agraciado com a suprema autoridade para decidir propósitos políticos.

5
Pedindo a colaboração das vítimas

"Destino" é a interação *de vitimadores e vítimas.*
Raul Hilberg

O memorável veredito de Hannah Arendt — de que não fosse pela atuação dos colaboradores judeus e pelo zelo dos *Judenräte* [conselhos judeus], o número de vítimas teria sido bem menor — não parece capaz de suportar exame mais acurado. Esse severo julgamento mal consegue resistir ao fato de que, apesar do amplo espectro de atitudes tomadas pelos líderes das comunidades perseguidas — desde o suicídio de Czerniakow, passando pela colaboração ativa e consciente de Rumkowski e Gens com os supervisores nazistas, até o processo Bialystok sobre a ajuda semioficial de *Judenräte* à resistência armada — o efeito final acabava sendo praticamente o mesmo: a aniquilação quase total de comunidades e de seus líderes. Pode-se também assinalar que cerca de um terço de todos os judeus assassinados pelos nazistas foram mortos sem recurso a qualquer assistência direta ou indireta dos conselhos e comitês judaicos (a guerra contra a Rússia foi oficialmente declarada por Hitler uma guerra de aniquilação e os notórios *Einsatzgruppen* que seguiram a vitoriosa *Wehrmacht* na sua primeira incursão em terras soviéticas não se preocuparam em criar guetos ou eleger conselhos judeus). Numa série de opiniões sobre o impacto da cooperação judaica na dizimação dos judeus da Europa, o ponto de vista de Isaiah Trunk, concluindo a mais completa e abrangente investigação dos registros remanescentes dos *Judenräte*, expressa posição oposta à de Arendt. De acordo com essa visão, "a participação ou não participação judaica nas deportações não teve influência substancial — de nenhuma forma — no resultado final do Holocausto na Europa oriental". Para fundamentar sua conclusão, Trunk assinala os inúmeros casos em que a recusa de certos funcionários de *Judenräte* a obedecer às ordens da SS levou à sua substituição por pessoas mais obedientes ou mesmo a que o elo intermediário judeu fosse simplesmente descartado pelos SS, que então procediam eles mesmos à "seleção" (embora na maioria dos casos com alguma ajuda da polícia judaica). Com efeito, processos *individuais* de desobediência continuaram pouco eficazes precisamente porque em tantos outros casos os nazistas *podiam* contar com a cooperação judaica e portanto executar a operação assassina recorrendo apenas residualmente às próprias forças. Não se sabe até que ponto a desobediência poderia ter sido mais eficaz se houvesse uma expectativa universal em relação a ela.

Parece, no entanto, provável que, se a cooperação não estivesse disponível e em tão larga escala, a complexa operação do assassinato em massa teria confrontado os administradores com problemas gerenciais, técnicos e financeiros de magnitude inteiramente outra. Como mencionei no primeiro capítulo, os líderes das comunidades condenadas executavam a maior parte do trabalho burocrático preliminar que a operação exigia (fornecendo aos nazistas os registros e mantendo arquivos das suas vítimas em potencial), supervisionavam as atividades de produção e distribuição necessárias à manutenção da vida das vítimas até o momento em que as câmaras de gás estivessem prontas para recebê-las, policiavam a população encarcerada de modo que as tarefas da lei e da ordem não desgastassem o engenho e os recursos dos captores, asseguravam o fluxo macio do processo de aniquilação apontando os objetivos dos sucessivos estágios, despachavam os objetos selecionados para os locais onde podiam ser apanhados com o mínimo de confusão e levantavam os recursos financeiros necessários para pagar a última jornada. *Sem* essa ajuda substancial e diversificada, o Holocausto teria provavelmente ocorrido de qualquer forma, mas teria passado à história como um episódio diferente e talvez um pouco menos assustador; como mais um dos muitos casos de coerção e violência em massa cometidos contra uma população desamparada por conquistadores sanguinolentos levados pela vingança ou o ódio comunitário. *Com* isso tudo, por outro lado, o Holocausto confronta o historiador e o sociólogo com um desafio inteiramente novo. Serve como uma janela da qual se pode ter uma vista desses processos trazidos a efeito pela arte inteiramente moderna da ação racional; da nova potência e dos novos horizontes do poder moderno, que se tornam possíveis uma vez que tais processos foram utilizados a serviço dos seus objetivos. No que concerne a esse aspecto formidável do Holocausto, o quadro adequado de referência e comparação parece ser fornecido pelo exercício "normal" do poder no governo da sociedade moderna, mais do que na história sangrenta de violência genocida espetacular.

Com efeito, a rotina do genocídio no geral exclui essa colaboração das vítimas que foi tão marcante no Holocausto. O genocídio "comum" raramente, se é que alguma vez, visou à aniquilação total do grupo; o propósito da violência (se a violência é proposital e planejada) é destruir o grupo marcado (uma nação, uma tribo, uma seita religiosa) como comunidade viável capaz de perpetuar e defender sua identidade própria. Se for esse o caso, o objetivo do genocídio é atingido quando (1) a quantidade de violência já é grande o bastante para minar a vontade e resistência dos que a sofrem e para aterrorizá-los até a rendição ao poder dominante e a aceitação da ordem por ele imposta; e (2) o grupo marcado foi despojado dos recursos necessários à continuação da luta. Preenchidas essas duas condições, as vítimas ficam à mercê dos seus atormentadores. Elas podem ser forçadas a uma longa escravidão ou receber um lugar na nova ordem nos termos estabelecidos pelo vencedor — mas qual sequela é escolhida depende inteiramente dos caprichos do conquistador. Seja qual for a opção selecionada, beneficia os que perpetram o genocídio. Eles ampliam e solidificam seu poder e arrancam a oposição pela raiz.

Entre os recursos de resistência que devem ser destruídos para tornar a violência eficaz (recursos cuja destruição, provavelmente, é o ponto central do genocídio e em última análise a medida de sua eficiência), de longe a posição mais crucial é ocupada pelas elites tradicionais da comunidade condenada. O efeito mais essencial do genocídio é a "decapitação" do inimigo. Espera-se que o grupo marcado, uma vez privado de liderança e centros de autoridade, perca sua coesão e capacidade de sustentar a própria identidade e, consequentemente, seu potencial defensivo. A estrutura interior do grupo sofrerá um colapso, reduzindo o grupo a uma coleção de indivíduos que podem ser então pinçados um a um e incorporados à nova estrutura administrada pelos vencedores, ou reorganizada à força como categoria subjugada e segregada, governada e policiada diretamente pelos gerentes da nova ordem. As elites tradicionais da comunidade condenada constituem portanto o alvo primário do genocídio, na medida em que este vise de fato à destruição do povo marcado como comunidade, como entidade autônoma coesa. De acordo com a visão de Hitler para a Europa oriental como um vasto *Lebensraum* [espaço vital] para a raça alemã em expansão e de seus habitantes como futura força de trabalho escravo a serviço dos novos senhores, as forças de ocupação alemãs procederam à sistemática extinção de todos os vestígios da estrutura política e autonomia cultural nativas. Caçaram, encarceraram e tentaram destruir fisicamente todos os elementos ativos das nações eslavas conquistadas e evitar a reprodução das elites nacionais com o desmantelamento quase total das instituições educacionais mais elementares e a proibição de toda iniciativa cultural local, exceto a moralmente corrupta. Assim fazendo, no entanto, descartaram a possibilidade de obter a cooperação das nações escravizadas na busca da grandiosa visão de Hitler (se é que alguma vez contemplaram tal possibilidade), exceto talvez pelos serviços auxiliares de elementos criminosos marginais. Com as elites locais marcadas para a destruição, os conquistadores foram abandonados à própria sorte e tiveram que computar as ações dos países vencidos na coluna de custos, não de ativos.

A escravização dos judeus nunca foi objetivo dos nazistas. Mesmo que o assassinato em massa não tenha sido pensado desde o início como fim último, a situação que os nazistas queriam criar era de total *Entfernung* — a efetiva remoção dos judeus do mundo e da vida germânicos. Hitler e seus seguidores não tinham uso para os serviços que os judeus podiam oferecer, mesmo como trabalhadores escravos. A completude da solução buscada — quer sob a forma de emigração, expulsão ou extermínio físico — tornava desnecessário qualquer "tratamento especial" das elites judaicas, que estavam condenadas ao mesmo destino dos seus irmãos; qualquer provação preparada para os judeus como um todo era vista como sem exceções, aplicando-se na mesma forma e medida a todos os membros da raça. Talvez um efeito antecipado dessa "totalização" do problema judeu tenha sido a sobrevivência da estrutura comunitária judaica, de sua autonomia e autogoverno, muito antes que modelos comunitários semelhantes fossem submetidos a um assalto frontal em todos os territórios eslavos. Essa sobrevivência significou, primeiro e antes de mais nada, que as elites judaicas tradicionais mantiveram sua liderança administrativa e espiritual durante toda a execução do Holocausto; quando nada, essa liderança foi ainda mais reforçada e se tornou quase incontestável após a segregação física dos judeus e o cerco dos guetos.

O método usado para firmar as elites judaicas no seu novo papel nos *Judenräte* variou — desde a insistência nazista de se realizarem eleições em alguns dos maiores guetos do leste e nas bem enraizadas comunidades judaicas da Europa ocidental até a escolha dos *Präses* dentre os veneráveis da comunidade, reunidos na praça local do mercado. E há ainda ampla evidência de que os supervisores dos "bairros judeus" estavam dispostos a sustentar e reforçar a autoridade dos líderes judeus escolhidos; precisavam do prestígio dos "Conselhos Judeus" para conseguir a passividade das massas judias. No seu famoso *Schnellbrief* [despacho rápido] emitido de Berlim em 21 de setembro de 1939 para todos os *Kommandanten* alemães nas cidades polonesas recém-ocupadas, Heydrich enfatizava que os Conselhos de Anciãos Judeus deviam ser compostos pelas "personalidades e rabinos influentes que restassem" — e então enumerava uma longa lista de tarefas vitais pelas quais os conselhos seriam os únicos responsáveis, assumindo portanto seu controle e autoridade. É possível supor que a insistência nazista em fazer tudo no gueto pelas mãos dos judeus tinha como um dos seus perversos objetivos tornar o poder da liderança judia tanto mais visível e convincente. A população judia ficou virtualmente fora da jurisdição das autoridades administrativas normais (o que aconteceu gradualmente na Alemanha e de forma abrupta nos territórios conquistados), sendo jogada inteiramente e sem apelação nas mãos dos seus líderes correligionários, que em troca recebiam suas ordens de — e respondiam perante — uma instituição alemã similarmente alheia à estrutura "normal" de poder. Os princípios teórico-legais da bizarra mistura de autogoverno e isolamento do gueto foram enunciados e codificados em 1940 por Hermann Erich Seifert:

> O indivíduo judeu não existe para as autoridades alemãs dos territórios ocupados. Em princípio não há negociações com um indivíduo judeu... mas exclusivamente com os *Ältestenräte* [conselhos de anciãos] judeus... Com a ajuda dos seus *Ältestenräte*, os judeus podem cuidar inteiramente por si mesmos dos seus assuntos internos, incluindo os assuntos de suas comunidades religiosas, mas por outro lado têm que executar com inteira responsabilidade as tarefas e exigências da administração alemã. Os membros do *Ältestenrat*, na maioria dos casos os mais ricos e mais distintos, são pessoalmente responsáveis por essa execução. Sem dúvida, esse *Ältestenrat* é reminiscente remoto das *Kahals* de que fez uso a política judaica da Rússia [tzarista], mas com uma grande diferença: os direitos judeus eram dados e defendidos pelas *Kahals*; já no Governo Geral [nazista] os de-

veres judeus eram recebidos e distribuídos pelos *Ältestenräte* ... Não há discussão ou argumentação contra a ordem alemã.[1]

A liderança judia exercia um poder ilimitado sobre a população cativa, mas estava à mercê de uma organização criminosa livre de controle exercida pelos órgãos constitucionais do Estado. As elites judias desempenhavam portanto um papel mediador crucial na incapacitação dos judeus; de forma bem atípica para um genocídio, a submissão total de uma população à vontade desenfreada dos seus captores foi alcançada não pela destruição, mas pelo reforço da estrutura comunitária e o papel integrador desempenhado pelas elites nativas.

Paradoxalmente, portanto, a situação dos judeus nos estágios preliminares da Solução Final parecia mais a de um grupo subordinado dentro de uma estrutura normal de poder do que a de vítimas de uma operação genocida "ordinária". Em notável medida, *os judeus eram parte do arranjo social que iria destruí-los.* Constituíam um elo vital na cadeia de ações coordenadas; suas próprias ações eram parte indispensável da operação total e condição crucial do seu sucesso. O genocídio "comum" divide os atores de forma inequívoca em assassinos e assassinados; para estes, a resistência é a única resposta racional. No Holocausto, as divisões foram menos claras. Incorporada à estrutura geral de poder, com uma lista ampliada de tarefas e funções dentro dela, a população condenada tinha aparentemente uma gama de opções. A cooperação com os próprios inimigos jurados e futuros assassinos não escapava à sua medida de racionalidade. *Os judeus podiam portanto brincar nas mãos de seus opressores, facilitar a tarefa deles e apressar a própria perdição, enquanto guiados em sua ação pelo propósito racional de sobreviver.*

Por causa desse paradoxo, os registros do Holocausto oferecem uma revelação única dos princípios gerais da opressão burocraticamente administrada. O Holocausto foi, claro, um caso extremo de um fenômeno que normalmente aparece de forma bem mais branda e raramente visa ao total extermínio do oprimido. No entanto, precisamente por causa do seu extremismo, o Holocausto revelou aspectos da opressão burocrática que de outra forma poderiam ter passado despercebidos. Na sua forma geral, esses aspectos têm uma aplicação bem mais ampla; com efeito, deve-se levá-los em conta se quisermos compreender plenamente como o poder opera na sociedade moderna. O mais destacado desses aspectos é *a capacidade do poder moderno, racional, burocraticamente organizado, de induzir ações funcionalmente indispensáveis a seus propósitos, embora em dissonância com os interesses vitais dos atores.*

"Selando" as vítimas

Tal capacidade não é universal; para possuí-la, a burocracia deve preencher outras condições além da sua própria hierarquia interna de comando e seus princípios de ação coordenada. A burocracia tem que ser, acima de tudo, inteiramente especializada e possuir um monopólio incondicional da função especializada que desempenha. Em termos mais simples, isso significa que, seja o que for que a burocracia vá fazer aos seus objetos-alvo, deve visar explicitamente apenas a esse alvo, e, assim, é improvável que venha a afetar a situação de outras categorias; e que os objetos-alvo devem permanecer dentro da competência dessa burocracia especializada e de nenhuma outra instituição. A primeira condição resulta na improbabilidade de toda interferência externa com o processo burocrático; é improvável que grupos não afetados corram em socorro da categoria visada, uma vez que os problemas enfrentados pelos dois lados não podem encontrar facilmente um denominador comum e inspirar uma ação integrada, unida. Uma vez assegurada a segunda condição, a categoria-alvo sabe ou logo descobre que qualquer apelo a centros autorizados ou competentes que não a burocracia sob cuja administração foi jogada é inútil e ineficaz; em alguns casos, tais apelos podem ser feitos como exceção às regras (o que apenas sua própria burocracia tem competência de definir) e então trazer consequências ainda mais sinistras que a obediente submissão à burocracia dirigente. Entre elas, as duas condições deixam a categoria-alvo sozinha, com "sua própria" burocracia como único quadro referencial para a tomada racional de decisões. Em outras palavras, a burocracia que conduz uma política "objetivada" e detém o direito exclusivo de fazê-lo é plenamente competente para estabelecer os parâmetros de comportamento das suas vítimas e, assim, capaz de mobilizar os próprios motivos racionais das vítimas como um dos recursos que pode utilizar na busca dos seus objetivos. Antes que o poder burocraticamente organizado possa contar com a cooperação da própria categoria a ser destruída ou ferida, essa categoria deve ser "selada": removida fisicamente do contexto da vida e preocupações diárias de outros grupos ou separada psicologicamente por definições aberta e inequivocamente discriminatórias e por uma ênfase na sua singularidade.

Num discurso proferido em abril de 1935, o rabino Joachim Prinz, de Berlim, resumiu a experiência da categoria marcada ou "selada": "O gueto é o 'mundo'. Lá fora é o gueto. O mercado, a rua, a taberna pública, toda parte é o gueto. E ele tem uma marca, um sinal: sem vizinhos. Talvez isso nunca tenha acontecido antes no mundo e ninguém sabe por quanto tempo se pode suportar: a vida sem um vizinho..."[2] Em 1935, as vítimas do futuro Holocausto já sabiam que estavam sozinhas. Não podiam contar com a solidariedade dos outros. O sofrimento por que passavam era delas apenas. Pessoas fisicamente tão próximas estavam, espiritualmente, a uma distância infinita: não partilhavam de sua experiência. E a experiência do sofrimento não é fácil de comunicar. Os judeus em prol dos quais falou o rabino Prinz, sabiam que os funcionários dos "Bureaus judeus" tinham o comando absoluto do jogo; eles ditavam as regras, elas as mudavam ao seu bel-prazer e decidiam as apostas. Suas ações eram, portanto, os únicos fatos concretos a considerar e a calcular para a própria ação pessoal. A retirada do mundo exterior delimitou as fronteiras da "situação"; devia agora ser definida exclusivamente nos termos dos perseguidores, dos quais não havia escapatória. "A remoção física dos judeus passou amplamente despercebida, porque de há muito os alemães os haviam removido de seus corações e mentes."[3]

O isolamento espiritual veio primeiro. Foi alcançado por vários meios. O mais óbvio deles, um apelo direto ao antissemitismo popular, o fomento de sentimentos antissemitas do povo, até então indiferente ou inconsciente de um "problema judeu" especial. Isso foi feito, habilidosamente, pela propaganda nazista, sem poupar esforço nem recursos. Os judeus foram acusados de crimes hediondos, intenções perniciosas e vícios hereditários repugnantes. Acima de tudo, em afinação com a sensibilidade higiênica da civilização moderna, medos e fobias normalmente despertados por vermes e bactérias foram insuflados, apelando-se à obsessão do homem moderno com a saúde e o saneamento. A condição de judeu foi apresentada como uma doença contagiosa e seus portadores como uma versão atualizada da febre tifóide. Ter relações sexuais com judeus era abraçar o perigo. Os mecanismos sociopsicológicos usados para produzir a reação de nojo e aversão diante, digamos, da carne crua ou do cheiro de urina humana — descritos de forma tão convincente por Norbert Elias no seu balanço do processo civilizador — foram utilizados para tornar a própria presença dos judeus nauseante e repulsiva.

Havia, no entanto, limites à eficiência do espírito antissemita. Muitas pessoas mostraram-se imunes à propaganda do ódio ou, de forma mais geral, à interpretação irracional do mundo que a propaganda pedia que aceitassem. Muitas mais, embora admitindo sem grande protesto a definição oficial da condição de judeu, recusavam-se a aplicá-la em relação aos indivíduos judeus que conheciam. Se a propaganda antissemita fosse o único meio de "selar" os judeus para afastá-los da vida comunitária, provavelmente fracassaria — resultando, na melhor das hipóteses, em uma divisão popular entre o campo dos raivosos com ódio aos judeus e talvez outro com uma massa, menos integrada e de organização mais pobre mas razoavelmente eficiente, de não colaboradores e ativos defensores das pessoas "injustamente vitimizadas". Isso certamente não bastaria para tirar os judeus "dos corações e mentes" dos alemães de forma suficientemente radical para privar a subsequente destruição física dos judeus de qualquer oposição e ressentimento.

O impacto da propaganda antissemita era, no entanto, apoiado e consideravelmente reforçado pelo cuidado que se tinha em mirar bem no alvo todas as medidas antijudaicas, de forma que cada ato sucessivo, mesmo se ineficaz no propósito declarado, aprofundava o abismo entre os judeus e o resto, sublinhando ainda mais a mensagem; por mais atrozes que fossem as coisas que aconteciam aos judeus, elas definitivamente não tinham qualquer influência adversa na lida do resto da população e portanto não diziam respeito exceto aos judeus. Sabemos hoje, pela evidência histórica plenamente comprovada, a que ponto chegou a energia dos altos funcionários nazistas e dos especialistas a soldo deles para produzir uma definição adequada dos judeus — aparentemente uma sutileza legal, ridiculamente deslocada contra o pano de fundo da violência brutal e inescrupulosa. De fato, a busca de uma definição legalmente perfeita era mais do que o último vestígio da *Jurisprudenzkultur* de que os nazistas não conseguiam se livrar muito bem ou uma homenagem que se prestava à tradição ainda não plenamente esquecida do *Rechtsstaat* [Estado de direito]. Uma definição precisa do judeu era necessária para tranquilizar as testemunhas da vitimização, garantindo que o que viam ou suspeitavam não aconteceria a elas e que, portanto, seus interesses não estavam ameaçados. Para obter esse efeito, precisava-se de definição tal que se pudesse usar para decidir exatamente quem era e quem não era judeu; para eliminar toda possibilidade de casos equívocos, intermediários, mistos, ambíguos, que permitissem interpretação contraditória. Por mais notórias em suas substância e relevância ostensivamente funcionais, as famosas Leis de Nuremberg serviram a esse propósito de forma esplêndida.[4] Não deixaram terra de ninguém entre os judeus e os não judeus. Criou-se uma categoria de pessoas marcadas para *Sonderbehandlung* [tratamento especial] e finalmente para eliminação. Mas também criaram, de um golpe, uma categoria bem mais vasta de cidadãos limpos e seguros do Reich: o puro-sangue alemão. O mesmo propósito era servido, com variado grau de sucesso, marcando-se as lojas de judeus (e com isso enfatizando a propriedade e segurança das que não eram marcadas) ou forçando o que restava dos judeus alemães a colocar emblemas amarelos na roupa. Na verdade, "importante como possa parecer, a Questão Judaica não tinha mais que um interesse mínimo para a vasta maioria dos alemães". Quando o Reich se voltou para leste e era chegada a hora da *Aussiedlung* [colonização], a maioria das pessoas "provavelmente pouco pensava e perguntava menos ainda sobre o que acontecia aos judeus do leste. Para a maioria, os judeus estavam fora de vista e fora da mente também... A estrada para Auschwitz foi construída pelo ódio mas pavimentada pela indiferença".[5]

O processo de separação foi acompanhado por um silêncio ensurdecedor de todas as elites estabelecidas e organizadas da sociedade alemã — todos aqueles que, teoricamente, poderiam erguer a voz contra o iminente desastre e se fazer ouvir. Pode-se supor que a razão disso, em parte, foi a ampla simpatia pelo plano geral de *Entfernung* [remoção] de uma nação e cultura vistas por várias razões como estranha e indesejável. Esta não foi, porém, toda a razão e nem sequer talvez a mais decisiva. A tomada do poder do Estado pelos nazistas não mudou as regras da conduta profissional, que permaneceram fiéis como sempre foram, desde a aurora da idade moderna, ao princípio da neutralidade moral da razão e à busca da racionalidade, que não tolera compromisso com fatores não relacionados ao sucesso técnico do empreendimento. As universidades alemãs, como suas equivalentes em outros países modernos, cultivaram cuidadosamente o ideal da ciência como uma atividade eminentemente livre de valoração; a seus departamentos conferiam o direito e atribuíam o dever de servir aos "interesses do conhecimento" e colocar de lado todos os interesses com os quais pudessem colidir os objetivos científicos. Basta lembrar isso para que diminua muito o choque do silêncio e mesmo da entusiástica cooperação das instituições científicas alemãs na execução das tarefas nazistas. O americano Franklin H. Littell insiste que quanto menos surpreendentes, mais preocupantes são (ou ao menos deveriam ser) esse silêncio e essa cooperação:

> A crise de credibilidade da universidade moderna vem do fato de que os campos da morte não foram construídos nem seu esquema operacional imaginado por iletrados, por selvagens ignorantes e sem educação. Os centros de extermínio foram produto, como seus inventores, daquele que durante gerações foi um dos melhores sistemas universitários do mundo...
>
> Nossos bacharéis trabalham, sem maiores conflitos íntimos, pelo Chile social-democrata ou pelo Chile fascista, pela junta ou pela república gregas, pela Espanha de Franco ou a dos republicanos, pela Rússia, pela China, pelo Kuwait ou Israel, pelos Estados Unidos, Inglaterra, Indonésia ou Paquistão... Isso resume, embora severamente, o papel histórico dos técnicos formados, aqueles que foram "educados" na arte da indiferença moral, ética e religiosa da universidade moderna...

Ele prossegue lamentando que por muitos anos foi mais fácil, no seu país, discutir o mau uso e abuso da ciência pelos nazistas do que os serviços oferecidos pelas universidades americanas à "Dow Chemical, à Minneapolis, à Honeywell, à Boeing Aircraft... ou à ITT no restabelecimento do fascismo no Chile".[6]

O que de fato importava às elites científicas (e, de forma mais geral, intelectuais) alemãs e aos seus melhores e mais distinguidos indivíduos era a preservação de sua integridade acadêmica e como porta-vozes da Razão. E essa tarefa não incluía (de fato excluía em caso de conflito) a preocupação do significado ético de sua atividade. Como Alan Beyerchen descobriu, na primavera e verão de 1933 os luminares da ciência alemã, pessoas como Planck, Sommerfeld, Heisenberg e von Laue, todos "aconselharam paciência e reserva ao se lidar com o governo, especialmente no tocante a demissões e emigração... O objetivo básico era preservar a autonomia profissional de sua disciplina, evitando a confrontação e esperando que retornassem à vida e aos procedimentos normais".[7] Todos queriam defender e salvar o que importava para eles — e conseguiram, assim que se mostraram dispostos a esquecer o que importava menos. Mostrar tal disposição foi fácil, uma vez que a "vida normal" efetivamente retomada após as extravagâncias da lua de mel nazista não foi muito diferente daquela a que esses professores estavam acostumados e apreciavam com carinho. (Era justamente isso que estava faltando agora a alguns dos seus velhos colegas — e havia uma nova saudação a fazer ao entrar na sala de aula cheia de estudantes uniformizados.) Seus serviços profissionais tinham forte demanda e apreço; estavam chegando fundos para projetos ambiciosos e cientificamente instigantes — e para isso nenhum preço parecia alto demais. Heisenberg procurou Himmler para ter a garantia de que ele e os colegas (quer dizer, tirando aqueles que desapareceram) teriam permissão para fazer o que queriam e desejavam. Himmler advertiu-o a fazer uma clara distinção entre descobertas científicas e a conduta política dos físicos. Isso deve ter soado como música aos ouvidos de Heisenberg: não era então o que seria instruído a fazer desde o início? Ele "por isso não fez rodeios, promovendo ativamente a causa nazista, principalmente no exterior e durante as hostilidades, chefiando com diligência uma das duas equipes empenhadas em projetar explosivos atômicos, estimulado sem dúvida —, inveterado animal científico que era —, pelo desejo de 'ver' e vencer."[8]

"A história da retirada de poder dos intelectuais é sempre a história da renúncia voluntária", escreveu Joachim C. Fest, "e, se há resistência, é meramente resistência à tentação de suicídio."[9] As, digamos, vítimas intelectuais transformadas em cortejadores da "vida normal" de tipo nazista viam poucas razões para se suicidar e muitas para a rendição voluntária, às vezes entusiástica.

O notável quanto à rendição é que é difícil dizer onde começa, e virtualmente impossível prever onde deve parar. Durante o pogrom da *Kristallnacht*, a mulher do eminente orientalista professor Kahle fora descoberta ajudando uma amiga judia a rearrumar a loja depredada; o marido passou a ser boicotado e a sofrer outras perseguições menores que o forçaram a se demitir.

> Os meses transcorridos foram um período de quarentena durante o qual apenas três pessoas — de todo o círculo social e profissional do professor — o procuraram, com a cobertura da escuridão. E recebeu mais uma comunicação do mundo exterior: uma carta de um grupo de colegas lamentando que ele não tivesse uma saída honrosa da universidade por falta de tato da mulher.[10]

Outra coisa notável sobre a rendição é que, por mais penosa que possa ter sido no início, tende a passar da vergonha para o orgulho. Aqueles que se rendem tornam-se cúmplices do crime e portam-se conforme a dissonância cognitiva que a cumplicidade gera. Pessoas que viam com desprezo e aversão as tolices antissemitas da propaganda nazista e ficaram em silêncio "apenas para salvar os valores maiores" encontravam-se alguns anos depois regozijando-se com a bendita limpeza das universidades e a pureza da ciência alemãs. Seu próprio antissemitismo racional

> fortaleceu-se à medida que a perseguição aos judeus foi piorando. A explicação é simples, embora deprimente: quando as pessoas sabem, mesmo pela metade, que uma grande injustiça está sendo cometida e não têm a generosidade e a coragem de protestar, automaticamente lançam a culpa sobre as vítimas como forma mais simples de aliviar a própria consciência.[11]

De uma forma ou de outra, a solidão dos judeus se tornou completa na Alemanha. Viviam agora num mundo sem vizinhos. Para tudo que dizia respeito ao seu destino, os outros alemães podiam não ter existido. O único outro agente do mundo judeu era o poder nazista; não importava como os judeus definiam sua situação, ela estava reduzida a apenas um fator: as ações que seus perseguidores nazistas achavam útil empreender. Como seres racionais, os judeus tinham que ajustar a própria conduta às respostas que os nazistas esperavam. Como seres racionais, tinham que supor a existência de uma ligação lógica entre ações e reações e portanto também certas ações como mais razoáveis e aconselháveis que outras. Como seres racionais, tinham que ser guiados pelos mesmos princípios comportamentais que os defendidos por seus burocráticos carcereiros: eficiência, ganho mais elevado, gastos menores. Uma vez que os nazistas detinham o comando inconteste e indisputado das regras e das apostas em jogo, podiam usar essa racionalidade judaica como um recurso na busca de suas próprias metas. Podiam arranjar as regras e as apostas de tal modo que cada passo racional aprofundaria o desamparo de suas vítimas em perspectiva e aproximá-las-ia mais alguns centímetros da sua destruição final.

O jogo do "salve-se quem puder"

O jogo em que os judeus foram forçados pelos nazistas a entrar era de vida ou morte e, portanto, a ação racional no caso deles só podia visar ao — e ser medida pelo — aumento das suas chances de escapar à destruição ou de limitar a escala dessa destruição. O mundo de valores estava reduzido a um — sobreviver (ou era pelo menos ofuscado por esse objetivo). Isso está bem claro agora, mas não estava necessariamente claro para as vítimas da época e certamente não nos estágios iniciais da "estrada sinuosa para Auschwitz". Já sabemos que os próprios nazistas, incluindo seus líderes, não começaram a guerra contra os judeus com uma noção clara de suas consequências últimas; a guerra começou com o modesto objetivo da *Entfernung*, de afastar os judeus da raça alemã e, a longo prazo, tornar a Alemanha *judenrein*; foi no curso, e sob o impacto da perseguição burocrática desse objetivo, que, em algum estágio posterior a destruição física dos judeus tornou-se não só "racional" como também a "solução", e tecnologicamente factível. Mas mesmo quando a decisão fatal de Hitler de assassinar os judeus russos abriu para os zelos "especialistas judeus" novos horizontes e opções antes não aventadas, manter em segredo a natureza da Solução Final era parte integrante e crucial do projeto nazista. Levar as vítimas às câmaras de gás era chamado "realocação" e a identidade dos campos de extermínio era dissolvida numa vaga ideia: "o leste". Quando porta-vozes dos guetos procuravam comandantes das SS para saber se eram verdade os boatos insistentes sobre iminentes morticínios, os alemães negavam categoricamente. O segredo era mantido até, literalmente, o último momento. Um crime pelo qual os membros judeus de um *Sonderkommando* [comando especial] que servisse nas câmaras de gás e crematórios eram punidos com a morte imediata era contar aos recém-chegados desembarcados dos vagões de gado que o edifício que viam da plataforma não era um banheiro público. A razão, claro, não era poupar as vítimas da agonia e angústia, mas fazê-las entrar na câmara de gás voluntariamente e sem resistência.

Em todos os estágios do Holocausto, portanto, *apresentou-se às vítimas uma opção* (pelo menos subjetivamente — mesmo quando a opção já não existia, substituída pela secreta decisão da destruição física). Elas não podiam escolher entre uma situação boa e outra ruim, mas podiam pelo menos optar por um mal maior ou menor. O mais importante é que podiam desviar alguns golpes afirmando e manifestando seu direito a uma isenção ou a um tratamento especial. Em outras palavras, *tinham algo a salvar*. Para tornar previsível o comportamento das vítimas e portanto manipulável e controlável, os nazistas tinham que induzi-las a agir de "modo racional"; para obter esse efeito, tinham que fazer as vítimas acreditarem que havia de fato alguma coisa a salvar e que existiam regras claras sobre como salvá-la. Para acreditar nisso, as vítimas tinham que ser convencidas de que o tratamento do grupo como um todo não seria uniforme, e que cada indivíduo teria sorte diferente, de acordo com o mérito. As vítimas tinham que pensar, em outras palavras, que sua conduta importava; e que sua provação poderia, pelo menos em parte, ser influenciada pelo que fariam.

A mera existência de categorias burocraticamente definidas com vários graus de direitos e privações induziam a esforços frenéticos para obter uma "reclassificação", para provar que se "merecia" a indicação para categoria melhor. Em nenhum caso esse efeito era mais visível que no da *Mischlinge* — "terceira raça" criada pela legislação alemã e situada incomodamente entre "judeus plenos" e integrantes inatacáveis do *Volk* alemão. "Por causa dessas discriminações, pressionavam-se colegas, superiores, amigos e parentes em busca de tratamento excepcional. Consequentemente, em 1935 foi instituído um procedimento para a reclassificação de um *Mischling* em categoria mais alta... O procedimento ficou conhecido como *Befreiung* (libertação)." O conhecimento de que os esforços não são necessariamente vãos, de que o veredito do sangue pode ter uma apelação bem-sucedida e ser anulado, acrescentava entusiasmo à pressão. Podia-se — e muitos conseguiam — obter uma "genuína" (*echte*) libertação provando o próprio mérito (a mais alta corte alemã sentenciou que "a conduta não bastava, decisiva era a atitude revelada na conduta"). Era possível mesmo, como aconteceu com o Ministerialrat [conselheiro ministerial] Killy, um *Mischling* com notável contribuição para o extermínio dos judeus, receber um certificado de *Befreiung* como presente de Natal com entrega especial direto sob a árvore natalina da família.[12]

O aspecto diabólico desse cenário era que as crenças e convicções que sancionava e as ações que encorajava davam legitimidade ao plano-mestre dos nazistas e o tornavam digerível para a maioria, vítimas inclusive. Enquanto lutavam por pequenos privilégios, a condição de isentos ou simplesmente a suspensão da execução prevista no plano geral de extermínio, as vítimas e aqueles que tentavam ajudá-las aceitavam tacitamente as premissas do plano. Ao argumentar, por exemplo, que esta ou aquela pessoa tem direito a ser isenta da taxa profissional com base nos seus méritos passados, admitia-se, na prática, que sem esse mérito a taxa profissional era incontestável.

> O que era moralmente tão desastroso na aceitação dessas categorias privilegiadas era que todo mundo que requeria uma "exceção" no seu caso implicitamente reconhecia a regra. Mas isso aparentemente nunca foi entendido por esses "homens bons", judeus e gentios, que se ocupavam de todos aqueles "casos

> especiais" para os quais se poderia pedir tratamento preferencial... Mesmo após o fim da guerra, Kasztner [um líder judeu húngaro que negociou com os nazistas a exclusão de alguns dos distritos judaicos dos campos de extermínio] tinha orgulho do sucesso em salvar "judeus eminentes", categoria oficialmente introduzida pelos nazistas em 1942, como se também na visão dele fosse óbvio que um judeu famoso tivesse mais direito de ficar vivo do que um judeu comum.[13]

As oportunidades de aumentar a autoridade da norma lutando por isenções (e por fim reforçando a norma ao utilizá-la como autorização para a busca de privilégios individuais) eram amplas e variadas. Foram oferecidas, sob formas diversas, em todos os estágios do Holocausto. No caso dos judeus alemães tais oportunidades eram particularmente elaboradas e em profusão. Os judeus que lutaram do lado alemão na Grande Guerra, que foram feridos em batalha, que foram condecorados por bravura, foram declarados um caso especial e por longo período ficaram livres da maioria das restrições aplicadas a seus irmãos menos meritórios. Tal benevolência desviava a atenção da norma bem mais devastadora da qual constituía exceção. Quem visse na benevolência uma chance pessoal podia reivindicar os benefícios, apenas aceitando ao mesmo tempo o pressuposto que garantia tanto a regra geral como as exceções: o de que os judeus "normais", judeus "como tais", não mereciam os direitos comuns oferecidos pela cidadania alemã. Uma onda de petições com cerrada argumentação, cartas de recomendação, intervenções em apoio a destacadas personalidades, amigos ou sócios, e a busca frenética de documentos e testemunhos desencadeadas pela norma de isenção contribuíram em não pequena medida para a calma reconciliação do novo estado de coisas criado pela legislação antijudaica. Os justos dentre os gentios fizeram o melhor que puderam para obter privilégios para pessoas que conheciam, gostavam ou respeitavam, sublinhando em suas cartas às autoridades que aquelas pessoas *em particular* não mereciam tratamento severo em função de seus *inestimáveis* serviços à nação alemã. Sacerdotes trataram de defender os judeus *convertidos* — cristãos de origem judaica. No processo, o princípio de que era preciso ser um *tipo especial* de judeu para protestar contra a discriminação e a perseguição era tacitamente aceito ou de qualquer forma, acomodado.

No geral, não faltavam pessoas e grupos que ansiosamente abraçavam a ideia de sua qualidade e exclusividade de direito a tratamento mais benevolente. Um dos exemplos mais notáveis era a famosa e onipresente divisão entre os judeus "estabelecidos" e os judeus "imigrantes" na Europa ocidental. A divisão tinha precendente no antigo antagonismo das comunidades judias bem estabelecidas e parcialmente assimiladas em relação a seus irmãos da Europa oriental, incultos, ignorantes e de idioma ídiche, cuja incômoda intromissão viam como uma ameaça à sua própria respeitabilidade conquistada a duras custas. (As velhas e ricas famílias judias da Grã-Bretanha não se importavam em pagar a viagem de volta das pobres massas judias analfabetas que escapavam dos pogroms russos na virada do século; na Alemanha, judeus de velha cepa, "mais alemães que os alemães", esperavam "livrar-se da antipatia... desviando-a contra os pobres irmãos imigrantes ainda não assimilados".)[14] A velha tradição de uma atitude superior e desdenhosa em relação aos judeus do *shtetl* impedia os líderes das comunidades judias do Ocidente de perceber no destino dos judeus orientais um modelo do seu próprio futuro; nenhuma sorte comum e portanto nenhuma estratégia solidária podiam supostamente ser engendradas por histórias e culturas tão diversas. Quando a informação do assassinato em massa na Polônia foi transmitida pela BBC para toda a Holanda, David Cohen, presidente do Conselho Judeu, negou redondamente sua importância para o destino dos judeus dos Países Baixos:

> O fato de que os alemães perpetraram atrocidades contra os judeus poloneses não era motivo para pensar que se comportariam da mesma maneira com os judeus holandeses; primeiro porque os alemães sempre tiveram os judeus poloneses em má conta e, segundo, porque na Holanda, ao contrário da Polônia, eles tinham que se aprumar e levar em conta a opinião pública.[15]

Essa autoconfiança não decorria apenas de uma fantasiosa concepção de mundo, uma visão de conto de fadas, com consequências potencialmente suicidas para seus detentores. As visões de mundo tendem a determinar as ações, e a conduta das comunidades judaicas organizadas, convencidas de sua própria superioridade, reduziu grandemente a chance de uma reação judia unificada à política nazista e facilitou a "destruição por etapas". Mesmo se os porta-vozes da comunidade judaica estabelecida sentiam compaixão pelos judeus recolhidos, encarcerados e deportados diante dos seus olhos, apelavam aos membros da comunidade para manterem a calma e evitar qualquer resistência, de modo a salvar os "valores mais altos". De acordo com o estudo de Jacques Adler, a estratégia dos judeus franceses, enunciada ainda em setembro de 1940, em resposta ao tratamento diferenciado anunciado pelas forças alemãs de ocupação, não deixava dúvida sobre a hierarquia das preferências: "Como prioridade básica, essa estratégia lutava para garantir a existência continuada do judaísmo francês — e o objetivo não incluía os judeus estrangeiros." Partia do pressuposto de que "os judeus imigrantes constituíam uma dívida" para a sobrevivência do judeu francês. O *establishment* francês concordou com a resolução de Vichy de que o preço para proteger o judeu francês era descarregar os imigrantes na Alemanha: "Não há dúvida de que o judaísmo francês concordou com Vichy que esses judeus estrangeiros eram social e politicamente indesejáveis."[16]

A rejeição da solidariedade em nome de privilégios sociais ou de grupo (o que sempre significou, ainda que indiretamente, anuência ao princípio de que nem todos os membros da categoria marcada merecem sobreviver e que deve haver tratamento diferenciado segundo a qualidade "objetiva" devidamente avaliada) era marcante não apenas nas relações intercomunitárias. Dentro de cada comunidade, esperava-se e lutava-se por tratamento diferenciado, com os *Judenräte* normalmente no papel de agentes da sobrevivência. Preocupadas com a estratégia do "salve-se quem puder", as futuras vítimas perdiam de vista, ainda que temporariamente, a terrível noção do destino imediato. Isso deu aos nazistas a chance de alcançar seu propósito com custos bastante reduzidos e um mínimo de problema. Nas palavras de Hilberg,

> Os alemães tiveram notável sucesso na deportação de judeus por estágios, porque aqueles que ficavam raciocinavam que era necessário sacrificar uns poucos para salvar a maioria. A operação dessa psicologia pode ser observada na comunidade judaica de Viena, que fechou um "acordo" de deportação com a Gestapo no qual se "compreendia" que seis categorias de judeus não seriam deportadas. De novo, os judeus do gueto de Varsóvia argumentaram em favor da cooperação e contra a resistência achando que os alemães deportariam sessenta mil judeus mas não centenas de milhares. O fenômeno de bissecção ocorreu também em Salonika, onde a liderança judia colaborou com as agências alemãs de deportação com base na garantia de que apenas elementos "comunistas" dos setores mais populares seriam deportados e que a "classe média" seria deixada em paz. A aritmética fatal também foi aplicada em Vilna, onde o líder

do *Judenrat*, Gens, declarou: "Com umas cem vítimas eu salvo mil pessoas. Com mil eu salvo dez mil."[17]

A vida na opressão era de tal forma estruturada que — do ponto de vista favorável da existência cotidiana — as chances de sobrevivência pareciam de fato mal distribuídas; mais do que isso, pareciam manipuláveis. Apelava-se para recursos de autoridade pessoal ou de grupo para transformar a desigualdade pública em vantagem privada. Como disse Helen Fein,

> A ameaça coletiva de morte não era prevista porque a organização social da economia política do gueto criava chances diárias de morte diferenciada. A chance de cada um sobreviver dependia do lugar que ocupava na ordem social, e toda a ordem social de classes resultava da escassez imposta e do terror político, que recompensava os mais capazes de servir direta ou indiretamente aos nazistas... O sistema de controles também dificultava o reconhecimento de um inimigo comum, com o deslocamento da raiva contra os invasores para o *Judenrat* e reforçando-se a crença de que era uma guerra de todos contra todos, e não deles contra nós.[18]

A individualização das estratégias de sobrevivência levou a uma desordenada disputa geral de posições e papéis considerados favoráveis ou privilegiados e a um esforço geral de agradar os olhos dos opressores — invariavelmente à custa de outras vítimas. A ansiedade e a agressão geradas nesse processo eram descarregadas utilizando-se os *Judenräte* como para-raios; mas a cada estágio da destruição os *Judenräte* puderam contar com certo eleitorado que, beneficiado pelas sucessivas mudanças de política, daria satisfeito seu apoio aos desafortunados funcionários comunitários e assim conferia legitimidade e autoridade ao jogo do momento. A cada estágio da destruição — exceto o último — houve indivíduos e grupos ansiosos em se salvar como podiam, em defender o que podiam, em se livrar do que fosse possível e assim, embora de forma oblíqua, cooperar.

A racionalidade individual a serviço da destruição coletiva

A desumana opressão de tipo nazista deixa reconhecidamente pouco espaço para manobra; muitas das opções para as quais as pessoas são treinadas ou educadas a fazer em condições normais estão excluídas ou fora de alcance. Sob condições excepcionais, a conduta é por definição excepcional; mas é excepcional por sua forma aberta e consequências palpáveis, não necessariamente pelos princípios de escolha e os motivos que a guiam. Ao longo de toda a jornada para a destruição final, a maioria das pessoas, a maior parte do tempo, não ficou completamente sem opção. E onde há opção há uma chance de se comportar racionalmente. E foi o que a maioria das pessoas fez: comportou-se racionalmente. Embora com total domínio dos meios de coerção, os nazistas perceberam que a *racionalidade significava cooperação;* que tudo o que os judeus faziam para servir aos seus próprios interesses aproximava um pouco mais o objetivo nazista do êxito completo.

A cooperação é talvez uma noção vaga demais e muito abrangente. Pode ser duro e injusto considerar a mera resistência a uma rebelião aberta (seguindo-se, em vez disso, a rotina estabelecida) como um ato de colaboração. Todas as responsabilidades dos futuros Conselhos Judeus expressas no *Schnellbrief* de Heydrich diziam respeito aos serviços que os líderes judeus eram obrigados a prestar às autoridades alemãs; Heydrich não se preocupou com outras funções que os *Judenräte* poderiam achar úteis ou necessárias. Supostamente contava que tais funções seriam exercidas por iniciativa própria dos conselhos, a partir da consideração racional das necessidades de uma comunidade amontoada num pequeno espaço e confrontada com a necessidade de garantir sua coexistência e meios de sobrevivência. Se havia essa estratégia, revelou-se bem escolhida. Os Conselhos Judeus não precisavam de instruções alemãs para cuidar das necessidades religiosas, educacionais, culturais e de saúde dos judeus. Ao assumir esses cuidados, eles já aceitavam a contragosto o papel de escalão mais baixo da hierarquia administrativa alemã. Sua atividade, que tirou das mãos dos alemães todos os problemas relativos à vida diária dos judeus, já era uma colaboração, de certa forma. Nisso, porém, o papel das autoridades comunitárias judias, apesar do extremismo do regime opressor, não era essencialmente diferente dos papéis normalmente desempenhados pelas lideranças de minorias oprimidas ao tornar possível a continuidade da repressão (com efeito, mera reprodução do regime opressor). Não era essencialmente diferente, também, das formas tradicionais de autogoverno judeu (particularmente na Polônia e algumas outras partes da Europa oriental) e da autonomia estritamente preservada da *kehila*.

No começo da ocupação alemã — e antes que os *Judenräte* se tornassem um elo oficial na estrutura administrativa alemã —, os anciãos da *kehila* de antes da guerra assumiram a tarefa de representar os interesses judeus negociando um *modus vivendi* com as novas autoridades. Por hábito e treino, tentaram empregar os velhos e comprovados métodos de redigir petições e reclamações, de obter audiência para tratar de suas queixas, de negociar — e subornar. Não se opuseram à decisão alemã de concentrar os judeus nos guetos. Cercar e apartar os judeus do resto da população parecia boa proteção contra a molestação e os pogroms. Parecia também um método bem aceito de fortalecer o autogoverno judeu e preservar um estilo de vida judeu num ambiente hostil e ameaçador. Parecia, em outras palavras, que o confinamento nos guetos servia — naquelas circunstâncias — aos interesses judeus e que a aceitação do confinamento era uma atitude racional para todos aqueles com interesses judeus próximos ao coração.

Ao mesmo tempo, entretanto, a aceitação do confinamento nos guetos significava se tornar joguete nas mãos dos nazistas. A longo prazo, os guetos revelariam seu papel como instrumentos de concentração — o estágio preliminar necessário no caminho da deportação e destruição. Nesse meio tempo, entretanto, os guetos permitiam também que apenas um funcionário alemão exercesse a completa supervisão de dezenas de milhares de judeus — com a ajuda dos próprios judeus, que forneciam mão de obra burocrática e operária, a infraestrutura de comando da vida diária e os órgãos responsáveis pela manutenção da lei e da ordem. Nesse sentido, todo autogoverno judeu significava *objetivamente* cooperação. E o elemento de colaboração na atividade dos *Judenräte* estava destinado a crescer com o tempo à custa de todas as outras funções. As decisões racionais tomadas num dia em nome da defesa dos interesses judeus modificavam o contexto da ação de tal forma que a tomada racional de decisões ficava tanto mais difícil no dia seguinte; e as opções estavam fadadas a se tornar inteiramente impossíveis outro dia depois.

O estudo definitivo de Isaiah Trunk sobre os *Judenräte* não deixa dúvida quanto à frenética e desesperada luta dos Conselhos Judeus para encontrar soluções racionais para problemas cada vez mais perturbadores e graves. Não era culpa deles que, ante a força superior dos alemães e a total eliminação das inibições morais alcançada pela engrenagem burocrática da guerra antijudaica, não houvesse solução no quadro de suas opções que não servisse aos objetivos alemães. O aparato burocrático alemão foi posto a serviço de uma meta incompreensível na sua irracionalidade. A meta era a aniquilação dos judeus; todos, velhos e jovens, inválidos e capazes, passivos economicamente e ativos em potencial. Não havia como, portanto, os judeus se insinuarem na burocracia alemã da destruição, se fazerem úteis ou qualquer outra coisa desejável ou pelo menos tolerável. A guerra, em outras palavras, estava perdida para os judeus antes de começar. E no entanto, a cada fase dessa guerra havia decisões a tomar, passos a serem dados, propósitos a perseguir racionalmente. A cada dia havia uma ocasião e uma demanda de conduta racional. Foi porque o objetivo último da operação Holocausto desafiava todo cálculo racional que seu sucesso pôde ser construído a partir das ações racionais de suas vítimas em perspectiva. Muito antes de ser concebido o Holocausto, o talentoso mas infeliz K., o inspetor fundiário de Kafka em *O Castelo*, passou pela mesma experiência. Ele fracassou em sua luta solitária contra o Castelo não porque agisse de modo irracional, mas porque, ao contrário, saiu do seu natural para utilizar a razão em sua relação com um poder que — erroneamente suposto — responderia racionalmente a aberturas racionais; o que, de fato, não aconteceu.

Um dos episódios mais tristes, na breve e sangrenta história dos guetos, foi a campanha de salvamento pelo trabalho empreendida por iniciativa dos Conselhos Judeus em alguns dos maiores guetos da Europa oriental. O antissemitismo no Leste europeu, antes da guerra, acusava os judeus de parasitismo econômico; como comerciantes e intermediários todos eram, além do mais, improdutivos, constituindo no geral um grupo de que o resto da população prescindiria. Quando os invasores alemães fizeram desse caráter prescindível dos judeus um objetivo declarado do seu programa, passou a fazer sentido mais do que nunca buscar o contrário dessa intenção com provas tangíveis das utilidades dos judeus. As circunstâncias pareciam particularmente propícias para tal estratégia, uma vez que os alemães, com seus recursos esticados até o limite pela guerra, certamente deveriam acolher com simpatia qualquer bem ou força produtiva em que pudessem botar as mãos. Dificilmente se poderia acusar Chaim Rumkowski, o *Präses* do gueto de Lodz e de longe o mais veemente apóstolo da fé industrial, de reagir de modo irracional à ameaça alemã. Sem dúvida, ele subestimou a irracionalidade homicida dos alemães e superestimou sua inerente racionalidade metódica (ou, de maneira mais geral, o poder dos valores e princípios, que ostensivamente guiavam a forma organizada de mundo sob o ponto de vista da eficiência). É no entanto difícil ver o que mais ele poderia ter feito mesmo se tivesse consciência do seu equívoco. Tinha que se comportar como se os adversários fossem de fato agentes de atuação racional — não havia como decidir o próprio curso de ação individual sem fazer tal suposição. Em terra de cego, quem tinha um olho era rei. No mundo racional da moderna burocracia, o aventureiro irracional é o ditador.

E assim, de certa forma, Rumkowski comportou-se de acordo com a única forma de racionalidade que se lhe oferecia, por mais enganosa e traiçoeira que fosse. "Em inúmeras ocasiões, em todas as suas declarações públicas, tanto antes como durante os 'reassentamentos', ele repetiu incansavelmente que a existência física do gueto dependia unicamente do trabalho útil para os alemães e que em nenhuma circunstância, mesmo as mais trágicas, deveria o gueto dar essa justificativa para sua continuidade."[19] Rumkowski em Lodz, Ephraim Barash em Bialystok, Gens em Vilna e muitos outros falaram diversas vezes e com convicção, do impacto de seu trabalho diligente sobre a predisposição dos senhores alemães. Pareciam acreditar que, uma vez demonstradas a produtividade e a lucratividade da mão de obra judaica, comissões e subsídios alemães substituiriam as deportações e o assassinato aleatório; ou assim, pelo menos, falavam ou se esforçavam em acreditar. Nesse processo, não deram pequena contribuição ao esforço de guerra alemão. *Eles trabalharam para adiar a derrota final da mesmíssima força sinistra que jurava destruí-los.* Antes que a sinuosa estrada chegasse a Aushwitz, muitas pontes sobre o rio Kwai foram construídas por habilidosas e entusiasmadas mãos judias.

Os funcionários da burocracia alemã menos comprometidos ideologicamente ficavam de fato impressionados — por razões puramente pragmáticas, na verdade. Que os judeus fossem humanos com um lugar permanente no esquema das coisas não era coisa que lhes passava pela cabeça, mas certamente aceitavam que explorar o industrioso zelo judaico fazia mais sentido econômico (e militar) do que o extermínio de uma força de trabalho tão dedicada e disciplinada. Há evidência de que alguns comandantes militares no leste ficaram particularmente interessados em adiar o morticínio quando descobriram que a maioria dos artesãos locais, com habilidades indispensáveis para manter em funcionamento a máquina militar, era formada de judeus. Suas frias tentativas de defender o trabalho escravo judeu das metralhadoras dos *Einsatzgruppen* foram prontamente desautorizadas assim que descobertas pelas autoridades supremas, que sabiam que considerações racionais só eram admissíveis se, e na medida em que tornassem mais próximo o objetivo irracional. A resolução do Ministério dos Territórios Orientais Ocupados não deixava margem a argumentação: "Como questão de princípio, nenhum fator econômico deve ser levado em consideração na solução da questão judaica. Se algum problema surgir no futuro, deve-se pedir a orientação do mais alto chefe de polícia ou SS."[20] No geral, o trabalho "útil" iniciado pelo Conselho Judaico não parece ter salvo ninguém (embora tenha de fato prolongado a vida de alguns). Elogios prodigalizados por Rumkowski e Barash aos talentosos, entusiasmados e, portanto, "insubstituíveis" trabalhadores judeus não podiam mudar o fato sombrio de que eram judeus. Mesmo quando azeitavam a máquina de guerra germânica, os trabalhadores eram primeiro judeus e só depois "úteis". Em geral tarde demais.

O verdadeiro teste de racionalidade veio quando os *Judenräte* foram instruídos a cuidar do "reassentamento". Tendo mobilizado toda a sua força operacional para combater a crescente pressão russa, os nazistas mal podiam se permitir colocar os próprios soldados a serviço da Solução Final. Dessa vez aceitaram que precisavam de fato do trabalho judeu. Os *Judenräte* foram feitos responsáveis por todas as tarefas de preparação exigidas pelo morticínio. Tinham que fornecer listas detalhadas dos residentes nos guetos destinados à deportação. Tinham que selecioná-los primeiro. Depois tinham que enviá-los aos trens de carga. Caso a pessoa resistisse ou se escondesse, a polícia judia tinha que encontrar o rebelde e forçá-lo a obedecer. Idealmente, os nazistas limitariam seu próprio papel ao de observadores afastados.

Se era o caso de matar os judeus indiscriminadamente, de uma tacada, a escolha (ou melhor, a ausência de escolha) seria clara e inequívoca para todos. Um apelo à resistência geral, por menos esperança que oferecesse, seria a reação óbvia, uma vez que a única alternativa era "marchar como ovelhas para o matadouro". Do ponto de vista dos alemães, tal clareza aumentaria consideravelmente o custo da operação. Os alemães não seriam nesse caso capazes de usar o ímpeto racional das vítimas a serviço de sua própria destruição. Simplesmente, as vítimas não iriam cooperar. Utilizar a racionalidade das vítimas era uma solução bem mais racional. Portanto, sempre que possível, os nazistas tentavam evitar deportações totais. Pareciam preferir fazer a tarefa à prestação.

> Nas cidades em que o extermínio dos judeus foi feito a prestações, os alemães os tranquilizavam após cada "ação", garantindo-lhes que era a última... Toda essa conversa, toda essa fraude intencional a sangue frio, no processo da Solução Final foi usada pelos alemães para sossegar os judeus em pânico, diminuir seu

> estado de alerta e desorientá-los completamente, de forma que até o último minuto eles não tinham noção do que realmente significava "reassentamento". O instinto de sobrevivência, que leva as pessoas a resistirem ante a ideia da destruição iminente e a se apegarem a um fiapo de esperança, era aqui um joguete nas mãos dos executores.[21]

Em muitas cidadezinhas das regiões ocidentais da URSS, logo transformadas num inferno pelo exército invasor alemão, estratagemas complexos eram desnecessários. Segundo as instruções de Hitler às tropas, a guerra contra a URSS era diferente de qualquer outra — tudo era permitido, não havia regras. A Wehrmacht e particularmente os *Einsatzgruppen* agiam como se a única regra que ainda valia era *mate o máximo que puder*. Os judeus eram pastoreados até o bosque ou ravina mais próximos e abatidos a fogo de metralhadora. Não havia escassez de entusiásticos auxiliares ucranianos e nenhum escrúpulo entre soldados temperados pela "guerra diferente de todas". Só em alguns lugares onde a população judia era particularmente numerosa ou a necessidade de artesãos judeus, particularmente aguda, davam-se ao trabalho de estabelecer conselhos e criar uma polícia judaica — o que fora norma nos territórios poloneses conquistados anteriormente. Onde quer que se estabelecessem guetos, a colaboração judia na sua própria destruição era desejada e, em geral, obtida.

Num estágio relativamente inicial, os conselhos sabiam — ou pelo menos podiam, a não ser que se esforçassem muito para não saber — qual era o verdadeiro propósito das "seleções" que lhes mandavam fazer. Pouquíssimos membros dos conselhos se recusavam cabalmente a cooperar. Alguns cometiam suicídio, outros juntavam-se voluntariamente ao transporte para os campos de extermínio, muitas vezes tendo que enganar os alemães, que ainda precisavam dos conselheiros vivos. A maioria, no entanto, dava continuidade às sucessivas "ações finais". Estas não eram carentes de explicações racionais e convincentes para a sua conduta. Com a tradição judaica condenando a barganha da sobrevivência de alguns à custa de outros[22], as explicaçõs só podiam ser extraídas do folclore da era moderna, racional, e envoltas na linguagem da tecnologia moderna. Muito usado, como era de esperar, foi o jogo quantitativo: é melhor preservar a vida de muitos que a de poucos, matar menos é menos odioso que matar mais. *Sacrificar alguns para salvar muitos* — foi o refrão mais frequente e recorrente nas apologias gravadas dos líderes de conselhos judeus. Numa curiosa distorção mental, a condenação à morte era vista como nobre defesa da vida, moralmente recomendável. "Não decidimos quem vai morrer; apenas decidimos quem vai viver." Não bastava fazer o papel de Deus; muitos líderes de *Judenräte* queriam ser lembrados como benevolentes, como deuses protetores. E assim, tendo mandado milhares de velhos, doentes e crianças para a morte, Rumkowski declarou em 4 de setembro de 1942: "Não éramos... motivados pelo pensamento de quantos seriam perdidos, mas pela consideração dos muitos que poderiam ser salvos."[23] Outros apelaram às ricas metáforas da medicina moderna e se paramentaram de cirurgiões salva-vidas: "É necessário cortar uma perna para salvar o corpo" ou "se necessário, deve-se amputar um braço estragado para salvar a vida".

Tudo isso dito e as condenações à morte apresentadas como uma conquista louvável da moderna mente racional, combinada com o cálido coração judaico, uma questão continuava a importunar até o colaborador mais autocondescendente: se a amputação é inevitável, eu é que tenho de fazê-la? E de forma ainda mais obsessiva: uma vez que alguns devem morrer para que outros possam viver, quem sou eu para decidir quem deve ser sacrificado e por quem?

Há provas de que perguntas como essas atormentaram de fato muitos dos conselheiros e líderes judeus, mesmo aqueles (particularmente esses) que não se recusavam a servir e não procuravam escapar pelo suicídio. A despedida digna de Cherniakov em Varsóvia é bem conhecida; mas a lista de suicídios é extensa e o número de conselheiros judeus que traçaram a linha que seus padrões morais não lhes permitiam cruzar foi grande e ainda não está contado. Aqui estão apenas alguns exemplos ao acaso. Antes de cometer suicídio, o *Präses* dos *Judenräte* de Rowne, o dr. Bergman, disse aos alemães que só poderia mandar para "reassentamento" a ele mesmo e sua família. Motel Shajkin, de Kosow Poleski, rejeitou ironicamente a oferta do *Stadtkomissar* de poupá-lo. David Liberman, de Lukow, jogou na cara do supervisor alemão o dinheiro recebido em tentativa de suborno, depois de rasgá-lo em pedaços e gritar: "Aqui está o seu pagamento pela nossa viagem, tirano sangrento!" Foi morto ali mesmo. Confrontado com a ordem nazista de selecionar um contingente de judeus para o "trabalho na Rússia", todo o Conselho Judeu de Bereza Kartuska cometeu suicídio na reunião de 1º de setembro de 1942.

Quanto aos outros, covardes ou audaciosos demais para viver, precisavam desesperadamente de uma resposta, uma desculpa, uma justificativa, um argumento moral ou racional. Na maioria dos casos registrados, buscavam esta última, aparentemente a mais aceitável para o resto e a mais convincente. Após cada "ação" sucessiva, aqueles como Gens e Rumkowski sentiam a necessidade de convocar assembleias gerais dos prisioneiros restantes do gueto para explicar por que decidiram "fazê-lo nós mesmos". (No caso de Gens, "fazê-lo" significou mandar 400 velhos e crianças de Oszmania para o local de execução e ordenar a policiais judeus que os matassem.) A assembleia de prisioneiros, atordoada, era então submetida a uma exibição da mente racional, ao cálculo numérico. "Se deixássemos a tarefa aos alemães, muitos mais teriam morrido." Ou ainda de forma mais pessoal: "Se eu me recusasse a estar no comando, os alemães teriam colocado em meu lugar um homem muito mais cruel e sinistro, com consequências inimagináveis." O "ganho" racionalmente calculado era então refundido em obrigação moral: "Sim, é meu dever sujar minhas mãos", decidiu Gens, o Deus autonomeado dos judeus de Vilna, o matador que morreu convencido de que era o Salvador.

A estratégia do "salve-se quem puder" foi seguida até o último judeu ser enterrado numa vala ucraniana ou subir em fumaça por uma chaminé de Treblinka. Foi seguida por pessoas armadas de lógica e bem treinadas na arte do pensamento racional. A própria estratégia era um triunfo e uma última honraria de racionalidade. Havia sempre algo ou alguém para salvar e portanto havia sempre uma ocasião para ser racional. Conselheiros judeus lógicos e racionais se convenciam a fazer o trabalho dos assassinos. Sua lógica e racionalidade eram parte do plano dos assassinos. Era usada a cada vez que os esquadrões assassinos eram pequenos demais ou as armas mortíferas não imediatamente disponíveis. A lógica e a racionalidade estavam sempre disponíveis e, portanto, um bom suprimento de eficiente colaboração estava sempre lá, à espera, pronto para preencher o vazio. Era como se a velha sabedoria tivesse sido reformulada. Parecia que quando Deus queria destruir alguém, não o enlouquecia, tornava-o racional.

Como bem sabemos hoje, a estratégia do "salve-se quem puder" — racional como deve ter sido — não ajudou as vítimas. Mas, em primeiro lugar, não era uma estratégia das próprias vítimas. Era um adendo, uma extensão da estratégia de destruição, exercida e administrada por forças propensas ao extermínio. Aqueles que abraçaram a estratégia do "salve-se quem puder" foram primeiro marcados como vítimas. Aqueles que os marcaram como vítimas criaram uma situação na qual as coisas precisavam ser salvas para existir e assim era posto em operação o cálculo de "evitamento de perdas", "custos de sobrevivência", "mal menor". Em tal situação, a racionalidade das vítimas tornou-se a arma dos seus assassinos. Mas, afinal, *a racionalidade do governado é sempre uma arma dos governantes.*

Sabemos hoje que, apesar de todas essas verdades teóricas, os opressores encontraram surpreendentemente pouca dificuldade em solicitar a cumplicidade racionalmente motivada das vítimas.

Racionalidade da autopreservação

O sucesso dos opressores dependia da indução do cálculo racional das vítimas para sobreviver à possibilidade de se alcançar o objetivo que deveria originalmente servir; ao permitir às pessoas — pelo menos algumas e por algum tempo — agirem racionalmente num cenário reconhecidamente irracional. Isto, por sua vez, dependia de se destacarem enclaves de normalidade no contexto geral; e de se dividir um processo que, em última análise, levava à perdição em tantos estágios que, sempre que contemplados em separado, permitissem uma escolha guiada por critérios racionais de sobrevivência. Todos os atos singulares que no final se combinaram na *Endlösung* eram racionais do ponto de vista dos administradores do Holocausto; a maioria deles era também racional do ponto de vista das vítimas.

Para que esse efeito fosse alcançado, tinha que se criar a aparência de que a sobrevivência seletiva era um alvo factível a maior parte do tempo e que portanto a conduta ditada pelo interesse na autopreservação era tanto racional como sensível. Uma vez escolhida a autopreservação como supremo critério de ação, seu preço podia ser gradualmente mas incessantemente aumentado — até que todas as outras considerações fossem desvalorizadas, todas as inibições morais ou religiosas rompidas, todos os escrúpulos rejeitados e desautorizados. Como admitiu, atormentado, Resvö Kasztner: "No início, eram pedidas coisas relativamente sem importância [ao Conselho Judaico], coisas substituíveis, de valor material, como bens pessoais, dinheiro, apartamentos. Depois, no entanto, pediram a liberdade pessoal dos seres humanos. Por fim, os nazistas pediram a própria vida."[24] A inerente indiferença moral aos princípios da racionalidade foi assim levada ao extremo e explorada ao máximo. O potencial, sempre presente em atores treinados a buscar o ganho racional mas adormecido enquanto não exposto ao teste extremo, atingiu ali o seu auge. Num clarão estonteante, a racionalidade da autopreservação revelou-se como inimiga do dever moral.

Segundo uma testemunha ocular, no domingo de Páscoa de 1942, o *Amtskomissar* de Sokoly ordenou ao *Judenrat* local que despachasse para a cidade todos os homens aptos. Quando, na hora marcada, o *Präses* relatou o fracasso dos seus esforços,

> O *Amtskomissar* ficou furioso, cortando-lhe a palavra e golpeando sua cabeça e seu rosto. Abriu com um piparote seu relógio de bolso e gritou: '*Im Verlaufe einer halben Stunde sollen alle hier versammelt sein! Sonst wird der Judenrat bald erschossen!*" ["Dentro de meia hora todos devem estar reunidos aqui! Do contrário, o Conselho Judeu será imediatamente fuzilado!"] Isso deu um novo choque no conselho. De repente, eles se transformaram em outros homens. Todos os doze conselheiros, com seus assessores e ajudantes, saíram correndo pelas ruas da *shtetl*, indo de casa em casa e arrastando todo mundo para fora, adultos e crianças. Ninguém conseguia pará-los. Então colocaram todo mundo em filas. Se algum "falso doente" não aparecesse, disseram, aquele Asmodeu executaria todo o conselho! Em quinze minutos, a rua estava coalhada de gente e o *Judenrat* guiou-a em fila dupla.[25]

Cenas como essa se repetiam com terrível regularidade por todo o vasto domínio nazista sobre a Europa. Conselheiros e policiais judeus eram confrontados com uma simples escolha: ou morriam ou deixavam que outros morressem. Muitos preferiram adiar a própria morte e a morte de parentes e amigos. Brincar de Deus ficava mais fácil em função do interesse próprio.

É impossível dizer quantos dos que escolheram "sujar as mãos" esperavam de fato sobreviver. A opção entre a vida e a morte coloca o instinto de sobrevivência sob prova extrema. É injusto e errado julgar o comportamento humano nas condições dessa escolha, em comparação com o padrão de decisões muito menos dramáticas e decisivas da vida cotidiana, onde os conflitos entre o interesse pessoal e a responsabilidade pelos outros são muitas vezes agudos, mas muito raramente de caráter final ou exigindo uma escolha irreversível. A maioria dos conflitos comuns, além disso, é enfrentada isoladamente, num meio em que a maioria das outras pessoas não precisa tomar decisões de caráter moral comparável — e por isso a visibilidade dos padrões morais permanece forte. Esse ambiente foi eficientemente destruído nos guetos durante a destruição organizada. O que quer que restasse da autoridade das obrigações morais sobre o interesse pessoal racional era "defasado", na passagem por sucessivos círculos do inferno. O procedimento normal de toda burocracia — tornar a obediência mais segura de obter pela desvalorização de todas as pressões contrárias, inclusive as morais — foi aqui levado ao extremo e revelou todo o seu potencial. A colaboração das vítimas com os objetivos dos seus perseguidores tornou-se mais fácil com a corrupção moral das vítimas. Confrontando-as com escolhas das quais os "mais aptos", que sobreviviam, só podiam sair com as mãos sujas, os planejadores garantiam que, com o tempo, a população do gueto se tornava mais e mais cúmplice dos assassinatos, com isso aumentando a insensibilidade e dureza morais — em detrimento, e possivelmente extinção, de todos os freios que normalmente contêm a pressão do puro instinto de sobrevivência.

Marek Edelman, um dos líderes e dos poucos combatentes que sobreviveram da revolta no gueto de Varsóvia, registrou logo após o fim da guerra suas lembranças da "sociedade do gueto":

> A separação completa, a proibição da imprensa de fora, o corte de toda comunicação com o mundo exterior tinha também seu propósito e efeito especial sobre a população judaica. Tudo que acontecia do outro lado dos muros foi ficando cada vez mais distante, obscuro, alheio. O que contava, em vez disso, era o que acontecia hoje, na vizinhança imediata; esses eram os assuntos mais importantes, nos quais se concentrava toda a atenção do residente médio do gueto. Continuar vivo tornou-se a única coisa importante — essa "vida" que cada um interpreta à sua maneira, dependendo das suas condições e recursos. Confortável para pessoas ricas antes da guerra, ostentatória e exuberante para colaboradores degenerados da Gestapo ou contrabandistas desmoralizados, a vida significava fome para a incontável massa de trabalhadores e desempregados, que sobreviviam com sopa aguada dos serviços de caridade e pão racionado. Nesse tipo de "vida", todo mundo se agarra obsessivamente aos seus próprios padrões. As pessoas de dinheiro veem o propósito da vida nos confortos e prazeres cotidianos, que buscam nos barulhentos e sempre cheios cafés, clubes noturnos, salões de baile. As pessoas que nada têm caçam a esquiva "felicidade" que há numa batata mofada encontrada numa lata de lixo ou num pedaço de pão jogando na mão mendicante por um transeunte; elas querem esquecer a fome, pelo menos por um breve momento... Mas a

> fome aumenta dia a dia, transborda de apartamentos entupidos de gente para as ruas, fere os olhos com a imagem de corpos monstruosamente esquálidos, pernas cobertas de pústulas e úlceras enroladas em trapos imundos, com chagas e feridas causadas pelo frio e a subnutrição. A fome fala pelos lábios de crianças pedintes e velhos desamparados... A pobreza é tão esmagadora que as pessoas morrem de fome nas ruas. Todo dia, entre 4 e 5 da manhã, os agentes funerários recolhem dezenas de cadáveres cobertos com folhas de jornal presas com pedras. Alguns caem nas ruas, outros morrem dentro de casa, mas as famílias os deixam nus (para vender as roupas) e os joga na calçada para que o Conselho Judeu pague o enterro. Uma após outra, carroças puxadas por cavalos cruzam as ruas, cheias até a borda com corpos desnudos... Ao mesmo tempo, o tifo grassa no gueto... todas as enfermarias de hospital são abarrotadas, cada uma com 150 doentes; dois, às vezes três, dividem uma cama, mas ainda há muitos deitados no chão. Para os moribundos as pessoas olham com impaciência; para os outros, falta espaço... Quinhentos cadáveres são amontoados em cada vala e ainda centenas ficam sem enterrar, por isso o cemitério tem um fedor nauseante, doentio... Nessa trágica condição de vida dos judeus os nazistas alemães tentam introduzir uma aparência de ordem e autoridade. Desde o primeiro dia, o poder é oficialmente exercido pelo Conselho Judeu. Para manter a ordem, foi criada uma polícia judia uniformizada... Essas instituições, que visam dar à vida do gueto um verniz de normalidade, tornaram-se na verdade fonte de alta corrupção e desmoralização.[26]

No gueto, a distância entre as classes era a distância entre a vida e a morte. Simplesmente manter-se vivo significava fechar os olhos à destituição e agonia das outras pessoas. Os pobres morriam primeiro e em levas. Da mesma forma, os sem talento, os mansos, os ingênuos, os honestos, os sem iniciativa. Desde o primeiro dia, com massas de pessoas entulhadas num espaço que comportaria não mais que um terço do seu número, com rações de comida calculadas para produzir a decadência física e espiritual, com fontes de renda virtualmente inexistentes, as epidemias grassando e os remédios em falta, a vida no gueto virava um jogo sem gols onde a sobrevivência era o prêmio mais cobiçado, o único prêmio que realmente contava. Raramente foi tão alto o preço da compaixão. Raramente a simples preocupação com a sobrevivência esteve tão perto da corrupção moral.

As diferenças de classe, atrozes — horríveis quando estavam em jogo o pão e o abrigo — adquiriam um caráter mortífero assim que começava a luta pelo adiamento da execução. A essa altura, os pobres estavam por demais enfraquecidos e emasculados para resistir ou defender de qualquer forma as suas vidas. "Durante as operações de limpeza do gueto, muitas famílias eram incapazes de lutar, incapazes de implorar, incapazes de fugir e também incapazes de seguir até o ponto de concentração para acabar logo com aquilo. Esperavam as batidas policiais em casa, paralisados e indefesos."[27] Os ricos e os não muito pobres buscavam se superar em tentativas (em geral infrutíferas) para conseguir os poucos passes de saída que os nazistas sempre tinham o cuidado de jogar no meio da multidão apavorada. Poucos se lembravam de que o sucesso de um só podia significar a perdição de outro. Fortunas eram oferecidas, e aceitas, pelas mágicas placas numéricas que livravam seus portadores da "ação" que se processava. Protetores influentes eram procurados de modo febril e subornados. Wladyslaw Szlengel, o inesquecível bardo do gueto de Varsóvia, deixou a atormentada descrição da "ação" que teve lugar em 19 de janeiro de 1943:

> Assédio aos telefones. Socorro! Socorro! Socorro! Acionar os chefes da Gestapo. Ligar para o pátio ferroviário: os trens chegaram? O sr. Szmerling se encontra? Senhor, meu... foi levado! Sr. Skosowski! Socorro! Qualquer quantia! Cem mil! O que for preciso! Darei meio milhão por vinte pessoas! Por dez pessoas! Por uma!
>
> Os judeus têm dinheiro! Os judeus podem mexer os seus pauzinhos! Os judeus não podem fazer nada!...
>
> Sabemos como eles fizeram suas monstruosas fortunas — e como agora rastejam pelo chão em busca de água, como oferecem seus milhões aos ucranianos, como partem levando somas de dinheiro com as quais poderiam manter vivos durante meses essas centenas reunidas na estação...
>
> O gado adornado com placas numéricas sai em debandada. Umas poucas criaturas sem placas aguardam, indefesas, entre as ruínas...
>
> Cresce o tesouro do Reich.
>
> Os judeus estão morrendo.[28]

Quanto mais subia o preço da vida, mais desabava o preço da traição. Uma compulsão irresistível de viver punha de lado os escrúpulos morais e, com eles, a dignidade humana. No meio da luta generalizada pela sobrevivência, o valor da autopreservação era entronizado como incontestável legitimação da escolha. Tudo que servia à autopreservação era certo. Quando o que estava em jogo era a viagem final, todos os meios para evitá-la se justificavam. É verdade que os nazistas agora pediam aos *Ältestenräte* que prestassem serviços incomparavelmente mais abomináveis que antes. Mas o jogo também havia mudado — tanto o preço quanto as recompensas da obediência tinham subido. E assim, mais comumente que não, os serviços continuaram a ser prestados. Na barganha por mais um dia de vida, um emprego no Conselho Judeu ou na polícia judia valia mais que dinheiro ou diamantes.

Não que o dinheiro e os diamantes fossem desprezados. Inúmeros relatos dos sobreviventes contam uma história triste e desoladora de suborno e chantagem desenfreados, de extorsão e trapaça, que se tornaram a marca de muitos *Judenräte* ou pelo menos de muitos indivíduos participando de seu terrível poder para separar a vida da morte. Grandes somas de dinheiro e heranças familiares eram pedidas e pagas pelos serviços de muitos conselheiros, fosse um privilégio oficial ou um falso cartão de identidade. Particularmente cobiçado era um quarto em prédios especiais reservados para os membros dos conselhos e da polícia e seus parentes imediatos; tais edifícios eram supostamente imunes à atenção das SS e livres das sucessivas *Aktionen*. Com o aprofundamento do jogo e do desespero, qualquer migalha de privilégio podia, no entanto, alcançar um preço exorbitante que só os mais ricos sobreviventes da comunidade condenada podiam pagar.

Esse comportamento dos *Judenräte* refletia a corrupção generalizada da população vitimada. A opressão, que aumentava a racionalidade da autopreservação e sistematicamente desvalorizava as considerações morais, conseguia de fato desumanizar as vítimas. Ela atuava como uma profecia que se cumpre. Primeiro os judeus foram declarados imorais e inescrupulosos, egoístas e avarentos detratores dos valores, que usavam o culto ostensivo do humanismo como uma capa conveniente para encobrir o mais cru interesse próprio; foram então forçados a viver numa condição desumana, em que a definição oferecida pela propaganda podia tornar-se verdadeira. Os câmeras do ministério de Goebbels passavam dias inteiros filmando os mendigos morrendo de fome em frente a restaurantes luxuosos.

A corrupção tem a sua lógica. Avançava por estágios e cada passo tornava o seguinte mais fácil de dar. Começava assim:

> O vice-presidente do conselho de Siedlce imediatamente melhorou o seu padrão de vida... O fato de que grandes somas de dinheiro caíram de repente em suas mãos e que outras oportunidades também cruzaram o seu caminho simplesmente virou a sua cabeça. Ele acreditava que tinha poderes ilimitados e tirava vantagem de sua posição, lucrando com a miséria geral. Ficava com a parte do leão de vastas somas de dinheiro e joias a ele confiadas para guardar e pagar aos alemães quando necessário, na hora da emergência. Ele vivia no conforto...

Prosseguia assim:

> [O vice-presidente do conselho de Zawiercie] durante o "reassentamento" de agosto de 1943, quando recebeu notícias de que todos os judeus, exceto um pequeno grupo de trabalhadores especializados, seriam deportados para Auschwitz (e já se sabia o que *isso* significava), reuniu 40 membros de sua própria família e colocou os nomes deles na lista de trabalhadores especializados.

Para terminar assim:

> [No gueto de Skalat] *Obersturmbannführer* Müller fez um acordo com os representantes do conselho e o *Kommandant* de polícia do gueto, dr. Joseph Brif, para tomarem parte ativa na "ação", declarando solenemente que eles e suas famílias seriam salvos... Após a sangrenta ação... um bando de SS foi ao Conselho Judeu e se divertiu. Um banquete os esperava... O pessoal do bufê ocupava-se do serviço em torno das mesas ricamente enfeitadas, tentando servilmente agradar os convidados. Houve risos alegres, música, e os convidados se exibiram, cantaram, felizes. Isso no momento em que 2.000 pessoas eram trancadas dentro da sinagoga, quase sufocadas pela falta de ar, e outras eram mantidas no campo junto à linha do trem, no frio.[29]

E, aliás, não ficou nisso. O trem chamado "autopreservação" só parou na estação de Treblinka.

Conclusão

Se tivessem uma chance, nenhum dos conselheiros ou policiais judeus tomaria o trem da autodestruição. Nenhum ajudaria a matar outras pessoas. Nenhum mergulharia na corrupção da "orgia em tempo de praga". Mas não tinham essa escolha. Ou melhor, as alternativas de escolha não foram estabelecidas por eles. A maioria — incluindo os extremamente corruptos e inescrupulosos — aplicava a razão e a capacidade de julgar racionalmente às escolhas que eram colocadas à sua frente. O que a experiência do Holocausto revelou em todas as suas terríveis consequências foi uma distinção entre uma racionalidade do ator (um fenômeno psicológico) e a racionalidade da ação (medida por suas consequências objetivas para o ator). A razão é um bom guia para o comportamento individual somente em ocasiões nas quais as duas racionalidades repercutem e coincidem. De outra forma, torna-se uma arma suicida, que destrói seu próprio propósito, nocauteando no processo as inibições morais — seu único freio e salvador em potencial.

A coincidência das duas racionalidades — a do ator e a da ação — não depende do ator. Depende do cenário da ação, que por sua vez depende de apostas e recursos, nenhum dos quais controlado pelo ator. Apostas e recursos são manipulados por aqueles que verdadeiramente controlam a situação, que são capazes de tornar algumas escolhas difíceis demais para seus governados fazerem com frequência, enquanto garantem a frequente e maciça seleção de opções, que aproximam mais os seus objetivos e reforçam o controle que exercem. Essa capacidade não muda, quer os objetivos dos governantes sejam benéficos ou prejudiciais aos interesses dos governados. *Em condições de poder acentuadamente simétricas, a racionalidade do governado é, para dizer o mínimo, uma bênção duvidosa.* Pode trabalhar a seu favor, mas pode também destruí-los.

Considerado uma complexa operação com um fim, o Holocausto pode servir de paradigma da moderna racionalidade burocrática. Quase tudo foi feito para alcançar o máximo resultado com o mínimo de esforço e custos. Quase tudo (no reino do possível) foi feito para usar as habilidades e recursos de todo mundo envolvido, incluindo aqueles que se tornariam as vítimas da operação bem sucedida. Quase todas as pressões irrelevantes ou adversas ao propósito da operação foram neutralizadas ou colocadas inteiramente fora de ação. Com efeito, a história da organização do Holocausto podia se transformar num livro didático de administração científica — não fosse a condenação moral e política do seu propósito, imposta ao mundo pela derrota militar dos seus executores. Não faltariam acadêmicos de nome competindo para pesquisar e generalizar sua experiência, em benefício de uma avançada organização dos negócios humanos.

Do ponto de vista das vítimas, o Holocausto contém lições diferentes. Uma das mais cruciais é a discordante insuficiência da racionalidade como única medida da eficiência organizacional. Essa lição ainda tem que ser absorvida plenamente pelos cientistas sociais. Enquanto isso não ocorrer, teremos que continuar a pesquisar e generalizar o tremendo avanço na eficiência da ação humana, atingido graças à eliminação de critérios qualitativos, incluindo as normas morais — raramente pensando nas consequências.

Escrito originalmente para o *Festschrift*, em homenagem ao professor Bronislau Baczko.

6
A ética da obediência (lendo Milgram)

Ainda não plenamente recuperado da chocante realidade do Holocausto, Dwight Macdonald alertou em 1945 que agora devemos temer mais a pessoa obediente às leis do que aquela que as desobedece.

O Holocausto fez minguar todas as imagens lembradas ou herdadas do mal. Com isso, inverteu todas as explicações estabelecidas dos feitos maléficos. De repente ficou claro que o mais terrível dos males de que se tinha memória não resultou de uma ruptura da ordem, mas de um impecável, indiscutível e inatacável império da ordem. Não foi obra de uma turba ruidosa e descontrolada, mas de homens uniformizados, obedientes e disciplinados, cumpridores das normas e meticulosos no espírito e na letra de suas instruções. Bem cedo se soube que esses homens, sempre que estavam à paisana, não eram de modo algum maus. Portavam-se de forma bem parecida à de todos nós. Tinham esposas que amavam, filhos que paparicavam, amigos que ajudavam e consolovam no infortúnio. Parecia inacreditável que, uma vez uniformizadas, essas mesmas pessoas fuzilassem, asfixiassem com gás ou presidissem ao fuzilamento e asfixia de outras milhares de pessoas, inclusive mulheres que eram esposas amadas de outros homens e bebês que eram filhos queridos de alguém. Era não só inacreditável, mas aterrador. Como é que pessoas comuns, como eu ou você, podiam fazer aquilo? Com certeza, de alguma forma, ainda que por uma pequenina diferença, elas devem ter sido diferentes, pessoas especiais, *diversas* de nós, não? Certamente devem ter escapado ao impacto enobrecedor, humanizante, de nossa sociedade civilizada, iluminada. Ou, quem sabe, podem ter sido estragadas, corrompidas, submetidas a alguma combinação infeliz e viciosa de fatores educacionais, que resultaram numa personalidade falha, doentia. Provar que todas essas suposições estavam erradas não seria bem acolhido não apenas porque isso desmontaria a ilusão de segurança pessoal que a vida numa sociedade civilizada promete. Seria mal recebido também por uma razão muito mais significativa: porque exibiria a irredimível ineficácia de toda autoimagem moralmente virtuosa e de toda consciência tranquila. A partir de agora, toda consciência só podia ficar tranquila até segunda ordem.

A notícia mais assustadora trazida pelo Holocausto e pelo que soubemos acerca dos seus executores não foi a probabilidade de que "isso" pudesse acontecer a nós, mas a ideia de que nós poderíamos perpetrá-lo. Stanley Milgram, psicólogo americano da Universidade Yale, suportou o impacto desse terror quando inadvertidamente realizou um teste empírico de suposições baseadas em anseios emocionais e decidiu não dar atenção às evidências; mais inadvertidamente ainda, publicou os resultados em 1974. As descobertas de Milgram foram de fato inequívocas: sim, nós poderíamos fazê-lo e ainda podemos, dependendo das condições.

Não era fácil conviver com essas descobertas. Claro, a opinião culta desceu uma pancadaria sobre a pesquisa de Milgram. Suas técnicas foram investigadas microscopicamente, postas de lado, consideradas errôneas, mesmo desonrosas, infamantes, e rejeitadas. A qualquer preço e por todos os meios, respeitáveis e menos respeitáveis, o mundo acadêmico tentou desacreditar e repudiar as descobertas, que encontravam terror onde deveriam ver complacência e paz de espírito. Poucos episódios na história da ciência revelam mais plenamente a realidade da busca, supostamente desvaloradora, do conhecimento e dos motivos, supostamente desinteressados, da curiosidade científica. "Estou convencido", disse Milgram em resposta às críticas, "que grande parte dessa reprovação, quer as pessoas saibam ou não, decorre dos resultados da experiência. Se todos tivessem desistido com um pequeno choque ou um choque moderado" (isto é, antes que o seguimento das ordens do pesquisador começasse a significar dor e sofrimento para as pessoas consideradas vítimas), "teria sido uma descoberta bastante tranquilizadora e quem iria protestar?"[1] Milgram estava certo, claro. E ainda está. Passaram-se anos desde a experiência pioneira, mas suas descobertas, que deveriam ter levado a uma completa revisão das nossas opiniões sobre os mecanismos do comportamento humano, continuam sendo referidas na maioria dos cursos de sociologia como uma espantosa curiosidade mas não muito esclarecedora, uma curiosidade que não afeta o corpo central do pensamento sociológico. Se tais descobertas não podem ser negadas, podem pelo menos ser desprezadas, postas à margem.

Velhos hábitos mentais demoram a morrer. Logo depois da guerra, um grupo de acadêmicos liderados por Adorno publicou *A personalidade autoritária*, livro que se tornaria um modelo para a teoria e pesquisa durante anos. Particularmente importante nesse livro não eram suas proposições específicas — quase todas praticamente foram depois questionadas e rejeitadas — mas a maneira como situa o problema e a estratégia de pesquisa daí resultante. Essa última contribuição de Adorno e seus associados, imune ao teste empírico mas ecoando confortavelmente os desejos subconscientes do público culto, mostrou-se muito mais resistente. Como sugere o título do livro, os autores buscavam uma explicação para o regime nazista e as atrocidades decorrentes de um tipo especial de personalidade, aquela inclinada à obediência em relação ao mais forte e à arrogância inescrupulosa e muitas vezes cruel em relação ao mais fraco. O triunfo dos nazistas deve ter sido resultado de um acúmulo incomum de tais personalidades. Por que isso ocorreu, os autores não explicaram nem quiseram explicar. Cautelosamente evitaram a investigação de todos os fatores supra ou extraindividuais que poderiam produzir personalidades autoritárias; nem se preocuparam com a possibilidade de que tais fatores possam induzir o *comportamento* autoritário em pessoas de outra forma destituídas de *personalidade* autoritária. Para Adorno e seus colegas, o nazismo era cruel porque os nazistas eram cruéis; e os nazistas eram cruéis porque pessoas cruéis tendem a se tornar nazistas. Como admitiu um dos integrantes do grupo vários anos depois, "*A personalidade autoritária* destacava meramente os determinantes de personalidade para o fascismo em potencial e o etnocentrismo, não levando em conta influências sociais contemporâneas."[2] A maneira pela qual Adorno e sua equipe formularam o problema foi importante não tanto pelo modo como a culpa era atribuída, mas pela forma abrupta com que absolvia todo o resto da humanidade. A visão de Adorno dividia o mundo em protonazistas de nascença e suas vítimas. Suprimia o triste e sombrio conhecimento de que muitas pessoas gentis podem se tornar cruéis se tiverem uma chance. Bania a suspeita de que mesmo as vítimas podem perder boa parte de sua humanidade no caminho para a perdição — proibição tácita que levou aos limites do absurdo o retrato do Holocausto na televisão americana.

Foram essa tradição acadêmica e essa opinião pública, ambas profundamente arraigadas, alta e mutuamente reforçadas, que a pesquisa de Milgram desafiou. Uma raiva e inquietação particulares foram causadas por sua hipótese de que a crueldade não é cometida por indivíduos cruéis, mas por homens e mulheres comuns tentando desempenhar bem suas tarefas ordinárias; e por sua descoberta de que *a crueldade relaciona-se apenas secundariamente às características individuais dos que a cometem, mas de maneira muito forte mesmo à relação de autoridade e subordinação*, com nossa estrutura normal e cotidiana de poder e obediência. A pessoa que, com convicção interior, se gaba de roubar, matar e atacar pode se ver cometendo tais atos com relativa facilidade sob o comando de uma autoridade. Ato impensável num indivíduo que age por conta própria pode ser executado sem hesitação quando levado a efeito sob ordens.[3] Pode ser verdade que alguns indivíduos sejam impelidos por si mesmos à crueldade, por suas próprias inclinações pessoais, inteiramente espontâneas. O mais certo, porém, é que traços pessoais não os impeçam de cometer atos de crueldade quando o contexto interativo em que se encontram os impele a isso.

Lembremos que o único caso em que tradicionalmente, segundo Le Bon, costumávamos admitir isso como possível (quer dizer, a execução de atos indecentes por pessoas de outra forma decentes) era uma situação na qual padrões normais, civilizados e racionais de interação humana fossem rompidos: uma multidão reunida pelo ódio ou o pânico; o encontro casual de dois estrangeiros, ambos retirados de seu contexto normal e por um tempo suspensos num vazio social; uma praça apinhada de gente, na qual gritos de pânico substituem o comando e o estouro da boiada, em vez da autoridade, decide o caminho a seguir. Costumávamos pensar que o impensável só pode acontecer quando as pessoas param de pensar: quando a tampa da racionalidade é tirada do caldeirão de paixões humanas pré-sociais e incivilizadas. As descobertas de Milgram também colocam de cabeça para baixo aquela imagem bem mais velha do mundo segundo a qual a humanidade está completamente do lado da ordem racional, enquanto a desumanidade confina-se inteiramente às ocasionais rupturas dessa ordem.

Em suma, Milgram sugeriu e provou que *a desumanidade é uma questão de relacionamentos sociais. Na mesma proporção em que estas são racionalizadas e tecnicamente aperfeiçoadas, também o são a capacidade e a eficiência de produção social da desumanidade.*

Pode parecer óbvio. Mas não é. Antes das experiências de Milgram, poucas pessoas, profissionais e leigos igualmente, previam o que ele estava para descobrir. Virtualmente todos os adultos comuns do sexo masculino da classe média e todos os psicólogos competentes e respeitados aos quais Milgram perguntou quais deveriam ser os prováveis resultados da pesquisa manifestaram-se confiantes de que 100 por cento dos sujeitos se recusariam a cooperar à medida que aumentasse a crueldade das ações que fossem instados a praticar e desistiriam de participar em algum ponto bem inicial da experiência. Na verdade, a proporção de pessoas que efetivamente retirou sua concordância em participar caiu, em circunstâncias adequadas, a apenas 30 por cento. A intensidade dos supostos choques elétricos que estavam dispostas a aplicar era até três vezes maior do que poderiam imaginar os especialistas e o público leigo.

A desumanidade como função de distância social

Talvez a mais extraordinária descoberta de Milgram foi *a da razão inversa entre a disposição para a crueldade e a proximidade da vítima.* É difícil alarmar uma pessoa que a gente toca. É um tanto mais fácil infligir dor a uma pessoa que vemos apenas a certa distância. É ainda mais fácil no caso de uma pessoa que apenas ouvimos. É bem fácil ser cruel com uma pessoa que nem vemos nem ouvimos.

Se alarmar uma pessoa envolve o contato corporal direto, o executor do ato de crueldade tem negado o conforto de não ver a ligação causal entre a sua ação e o sofrimento da vítima. A ligação causal é nua e crua, óbvia, e assim também a responsabilidade pela dor. Quando os sujeitos das experiências de Milgram eram instados a pressionar a mão da vítima no prato através do qual era supostamente aplicado o choque elétrico, apenas 30 por cento continuavam a obedecer o comando até o fim da experiência. Quando, em vez de agarrar a mão da vítima, pediam que apenas manipulasse as alavancas do painel de controle, a proporção de obedientes subia para 40 por cento. Quando as vítimas eram escondidas atrás de uma parede, de modo que apenas os seus gritos de agonia eram ouvidos, o número de pessoas dispostas a "levar a coisa até o fim" pulava para 62,5 por cento. Desligar o som dos gritos não elevava muito essa porcentagem — apenas ia a 65 por cento. Parece que sentimos mais pela visão. Quanto maior a distância física e psíquica da vítima, mais fácil era ser cruel. A conclusão de Milgram é simples e convincente:

> Qualquer força ou evento, colocado entre o sujeito e as consequências de submeter a vítima ao choque levará a uma redução da tensão do participante e portanto diminuirá sua obediência. Na sociedade moderna, outras [forças e eventos] muitas vezes se colocam entre nós e o ato destrutivo final para o qual contribuímos.[4]

Com efeito, mediar a ação, dividi-la em estágios delineados e separados pela hierarquia da autoridade e recortá-la em especializações funcionais é uma das conquistas mais salientes e orgulhosamente propagandeadas da nossa sociedade racional. O significado da descoberta de Milgram é que, imanente e irrecuperavelmente, o processo de racionalização facilita o comportamento desumano e cruel nas suas consequências, quando não nas intenções. *Quanto mais racional a oganização da ação, mais fácil se torna produzir sofrimento* — e ficar em paz consigo mesmo.

A razão pela qual a separação da vítima torna a crueldade mais fácil parece psicologicamente óbvia: o executor é poupado da agonia de testemunhar o resultado de seus atos. Pode até mesmo se deixar crer que nada realmente desastroso aconteceu, com isso aplacando o peso da consciência. Mas esta não é a única explicação. De novo, as razões não são apenas físicas. Como tudo o que de fato explica a conduta humana, essas razões são sociais.

> Colocar a vítima em outro quarto não apenas a leva para mais longe do sujeito; também torna sujeito e pesquisador relativamente mais próximos. Há uma incipiente função de grupo entre pesquisador e sujeito da pesquisa, da qual a vítima é excluída. Na condição de afastamento, a vítima é realmente uma pessoa fora da situação, sozinha física e psicologicamente.[5]

A solidão da vítima não é apenas uma questão de separação física. É uma função da conjunção dos seus atormentadores e da sua exclusão dessa conjunção. A proximidade física e a contínua colaboração (mesmo em um período relativamente curto — ninguém foi submetido aí a experiência de mais de uma hora) tende a resultar num sentimento de grupo, completado com as mútuas obrigações e solidariedade que ele normalmente produz. Este sentimento de grupo é produzido pela ação conjunta, particularmente pela complementaridade das ações individuais — quando o resultado é evidentemente alcançado pelo esforço partilhado. Nas experiências de Milgram, a ação unia o sujeito com o pesquisador e simultaneamente separava os dois da vítima. Em nenhuma ocasião a vítima desfrutava do papel de ator, agente ou sujeito. Ao contrário, era sempre mantida na extremidade receptiva. Inequivocamente, era transformada em *objeto*; e, como sucede aos objetos da ação, não importava muito se era humana ou inanimada. Assim, a solidão da vítima e a conjunção dos seus atormentadores condicionavam-se e validavam-se mutuamente.

O efeito da distância física e puramente psíquica é, portanto, ainda mais aumentado pela natureza coletiva da ação prejudicial. Pode-se adivinhar que mesmo se ganhos óbvios na economia e eficiência da ação produzidos por sua organização e administração racionais não forem levados em conta, o simples fato de que o opressor é membro de um grupo deve ser visto como um tremendo fator a facilitar os atos de crueldade. É possível que parte considerável da insensível eficiência burocrática se possa atribuir a fatores outros que não o objetivo racional da divisão do trabalho ou cadeia de comando: ao hábil e não necessariamente deliberado ou planejado recurso à tendência natural de formação de grupo para ação cooperativa, tendência sempre combinada com a delimitação de fronteiras e a exclusão de forasteiros. Pela autoridade para recrutar seus integrantes e definir seus objetivos, a organização burocrática é capaz de controlar as consequências dessa tendência e assegurar que levem a um abismo ainda mais profundo e intransponível entre os atores (isto é, membros da organização) e os objetos da ação. Isso torna tanto mais fácil a transformação dos atores em opressores e dos objetos em vítimas.

Cumplicidade com as próprias atitudes

Todo mundo que já entrou sem querer num atoleiro sabe muito bem que se safar da enrascada é difícil muito mais porque todo esforço para sair resulta em afundar ainda mais na lama. Pode-se mesmo definir o brejo como um engenhoso sistema de tal forma construído que, por mais que se mexam os objetos nele imersos, seus movimentos só aumentam o "poder de sucção" do sistema.

Ações sequenciais parecem possuir a mesma qualidade. O grau em que o ator se acha fadado a perpetuar a ação e em que optar é difícil tende a aumentar a cada estágio. Os primeiros passos são fáceis e requerem pouco tormento moral, se é que algum. Os passos seguintes são cada vez mais desencorajadores. Por fim, dar esses passos se torna insuportável. No entanto, o custo da retirada também já subiu a essa altura. Assim, a ânsia de desistir é fraca quando os obstáculos à retirada são também fracos ou inexistentes. Quando o desejo aumenta, os obstáculos que encontra são a cada estágio fortes o bastante para equilibrá-lo. Quando o ator é esmagado pelo desejo de sair, é em geral tarde demais para fazê-lo. Milgram listou a *ação sequencial* entre os principais "fatores constringentes" (isto é, fatores que encerram o sujeito na sua situação). É tentador atribuir a força desse fator específico ao *impacto determinante das próprias ações passadas do sujeito.*

Sabini e Silver deram uma descrição brilhante e convincente de seu mecanismo.

> Os sujeitos da pesquisa entram na experiência reconhecendo alguns compromissos de cooperar com o pesquisador; afinal, concordaram em participar, pegaram seu dinheiro e provavelmente até certo ponto endossam o objetivo do progresso da ciência. (Os sujeitos da pesquisa de Milgram ficavam sabendo que participariam de um estudo que visava a descobrir formas de tornar mais eficiente o aprendizado.) Quando aquele que aprende comete seu primeiro erro, os sujeitos da pesquisa são instados a lhe dar um choque. Um choque de 15 volts. Trata-se de choque absolutamente inofensivo, imperceptível. Não há nenhuma questão moral até aqui. Claro, o choque seguinte é mais forte, mas só um pouquinho. Com efeito, cada choque é apenas um pouquinho mais forte que o anterior. A qualidade da ação do sujeito da pesquisa muda de algo inteiramente inocente para algo inescrupuloso, mas por etapas. Onde exatamente deve parar o sujeito da experiência? Em que ponto se cruza o limite entre esses dois tipos de ação? Como é que o sujeito da pesquisa vai saber? É fácil de ver que deve haver um limite; mas não é tão fácil ver onde ele está.

O fator mais importante no processo, no entanto, parece ser o seguinte:

> Se o sujeito da experiência decide que dar o próximo choque não é permissível, então, uma vez que ele é (em cada caso) apenas ligeiramente mais forte que o anterior, qual seria a justificação para ter dado o último choque que deu? Negar a propriedade do passo que está a ponto de dar é minar a propriedade do passo que acabou de dar, e isso mina a própria posição moral do sujeito. Ele é pego nessa armadilha por seu gradual compromisso com a experiência.[6]

No curso de uma ação sequencial, o ator se torna escravo de suas próprias ações passadas. Essa imposição parece bem mais forte que outros fatores constringentes. Pode com certeza durar mais que os fatores que no início da sequência pareciam muito mais importantes e desempenhavam um papel verdadeiramente decisivo. Em particular, a má vontade em reavaliar (e condenar) a própria conduta passada da pessoa continuará sendo um poderoso — e cada vez mais poderoso — estímulo para arrastar o passo, muito depois do compromisso original à "causa" ter praticamente desaparecido. Suaves e imperceptíveis passagens entre os estágios atraem o ator para uma armadilha; a armadilha é a impossibilidade de abandonar a experiência sem rever e rejeitar a avaliação dos próprios feitos como corretos ou pelo menos inocentes. A armadilha, em outras palavras, é um paradoxo: *não é possível se limpar sem se sujar*. Esconder a sujeira equivale a sujar-se para sempre na lama.

Tal paradoxo deve ser um fator instigador por trás do conhecido fenômeno da solidariedade dos cúmplices. Nada liga mais uma pessoa a outra que a responsabilidade comum por um ato que reconhecem como criminoso. Em termos de senso comum, explicamos esse tipo de solidariedade pelo desejo natural de escapar à punição; as análises dos teóricos do jogo para o famoso "dilema do prisioneiro" também nos ensina que (contanto que ninguém confunda as apostas) assumir que o resto da equipe permanecerá solidária é a decisão mais racional que cada um dos seus membros pode tomar. Podemos porém imaginar até que ponto a solidariedade dos cúmplices é produzida e reforçada pelo fato de que apenas os membros da equipe originalmente engajados na ação sequencial vão provavelmente conspirar para desfazer o paradoxo e por consenso oferecer alguma credibilidade à crença na legitimidade da ação passada, apesar da crescente evidência em contrário. Sugiro, portanto, que outro "fator constringente", chamado por Milgram *obrigações situacionais*, seja, em larga medida, um derivativo do primeiro, *o paradoxo da ação sequencial*.

Tecnologia moralizada

Um dos aspectos mais notáveis do sistema burocrático de autoridade é, no entanto, a probabilidade decrescente de que a singularidade moral da ação da pessoa seja jamais descoberta e, uma vez descoberta, se torne um penoso dilema moral. Numa burocracia, as preocupações morais do funcionário são afastadas do enfoque na situação angustiosa dos objetos da ação. São forçosamente desviados em outra direção — a tarefa a realizar e a excelência com a qual é realizada. Não importa tanto como passam e se sentem os objetos da ação. Importa, no entanto, o nível de esperteza e eficiência com que o ator executa o que seus superiores ordenaram que executasse. E, quanto a isto, os superiores são a autoridade natural mais competente. Tal circunstância reforça ainda mais o aperto com que os superiores prendem seus subordinados. Além de dar ordens e punir a insubordinação, eles também fazem julgamentos morais — os únicos julgamentos morais que contam para a autoavaliação do indivíduo.

Os comentadores repetidas vezes acentuaram que os resultados das experiências de Milgram podem ter sido influenciados pela convicção de que a ação era exigida no interesse da *ciência* — sem dúvida uma alta autoridade, raramente contestada e em geral moralmente respeitada. O que não é assinalado, porém, é que, mais do que qualquer outra autoridade, a ciência é autorizada pela opinião pública a praticar o princípio, de outra forma eticamente odioso, de que os fins justificam os meios. A ciência é o mais completo exemplo da dissociação entre meios e fins, que é o ideal de organização racional da conduta humana: os fins é que são submetidos a avaliação moral, não os meios. Às expressões de agonia moral os cientistas continuaram respondendo com uma fórmula branda, rotineira e insípida: "O tecido não sofrerá nenhum dano permanente." A maioria dos participantes limitava-se a aceitar alegremente esse consolo e preferia não pensar nas possibilidades que a fórmula deixava em aberto (mais notoriamente, a virtude moral do dano temporário ao tecido, ou simplesmente da agonia da dor). O que importava para eles era a tranquilidade de supor que alguém "de cima" tinha avaliado o que era e o que não era eticamente aceitável.

Dentro do sistema burocrático de autoridade, a linguagem da moralidade adquire um novo vocabulário. Está repleta de conceitos como lealdade, dever, disciplina — todos apontando para os superiores como supremo objeto de preocupação moral e, simultaneamente, a máxima autoridade moral. Todos, de fato, convergem: lealdade significa cumprimento do dever tal como definido pelo código disciplinar. Como convergem e se reforçam mutuamente, crescem em poder como preceitos morais, ao ponto de poderem invalidar e pôr de lado todas as outras considerações morais — acima de tudo, questões éticas estranhas às preocupações autorreprodutivas do sistema de autoridade.

Eles se apropriam de, monopolizam e atrelam ao interesse da burocracia todos os meios sociopsíquicos usuais de autorregulação moral. Como coloca Milgram, "o subordinado sente vergonha ou orgulho dependendo de quão adequadamente desempenhou as ações exigidas pela autoridade... O superego vai de uma avaliação da bondade ou maldade dos atos para um balanço de como está funcionando o indivíduo, bem ou mal, no sistema de autoridade."[7]

O que segue é que, ao contrário de uma interpretação bem difundida, um sistema burocrático de autoridade não milita contra as normas morais como tais e não as coloca de lado como sendo essencialmente pressões irracionais de ordem afetiva que contradizem a fria racionalidade de uma ação verdadeiramente eficiente. Em vez disso, utiliza-as — ou melhor, as reutiliza. *O duplo feito da burocracia é a moralização da tecnologia combinada com a negação do significado moral de todas as questões não técnicas.* É a tecnologia da ação, não de sua substância, que é submetida a avaliação como boa ou má, própria ou imprópria, certa ou errada. A consciência do ator manda que interprete bem e o leva a medir sua própria virtude pela precisão com a qual obedece às regras e sua dedicação à tarefa tal como definida pelos superiores. O que acuava a outra consciência, "antiquada", nos sujeitos das experiências de Milgram e efetivamente continha seu impulso de desistir era a *consciência substituta*, construída pelas experiências com apelos aos "interesses da pesquisa" e avisos sobre as perdas que sua interrupção antes da hora acarretaria. No caso das experiências de Milgram, a consciência substituta era construída rapidamente (nenhuma experiência individual durava mais de uma hora) e no entanto se mostrou espantosamente eficiente.

Praticamente não se discute que a substituição da moralidade da substância pela moralidade da tecnologia ficou muito mais fácil com a oscilação entre a proximidade do sujeito em relação aos alvos da ação e sua proximidade em relação à fonte de autoridade dessa ação. Com espantosa consistência, as experiências de Milgram evidenciaram a positiva dependência entre a efetividade da substituição e a distância (técnica, mais do que física) do sujeito em relação aos efeitos últimos de suas ações. Uma experiência, por exemplo, mostrou que, quando "não se mandava o sujeito puxar o gatilho que dava choque na vítima, mas executar apenas um ato secundário... antes que outro sujeito desse efetivamente o choque... 37 de um total de 40 adultos... continuaram até o nível mais alto de choque" (assinalado no painel de controle com as palavras "muito perigoso — XX"). Milgram concluiu como sendo psicologicamente fácil ignorar a responsabilidade quando se é apenas um elo intermediário numa cadeia de ação maléfica, distante das consequências finais da ação.[8] Para um elo intermediário na cadeia de uma ação maléfica, suas próprias operações parecem técnicas, por assim dizer, no início e no fim. O efeito imediato da sua ação é encetar outra tarefa técnica — fazer algo com o aparelho elétrico ou com a folha de papel na mesa. A ligação causal entre a sua ação e o sofrimento da vítima é diluída e pode ser ignorada com relativamente pouco esforço. Assim, o "dever" e a "disciplina" não enfrentam sério competidor.

Responsabilidade flutuante

O sistema de autoridade nas experiências de Milgram era simples e tinha poucas camadas. A fonte de autoridade do sujeito — o pesquisador — era o dirigente máximo do sistema, embora o sujeito pudesse não ter consciência disso (do seu ponto de vista, o próprio pesquisador atuava como um intermediário; seu poder era delegado pela autoridade mais alta, genérica e impessoal da "ciência" ou "pesquisa"). A simplicidade da situação experimental resultou na franqueza das descobertas. Ficava claro que o sujeito investia o pesquisador da autoridade por sua ação; e a autoridade de fato residia nas ordens do pesquisador — autoridade final, aquela que não precisava do endosso ou autorização de pessoas situadas mais acima na hierarquia de poder. O foco, portanto, era sobre a disposição do sujeito da experiência em renunciar a sua própria responsabilidade pelo que havia feito e particularmente pelo que estava para fazer. Para essa disposição era decisivo o ato de dotar o pesquisador do direito de pedir ao sujeito coisas que este não faria por iniciativa própria, mesmo coisas que ele preferiria absolutamente não fazer. Talvez esse ato resultasse da suposição de que, por alguma lógica obscura, desconhecida do e insondável para o sujeito, as coisas que o pesquisador lhe pedia para executar eram certas, mesmo que parecessem erradas para o leigo; talvez essa lógica não se traduzisse em qualquer pensamento, uma vez que a vontade da pessoa autorizada não precisava de legitimação aos olhos do sujeito: o direito de comandar e o dever de obedecer eram suficientes. O que sabemos com certeza, graças a Milgram, é que os sujeitos dessas experiências continuaram a cometer atos que reconheciam como cruéis unicamente porque recebiam ordens para fazê-lo, ordens de uma autoridade que aceitavam e que investiam da responsabilidade última por suas ações. Esses estudos confirmam um fato essencial: o fator decisivo é a resposta à autoridade, mais do que a resposta à ordem específica de dar o choque. Ordens que não partem da autoridade perdem toda a força... Não é o que os sujeitos fazem mas para quem fazem que importa.[9] As experiências de Milgram revelaram o mecanismo de *transferência da responsabilidade* na sua forma mais pura, simples e elementar.

Uma vez transferida a responsabilidade pela concordância do autor com o direito do superior comandar, o ator é lançado em um *estado de agente*[10] — condição na qual vê a si mesmo cumprindo a vontade de outra pessoa. O estado de agente é o oposto do estado autônomo. (Como tal, é virtualmente sinônimo de *heteronomia*, embora carregue além disso a implicação de autodefinição do ator, e situa as fontes externas do comportamento do ator — as forças por trás do seu *direcionamento pelo outro* — precisamente num ponto específico de uma hierarquia institucionalizada.) No estado de agente, o ator está inteiramente sintonizado à situação tal como definida e monitorada pela autoridade superior: essa definição da situação inclui a descrição do ator como agente da autoridade.

A transferência de responsabilidade é, no entanto, de fato um ato elementar, uma unidade singular ou simples tijolo num processo complexo. É um fenômeno que tem lugar no espaço estreito que vai entre um e outro membro do sistema de autoridade, entre um ator e seu superior imediato. Por causa da simplicidade de sua estrutura, as experiências de Milgram não podiam investigar consequências ulteriores dessa transferência de responsabilidade. Em particular, tendo intencionalmente enfocado o microscópio sobre células básicas de organismos complexos, não podiam colocar questões que diziam respeito ao organismo, tais como saber a que deverá se assemelhar a organização burocrática uma vez a transferência de responsabilidade se processe continuamente e em todos os níveis da hierarquia.

Podemos supor que o efeito geral de tal contínua transferência de responsabilidade seria uma *responsabilidade flutuante*, situação na qual cada um e todos os membros da organização estão convencidos, e assim o diriam caso indagados, de que estão sob as ordens de outra pessoa, mas as pessoas apontadas pelas outras como responsáveis passariam o bastão a uma terceira. Pode-se dizer que *a organização como um todo é um instrumento para eliminar responsabilidade.* Os laços causais em ações coordenadas são mascarados e o próprio fato de serem mascarados é um fator superpoderoso de sua eficácia. A perpetuação coletiva de atos cruéis fica bem mais fácil pelo fato de que a responsabilidade é essencialmente "inatribuível", enquanto cada participante desses atos está convencido de que ela compete a alguma "autoridade específica". Isso significa que furtar-se à responsabilidade não é apenas um estratagema *a posteriori* usado como conveniente excusa no caso de acusações de imoralidade ou, pior ainda, de ilegitimidade de uma ação; a responsabilidade flutuante, móvel, é a própria condição dos atos imorais ou ilegítimos que têm lugar com a participação obediente ou mesmo voluntária de pessoas normalmente incapazes de romper as regras da moralidade convencional. A responsabilidade flutuante significa na prática que a autoridade moral, como tal, ficou incapacitada, sem ter sido abertamente desafiada ou negada.

Pluralismo do poder e poder da consciência

Como em todas as experiências, os estudos de Milgram foram conduzidos num ambiente artificial, propositalmente planejado, que diferia em dois aspectos importantes do contexto da vida cotidiana. Primeiro, a ligação dos sujeitos com a "organização" (a equipe de pesquisa e a universidade que integrava) foi breve e *ad hoc* e de antemão se sabia que seria assim; os sujeitos foram contratados por uma hora e por uma hora apenas. Segundo, na maioria das experiências os sujeitos eram confrontados com apenas um superior, alguém que agia como verdadeiro modelo de honestidade e consistência, de modo a fazer os sujeitos da pesquisa perceberem os poderes que autorizavam sua conduta como monolíticos e absolutamente seguros do propósito e significado da sua ação. Nenhuma das duas condições é encontrada com frequência na vida normal. É preciso considerar, portanto, se e em que medida elas podem ter influenciado o comportamento dos sujeitos de maneira não esperada em circunstâncias normais.

Começando com o primeiro ponto: o impacto da autoridade demonstrado de forma tão convincente por Milgram seria, quando nada, ainda mais profundo se os sujeitos estivessem convencidos da permanência de sua ligação com a organização representada pela autoridade ou pelo menos convencidos de que a chance dessa permanência era real. Fatores adicionais, ausentes das experiências por razões óbvias, entrariam então em jogo: fatores como a solidariedade e o sentimento de dever recíproco do tipo "não posso falhar com ele", que costumam se desenvolver entre os membros de uma equipe que trabalha junto resolvendo problemas comuns por um longo período, a *difusa reciprocidade* (serviços espontaneamente oferecidos a outros membros do grupo, que se espera, ainda que de forma meio inconsciente, sejam "retribuídos" em algum momento não especificado no futuro, ou que simplesmente resultem numa boa disposição do colega ou superior, a qual igualmente possa ser de alguma utilidade não especificada no futuro) e, o mais importante de tudo, a rotina (sequência comportamental inteiramente costumeira que torna o cálculo e a escolha redundantes e que faz, portanto, os padrões estabelecidos de ação praticamente incontestáveis mesmo na ausência de qualquer outro reforço). Parece muito provável que estes e outros fatores semelhantes revigorem as tendências observadas por Milgram: essas tendências decorrem da exposição a uma autoridade legítima e os fatores acima relacionados certamente reforçam essa legitimidade, que só podem aumentar num período de tempo longo o bastante para permitir que se desenvolva uma tradição e surjam variados padrões informais de troca entre os membros da equipe.

O segundo desvio das condições normais deve ter, no entanto, influenciado as observadas reações à autoridade de uma forma que não é de se esperar na vida cotidiana. Nas condições artificiais cuidadosamente controladas por Milgram, havia uma fonte de autoridade, e apenas uma, e nenhum outro quadro de referência de igual estatura (ou mesmo, simplesmente, outra opinião autônoma) com a qual o sujeito poderia confrontar o comando de modo a colocar sua validade em uma espécie de teste objetivo. Milgram estava plenamente consciente da possibilidade de distorção que devia permitir tal caráter artificialmente monolítico de autoridade. Para revelar a extensão da distorção, acrescentou ao projeto uma série de experiências nas quais os sujeitos eram confrontados com mais de um pesquisador e os pesquisadores eram instruídos a discordar abertamente e a discutir sobre o comando. O resultado foi realmente abalador: a obediência servil observada em todas as demais experiências desapareceu sem deixar vestígio. Os sujeitos já não estavam dispostos a envolver-se em ações que não lhes agradavam; sem dúvida não seriam levados a infligir sofrimento a vítimas, mesmo desconhecidas. De vinte sujeitos dessa experiência extra, um desistiu antes de começar a encenada discordância entre dois pesquisadores, dezoito recusaram-se a continuar colaborando ao primeiro sinal de discordância e um desistiu apenas um estágio adiante. "Fica claro que o desacordo entre as autoridades paralisou completamente a ação."[11]

O significado de correção não oferece ambiguidade: *a disposição de agir contra a própria opinião e contra a própria consciência não é função apenas do comando autoritário, mas resultado da exposição a uma fonte clara, inequívoca e monolítica de autoridade.* É muito provável que tal disposição apareça dentro de uma organização que não suporta oposição e não tolera qualquer autonomia, na qual a hierarquia linear de subordinação não conhece exceção: uma organização na qual dois membros não têm nunca o mesmo poder. (A maioria dos exércitos, institutos penais, partidos e movimentos totalitários, algumas seitas e internatos chegam perto desse modelo ideal.) Tal organização, no entanto, será provavelmente eficaz numa das duas condições. Pode isolar rigidamente seus membros do resto da sociedade, tendo assegurado ou usurpado um controle indisputado sobre as atividades e necessidades vitais da maioria ou totalidade deles (assim aproximando-se do modelo de *instituição total* de Goffman), de modo que a possível influência de fontes competitivas de autoridade é eliminada. Ou pode simplesmente ser um dos ramos do Estado totalitário ou quase totalitário, que transforma todas as suas agências em cópias umas das outras.

Como coloca Milgram, só quando se tem ... uma autoridade que ... opera num campo livre sem nenhuma pressão contrária além dos protestos da vítima é que se consegue a resposta mais pura à autoridade. Na vida real, claro, somos confrontados com grande número de pressões contrárias que se anulam mutuamente.[12] O que Milgram deve ter querido dizer com "vida real" era a vida numa sociedade democrática e fora de uma instituição total: mais precisamente ainda, a vida nas condições do pluralismo. Uma conclusão bastante notável do conjunto de suas experiências é que *o pluralismo é o melhor medicamento preventivo contra pessoas moralmente normais envolvendo-se em ações moralmente anormais.* Os nazistas tiveram primeiro que destruir todo vestígio de pluralismo político para deslanchar projetos como o do Holocausto, no qual a esperada disposição das pessoas comuns para ações desumanas e imorais tinha que ser calculada entre os recursos necessários — e disponíveis. Na URSS, a sistemática destruição dos reais ou supostos adversários do sistema ficou de fato séria somente depois de ter sido extirpado todo resíduo de autonomia social e, portanto, do pluralismo político que a refletia. Se o pluralismo não for eliminado em escala societária global, organizações com propósitos criminosos, que precisam assegurar uma persistente obediência de seus membros na execução de atos evidentemente imorais, ficam obrigadas à tarefa de erguer rígidas barreiras para isolar seus membros da influência "deliquescente" da diversidade de padrões e opiniões. *A voz da consciência moral individual é melhor ouvida no tumulto da discórdia política e social.*

A natureza social do mal

A maioria das conclusões decorrentes das experiências de Milgram pode ser vista como variações de um tema central: a crueldade relaciona-se a certos padrões de interação social de maneira muito mais íntima que às características de personalidade ou outras idiossincrasias individuais dos seus executores. A crueldade é social na origem, muito mais que fruto do caráter. Sem dúvida alguns indivíduos tendem a ser cruéis se colocados num contexto que enfraquece as pressões morais e legitima a desumanidade.

Se restou alguma dúvida a esse respeito depois de Milgram, provavelmente vai sumir após um exame detido das descobertas de outra experiência, esta de Philip Zimbardo.[13] A partir dessa experiência, mesmo o fator potencialmente perturbador da autoridade de uma instituição universalmente reverenciada (a ciência), incorporada na pessoa do pesquisador, foi eliminado. Na experiência de Zimbardo não havia nenhuma autoridade estabelecida externa pronta a tirar a responsabilidade dos ombros do sujeito da pesquisa. Toda autoridade que em última análise operou no seu contexto experimental foi gerada pelos próprios sujeitos. A única coisa que Zimbardo fez foi desencadear o processo ao dividir os sujeitos em posições dentro de um padrão codificado de interação.

Na experiência de Zimbardo (planejada para durar quinze dias, mas interrompida após uma semana por medo de dano irreparável ao corpo e à mente dos sujeitos), os voluntários foram divididos ao acaso em prisioneiros e guardas de prisão. Ambos os lados receberam os atavios simbólicos de sua posição. Os prisioneiros, por exemplo, usavam bonés apertados que simulavam cabeças raspadas e luvas que lhes davam uma aparência ridícula. Os guardas usavam uniformes e óculos escuros que impediam os prisioneiros de olhar dentro dos seus olhos. Nenhum dos lados podia dirigir-se ao outro por nomes individuais, a regra era uma estrita impessoalidade. Havia uma longa lista de pequenas regras invariavelmente humilhantes para os prisioneiros, que os privavam de toda dignidade humana. Esse foi o ponto de partida. O que seguiu ultrapassou e deixou bem para trás o engenho dos planejadores. A iniciativa do guardas (jovens do sexo masculino e idade universitária escolhidos ao acaso, peneirados cuidadosamente para evitar qualquer sinal de anormalidade) não conheceu limites. Uma autêntica "cadeia cismogenética", hipótese outrora formulada por Gregory Bateson, pôs-se em movimento. A construída superioridade dos guardas redundou na submissão dos prisioneiros, o que por sua vez tentava os guardas a exibir mais o seu poder, o que então se refletia, como era de esperar, em mais auto-humilhação dos prisioneiros... Os guardas forçavam os prisioneiros a cantar canções obscenas, a defecar em baldes que não permitiam fossem esvaziados, a limpar privadas com as mãos nuas; e, quanto mais faziam isso, mais agiam como se estivessem convencidos da natureza não humana dos prisioneiros e menos se sentiam constrangidos em inventar e administrar medidas de um grau ainda mais estarrecedor de desumanidade.

A súbita transfiguração de simpáticos e decentes rapazes americanos em quase monstros do tipo supostamente encontrado apenas em lugares como Auschwitz ou Treblinka foi terrível. Mas também desconcertante. Isso levou alguns observadores a supor que na maioria das pessoas, se não em todas, vive um pequeno SS esperando para vir à tona (Amitai Erzioni sugeriu que Milgram teria descoberto o "Eichmann latente" escondido no homem comum).[14] John Steiner cunhou o conceito de *efeito adormecido* para denotar a capacidade normalmente apagada mas por vezes despertada de ser cruel.

> O efeito adormecido refere-se à característica latente de personalidade de indivíduos propensos à violência, tais como autocratas, tiranos ou terroristas, quando as adequadas relações se estabelecem sob sete chaves. O adormecido é então despertado do estágio normativo de seu padrão de comportamento e as características inativas da personalidade propensa à violência são ativadas. De alguma forma, todas as pessoas estão adormecidas, na medida em que possuem um potencial violento que pode ser desencadeado sob condições específicas.[15]

E no entanto a orgia de crueldade que surpreendeu Zimbardo e colegas resultou, clara e inequivocamente, de um vicioso arranjo social e não do vício dos participantes. Se os sujeitos da experiência recebessem os papéis opostos, trocados, o resultado final não seria diferente. O que importava era a existência de uma polaridade e não quem se situava nos seus respectivos pólos. *O que importava mesmo era que algumas pessoas receberam um poder total, exclusivo e imoderado sobre algumas outras.* Se há um fator adormecido em cada um de nós, pode continuar assim para sempre se tal situação não ocorrer. Nesse caso jamais saberíamos da sua existência.

O ponto mais pungente, parece, é a facilidade com que a maioria das pessoas se encaixa no papel que requer crueldade ou pelo menos cegueira moral — bastando que esse papel tenha sido devidamente fortalecido e legitimado por uma autoridade superior. Devido à surpreendente frequência com que ocorre esse "encaixe no papel" em todas as experiências conhecidas, o conceito de efeito adormecido parece não ser mais que uma muleta metafísica. Realmente não precisamos dele para explicar a conversão em massa à crueldade. O conceito, no entanto, aplica-se com propriedade àqueles casos relativamente raros em que indivíduos encontraram força e coragem para *resistir* ao comando da autoridade e se recusar a executá-lo por acharem que é contrário a suas próprias convicções. Algumas pessoas comuns, normalmente cumpridoras da lei, despretensiosas, nada rebeldes nem aventureiras, resistiram àqueles no poder e, sem pensar nas consequências, deram prioridade à sua própria consciência — bem parecidas com aquelas poucas pessoas, esparsas, agindo sozinhas, que desafiaram o poder onipotente e inescrupuloso e arriscaram as próprias vidas para tentar salvar as vítimas do Holocausto. Seria vão procurar os "determinantes" sociais, políticos ou religiosos de sua singularidade. Sua consciência moral, adormecida na ausência de uma oportunidade para a militância mas então despertada, era realmente seu único bem e atributo pessoal — ao contrário da imoralidade, que tinha que ser socialmente produzida.

Sua capacidade para resistir ao mal foi um elemento "adormecido" a maior parte de suas vidas. Poderia ter permanecido assim para sempre, caso em que não saberíamos de sua existência. Mas *essa* ignorância seria uma boa notícia.

7
Para uma teoria sociológica da moralidade

Proponho agora considerar em detalhe o problema surgido no fim do último capítulo: o da natureza social do mal — ou, mais precisamente, o problema da produção social do comportamento desumano. Alguns dos seus aspectos (por exemplo, os mecanismos responsáveis pela produção da indiferença moral ou, de forma mais geral, pela deslegitimação dos preceitos morais) foram ligeiramente abordados em capítulos anteriores. Devido ao papel central que desempenhou na execução do Holocausto, nenhuma análise desse problema pode se pretender completa a não ser que inclua uma investigação mais meticulosa da relação entre sociedade e comportamento moral. A necessidade de tal investigação é ainda mais reforçada pelo fato de que as teorias sociológicas disponíveis sobre os fenômenos morais mostram-se, a exame mais detalhado, mal preparadas para um balanço satisfatório da experiência do Holocausto. O propósito deste capítulo é fornecer algumas lições e conclusões cruciais dessa experiência que uma adequada teoria sociológica da moralidade, livre das fraquezas atuais, teria que levar em conta. Uma perspectiva mais ambiciosa, para a qual este capítulo dará apenas alguns passos preliminares, é a construção de uma teoria da moralidade capaz de acomodar plenamente o novo conhecimento gerado pelo estudo do Holocausto. Seja qual for o progresso que possamos fazer nessa direção, será um resumo adequado dos vários temas de análise desenvolvidos neste livro.

Na ordem de coisas construída pelo discurso sociológico, o status da moralidade é estranho e ambíguo. Pouco se fez para melhorá-lo, uma vez que a situação da moralidade é vista como tendo poucas consequências para o progresso do discurso sociológico e, assim, as questões do comportamento moral e da opção moral foram situadas aí em uma posição marginal e recebem, em conformidade, uma atenção apenas marginal. A maioria dos relatos sociológicos passa sem referência à moralidade. Nisso, o discurso sociológico segue o padrão da ciência em geral, que nos seus primeiros anos alcançou independência face ao pensamento religioso e mágico ao elaborar uma linguagem que podia produzir relatos completos sem jamais recorrer a noções como propósito ou vontade. *A ciência é de fato um jogo de linguagem com uma regra que proíbe o uso de vocabulário teleológico.* Não usar termos teleológicos não é condição suficiente para que uma sentença pertença ao discurso científico, mas é sem dúvida uma condição necessária.

Na medida em que a sociologia lutava para conformar-se às regras do discurso científico, a moralidade e fenômenos correlatos participavam desconfortavelmente do universo social gerado, teorizado e pesquisado pelas descrições sociológicas dominantes. Os sociólogos concentraram por isso sua atenção na tarefa de simular a distinção qualitativa dos fenômenos morais ou acomodá-los numa classe de fenômenos que podem ser descritos sem recurso à linguagem teleológica. Entre eles, as duas tarefas e os esforços que impunham levaram à negação de uma forma independente de existência das normas morais; se de algum modo reconhecida como fator isolado da realidade social, à moralidade se atribuiu uma condição secundária e derivativa, que em princípio deveria torná-la explicável por referência a fenômenos não morais — isto é, fenômenos plena e inequivocamente receptivos a tratamento não teleológico. Com efeito, a própria ideia da abordagem especificamente sociológica do estudo da moralidade virou sinônimo da estratégia da, por assim dizer, *redução sociológica*, uma estratégia que procede pela suposição de que os fenômenos morais na sua totalidade podem ser exaustivamente explicados em termos das instituições não morais que lhes conferiram sua força indutora.

A sociedade como fábrica de moralidade

A estratégia da explicação social causal das normas morais (isto é, de conceber a moralidade como, em princípio, dedutível das condições sociais e produzida por processos sociais) remonta pelo menos a Montesquieu. Suas sugestões de que, por exemplo, a poligamia resulta seja de um excesso de mulheres ou de um envelhecimento particularmente precoce das mulheres em certas condições climáticas podem ser citadas hoje nos livros de história sobretudo para ilustrar, por contraste, o progresso feito pela ciência social desde seus primórdios; e, no entanto, o modelo de explicação exemplificado pelas hipóteses de Montesquieu permaneceria no geral inquestionado ainda por longo tempo. Tornou-se senso comum na ciência social, raramente desafiado, que a própria persistência de uma norma moral é testemunho da presença de uma necessidade coletiva que ela vem atender; e que, consequentemente, todo estudo científico da moralidade deve tentar revelar tais necessidades e reconstruir os mecanismos sociais que — pela imposição de normas — garantem sua satisfação.

Com a aceitação dessa suposição teórica e da estratégia interpretativa correlata, o que seguiu foi sobretudo raciocínio circular, melhor talvez expresso por Kluckhohn, que insistiu que a norma ou costume moral não existiria se não fosse funcional (isto é, útil para a satisfação de necessidades ou para domar tendências de comportamento de outro modo destrutivas — como, por exemplo, a redução da ansiedade e a canalização da agressividade inata através da magia navajo); e que o desaparecimento de uma necessidade que havia originado e sustentado a norma logo levaria ao desaparecimento da própria norma. Qualquer falha da norma moral em servir ao seu objetivo específico (isto é, sua incapacidade de dar conta de forma adequada da necessidade original) teria resultados similares. Esta prática do estudo científico da moralidade foi codificada da forma mais explícita por Malinowski, que ressaltou a instrumentalidade essencial da moralidade, sua condição subordinada em relação a "necessidades humanas essenciais", como comida, segurança ou proteção face a um clima inclemente.

Confrontado com o problema, Durkheim (cujo tratamento dos fenômenos morais virou cânone do saber sociológico e virtualmente definiu o significado da abordagem especificamente sociológica do estudo da moralidade) rejeitou o apelo para relacionar normas a necessidades; afinal, ele criticava duramente a visão aceita de que as normas morais obrigatórias numa sociedade específica devem ter alcançado sua obrigatoriedade através do processo de análise e opção conscientes (quanto mais racionais). Em aparente oposição ao senso comum etnográfico da época, Durkheim insistiu que a essência da moralidade deveria ser buscada precisamente na força obrigatória que ela exibe, mais que na sua correspondência racional com as necessidades que os membros da sociedade procuram satisfazer; uma norma é uma norma não porque foi selecionada por sua adequação à tarefa de promover e defender os interesses dos membros, mas porque os membros — através do aprendizado ou das consequências mais amargas da transgressão — se convencem de sua forçosa presença. A crítica de Durkheim às interpretações correntes dos fenômenos morais não se voltava, no entanto, contra o princípio da "explicação racional" como tal. Menos ainda pretendia minar a prática do reducionismo sociológico. Desse ponto de vista, a divergência de Durkheim face à prática interpretativa estabelecida representava não mais que um desentendimento de família. O que parecia ser expressão de discordância radical esfriou, afinal, com a transferência de ênfase das necessidades individuais para as *sociais*; ou melhor, para uma suprema necessidade, agora considerada prioritária dentre todas, quer afirmada em relação a indivíduos, quer a grupos: *a necessidade de integração social.* Qualquer sistema moral destina-se a servir à contínua existência e à preservação da identidade da sociedade que apoia sua força indutora através da socialização e das sanções punitivas. A persistência da sociedade é alcançada e sustentada pela imposição de restrições sobre as predileções naturais (associais, pressociais) dos membros da sociedade: forçando-os a agir de uma forma que não contradiga a necessidade de manter a unidade societária.

Quando nada, a revisão de Durkheim tornou o raciocínio sociológico sobre a moralidade mais circular do que nunca. Se o único fundamento existencial da moralidade é a vontade da sociedade e sua única função permitir que a sociedade sobreviva, então a própria questão da avaliação substantiva de sistemas morais específicos é efetivamente removida da agenda sociológica. De fato, com a integração social reconhecida como único quadro de referência dentro do qual pode-se fazer a avaliação, não há como comparar e avaliar diferencialmente vários sistemas morais. A necessidade que cada sistema serve surge dentro da sociedade na qual está aninhada e o que importa é que deve haver um sistema moral em cada sociedade, e não a substância das normas morais que esta ou aquela sociedade vem a impor para manter sua unidade. *En gros*, diria Durkheim, cada sociedade tem a moralidade que precisa. E a necessidade social sendo a única substância da moralidade, todos os sistemas morais são iguais unicamente pelo fato de que podem ser legitimamente — objetivamente, cientificamente — medidos e avaliados: na sua utilidade para a satisfação daquela necessidade.

Mas o tratamento de Durkheim para a moralidade não se limitou a uma reafirmação imperiosa da velha visão das normas morais como produtos sociais. Talvez a mais formidável influência de Durkheim sobre a prática da ciência social tenha sido a concepção da sociedade como sendo, no essencial, uma força ativamente moralizadora: "O homem é um ser moral apenas porque vive em sociedade." "A moralidade, em todas as suas formas, nunca é encontrada a não ser em sociedade." "O indivíduo submete-se à sociedade e essa submissão é a condição de sua libertação. Pois a liberdade do homem consiste na libertação face às forças físicas cegas, irracionais; ele a alcança opondo a estas a grande força inteligente da sociedade, sob cuja proteção se abriga. Colocando-se sob a asa da sociedade, ele se torna também, em certa medida, dependente dela. Mas trata-se de uma dependência libertadora; não há contradição nisso." Estas e outras frases memoráveis de Durkheim refletem até hoje na prática sociológica. Toda moralidade vem da sociedade; não há vida moral fora da sociedade; a sociedade é melhor entendida como uma fábrica produtora de moralidade; a sociedade promove o comportamento moralmente regulado e marginaliza, suprime ou impede a imoralidade. A alternativa ao aperto moral da sociedade não é a autonomia humana, mas a regra das paixões animais. Justamente porque os impulsos pré-sociais do animal humano são egoístas, cruéis e ameaçadores é que devem ser domados e subjugados se é que a vida social deva ser mantida. Tirem a coerção social e os seres humanos recuarão à barbárie da qual foram apenas precariamente afastados pela força da sociedade.

Essa arraigada confiança nos contratos sociais como fatores de enobrecimento, elevação e humanização vai contra a própria insistência de Durkheim de que as ações são más porque socialmente proibidas, não socialmente proibidas porque más. O frio e cético cientista em Durkheim desmascara toda pretensão de que haja substância outra no mal além da sua rejeição por uma força poderosa o bastante para transformar sua vontade em norma impositiva. Mas o esquentado patriota e crente devoto da superioridade e progresso da vida civilizada não pode deixar de sentir que aquilo que foi rejeitado é de fato mau e que a rejeição deve ter sido um ato emancipador e dignificante.

Este sentimento combina com a consciência da forma de vida que, tendo atingido e garantido sua superioridade material, só poderia se convencer da superioridade das regras sob as quais vive. Foi, afinal, não a "sociedade como tal", uma categoria teórica abstrata, mas a moderna sociedade ocidental que serviu de padrão à missão moralizadora. Só do proselitismo de guerra santa típico do "jardim" que é a moderna sociedade ocidental[1] poderia derivar a autoconfiança que permitiu ver a imposição das regras como processo de humanização, em vez de substituição de uma forma de humanismo por outra. A mesma autoconfiança permitiu pôr de lado, como exemplos de desumanidade ou pelo menos como suspeitas e potencialmente perigosas, as manifestações de humanidade não socialmente reguladas (quer desprezadas, inesperadas ou não plenamente submetidas). A visão teórica, no final, legitimou a soberania da sociedade sobre seus membros, assim como sobre seus opositores.

Uma vez reformulada essa autoconfiança como teoria social, seguiriam-se importantes consequências para a interpretação da moralidade. Por definição, os motivos pré-sociais ou associais não podiam ser morais. Pela mesma razão, a possibilidade de que pelo menos certos padrões morais podem se enraizar em fatores existenciais não afetados por regras sociais contingentes de coabitação não podia ser adequadamente formulada, quanto mais ser considerada seriamente. Menos ainda se poderia conceber, sem cair em contradição, que certas pressões morais exercidas pelo modo de existência humano, pelo simples fato de "estar com outros", possam em certas circunstâncias ser neutralizadas ou substituídas por forças sociais contrárias; que, em outras palavras, *a sociedade — além ou ao contrário de sua "função moralizadora" — possa, pelo menos ocasionalmente, atuar como uma força "silenciadora da moralidade".*

Enquanto a moralidade for entendida como produto social e explicada em termos causais por referência aos mecanismos que, se funcionam adequadamente, garantem seu "abastecimento constante", os eventos que ofendem os difusos mas arraigados sentimentos morais e desafiam a concepção comum do bem e do mal (da conduta própria e imprópria) tenderão a ser vistos como resultado de uma falha ou má administração da "indústria moral". O sistema fabril serviu como metáfora das mais poderosas para tecer o modelo teórico da sociedade moderna, e a visão da *produção social da moralidade* oferece um eminente exemplo de sua influência. A ocorrência de conduta imoral é interpretada como resultado de um abastecimento inadequado de normas morais, ou um abastecimento de normas erradas (isto é, normas com uma força indutora insuficiente); tal abastecimento falho, por sua vez, é devido a falhas técnicas ou administrativas da "fábrica social da moralidade" — na melhor das hipóteses, a "consequências inesperadas" de esforços produtivos mal coordenados ou à interferência de fatores estranhos ao sistema produtivo (isto é, a um controle incompleto dos fatores de produção). O comportamento imoral é então teorizado como "desvio da norma", que decorre da ausência ou debilidade das "pressões socializantes" e, em última análise, da deficiência ou imperfeição dos mecanismos sociais destinados a exercer tais pressões.[2] Ao nível do sistema social, tal interpretação aponta para problemas administrativos não resolvidos (dos quais é exemplo supremo a *anomia* de Durkheim). Em níveis mais baixos, aponta para falhas das instituições educacionais, para a fragilidade da família ou para o impacto de enclaves antissociais não extirpados, com suas próprias pressões socializantes contrárias ao padrão moral. Em todos os casos, entretanto, a aparência de conduta imoral é entendida como manifestação de impulsos pré-sociais ou associais que irrompem de gaiolas socialmente fabricadas, que escapam de suas clausuras. A conduta imoral é sempre uma volta a um estado pré-social ou um fracasso em deixá-lo. Está sempre ligada a alguma resistência face às pressões sociais ou pelo menos às pressões sociais "certas" (o conceito que, à luz do esquema teórico de Durkheim, só pode ser interpretado como idêntico à *norma* social, isto é, aos *padrões dominantes*, à *média*). Sendo a moralidade um produto social, a resistência a padrões promovidos pela sociedade como normas comportamentais tem que levar à ocorrência de ação imoral.

Essa teoria da moralidade dá à sociedade (a qualquer sociedade, com efeito; ou, numa interpretação mais liberal, a qualquer coletividade social, não necessariamente do tamanho "societário global", mas capaz de sustentar sua consciência coletiva por meio de uma rede efetiva de sanções) o direito de impor sua própria versão substantiva de comportamento moral; e concorre com a prática pela qual a autoridade social reclama o monopólio do julgamento moral. Tacitamente ela aceita a ilegitimidade teórica de todo julgamento que não se baseie no exercício de tal monopólio; de forma que, para todos os efeitos e interesses práticos, o comportamento moral vira sinônimo de conformidade e obediência social às normas observadas pela maioria.

O desafio do Holocausto

O raciocínio circular a que conduz a virtual identificação da moralidade com disciplina social torna a prática diária da sociologia quase imune à "crise de paradigma". Há poucas ocasiões, se alguma, em que a aplicação do paradigma corrente causa embaraço. O programático relativismo construído nessa visão de moralidade garante a válvula de escape última para o caso de as normas observadas despertarem instintiva repulsa moral. São por isso necessários eventos de excepcional poder dramático para abalar o controle do paradigma dominante e para começar uma busca febril de fundamentos alternativos para os princípios éticos. Mesmo assim, a necessidade de tal busca é vista com suspeita e são feitos esforços para relatar a experiência dramática de uma forma que permita sua acomodação ao velho esquema; isso é normalmente conseguido apresentando-se os eventos como verdadeiramente únicos e portanto não muito relevantes para a *teoria* geral da moralidade (enquanto distinta da *história* da moralidade — assim como a queda de meteoros gigantes não exigiria a reconstrução da teoria da evolução) ou dissolvendo-a numa categoria mais ampla e familiar de subprodutos ou limitações repugnantes, mas regulares e normais, do sistema produtor de moralidade. Se nenhum dos dois expedientes está à altura da magnitude dos eventos, uma terceira via de escape é por vezes tomada: a recusa em admitir a evidência no universo discursivo da disciplina, procedendo-se como se o evento não tivesse ocorrido.

Todos os três estratagemas foram utilizados na reação sociológica ao Holocausto, evento presumivelmente da mais dramática significação moral. Como assinalamos antes, houve inúmeras tentativas prematuras de descrever o mais horrendo dos genocídios como obra de uma rede particularmente densa de indivíduos moralmente deficientes libertos das restrições civilizadas por uma ideologia criminosa e acima de tudo irracional. Quando tais tentativas fracassaram, à medida em que os executores do crime eram considerados sãos e moralmente "normais" pelas mais escrupulosas pesquisas históricas, a atenção voltou-se para a renovação de velhos e seletos fenômenos desviantes ou para a construção de novas categorias sociológicas em que o episódio do Holocausto pudesse se encaixar e ser assim domesticado e isolado (por exemplo, explicar o Holocausto em termos de preconceito e ideologia). Por fim, de longe a forma mais popular até hoje de lidar com a evidência do Holocausto foi não lidar com ela em absoluto. A essência e a tendência histórica da modernidade, a lógica do processo civilizador, as perspectivas da e as barreiras à progressiva racionalização da vida social são muitas vezes discutidas como se o Holocausto não tivesse acontecido, como se não fosse verdade e mesmo não merecesse séria consideração o fato de que o Holocausto "dá testemunho do avanço da civilização"[3] ou que "a civilização hoje inclui os campos de extermínio e *Muselmänner* entre os seus produtos materiais e espirituais".[4]

E no entanto o Holocausto teimosamente rejeita qualquer dos três tratamentos. Por uma série de razões, ele coloca um desafio à teoria social que não pode ser facilmente descartado, uma vez que a decisão de descartá-lo não está nas mãos dos teóricos sociais ou, pelo menos, não somente nas mãos deles. As respostas políticas e legais ao crime nazista colocam na agenda a necessidade de legitimar o veredito de imoralidade formulado contra as ações de um grande número de pessoas que fielmente seguiram as normas morais de sua sociedade. Estivesse a distinção entre certo e errado ou entre bom e mau inteira e unicamente à disposição do agrupamento social capaz de "principalmente coordenar" o espaço social sob sua supervisão (como assevera a teoria sociológica dominante), não haveria base legítima para proferir uma acusação de imoralidade contra indivíduos que não romperam as regras estabelecidas pelo grupo. Poder-se-ia suspeitar que, não fosse pela derrota da Alemanha, este e outros problemas semelhantes jamais surgiriam. Mas a Alemanha foi derrotada e de fato surgiu a necessidade de enfrentar o problema.

Não haveria criminosos de guerra e nenhum direito de julgar, condenar e executar Eichmann a não ser que houvesse alguma justificativa para conceber como criminoso um comportamento disciplinado, totalmente conforme às normas morais em vigor naquela época e naquele lugar. E não haveria como conceber punição para esse comportamento como outra coisa além de vingança dos vencedores sobre os vencidos (relação que poderia ser invertida sem impugnar o princípio da punição) se não houvesse base supra ou não societária a partir da qual as ações condenadas poderiam ser vistas como colidindo não só com uma norma legal retroativamente imposta mas também com princípios morais que a sociedade pode suspender mas não declarar improcedentes. *Como consequência do Holocausto, a prática legal e, portanto, também a teoria moral enfrentaram a possibilidade de que a moralidade pode se manifestar numa insubordinação face a princípios socialmente sustentados e numa ação abertamente em desafio da solidariedade e consenso sociais.* Para a teoria sociológica, a própria ideia de bases pré-sociais do comportamento moral augura a necessidade de uma revisão radical de interpretações tradicionais das origens das normas morais e de seu poder impositivo. Este ponto foi questionado de modo vigoroso por Hannah Arendt:

> O que pedimos nesses julgamentos cujos réus cometeram crimes "legais" é que os seres humanos sejam capazes de distinguir certo de errado mesmo quando tudo o que têm a guiá-los é seu

> próprio juízo, que ademais só estar completamente em desacordo com o que possam encarar como a opinião unânime de todos aqueles à sua volta. E essa questão é tanto mais séria quanto sabemos que os poucos que foram "arrogantes" o bastante para confiar apenas em seu próprio juízo não eram de forma alguma idênticos àquelas pessoas que continuaram a sujeitar-se a todos os valores ou que eram guiadas por uma crença religiosa. Uma vez que a sociedade respeitável como um todo sucumbira de uma forma ou de outra a Hitler, as máximas morais que determinam o comportamento social e os mandamentos religiosos — "*Não matarás!*" — que guiam a consciência virtualmente desapareceram. Aqueles poucos que ainda conseguiam distinguir certo de errado seguiam realmente apenas o seu próprio julgamento e o faziam livremente; não havia regras às quais sujeitar-se, às quais se pudessem subordinar os casos particulares com que eram confrontados. Tinham que decidir em cada situação à medida que ela se apresentava, pois não havia regras para o inusitado.[5]

Nessas pungentes palavras Hannah Arendt formulou a questão da *responsabilidade moral de resistir à socialização*. A discutida questão dos fundamentos sociais da moralidade foi colocada de lado; seja qual for a solução apresentada para essa questão, a autoridade e força indutora da distinção entre bem e mal não pode ser legitimada por referência a poderes sociais que a sancionem e imponham. Mesmo se condenada pelo grupo — por todos os grupos, aliás — a conduta individual deve ainda assim ser moral; uma ação recomendada pela sociedade — mesmo por todo o conjunto da sociedade em uníssono — pode ainda assim ser imoral. A resistência a regras comportamentais promovidas por uma dada sociedade não deveria nem pode buscar sua autoridade numa injunção normativa alternativa de outra sociedade; por exemplo, na sabedoria moral de um passado hoje denegrido e rejeitado pela nova ordem social. A questão das bases societárias da autoridade moral é, em outras palavras, moralmente irrelevante.

Os sistemas morais socialmente impostos são de base e promoção comunitária — e, portanto, num mundo pluralista, heterogêneo, inevitavelmente relativos. *Este relativismo, porém, não se aplica à "capacidade humana de distinguir certo de errado"*. Tal capacidade deve se basear em algo além da *consciência coletiva* da sociedade. Toda sociedade encontra tal capacidade já formada, assim como encontra já dados a constituição biológica, as necessidades fisiológicas e os impulsos psicológicos humanos. E faz com tal capacidade o que admite fazer com essas outras teimosas realidades: tenta suprimi-la ou atrelá-la às suas próprias finalidades, ou canalizá-la numa direção que considere útil ou inofensiva. *O processo de socialização consiste na manipulação da capacidade moral* — não na sua produção. E a capacidade moral que é manipulada implica não somente certos princípios que posteriormente se tornam objeto passivo do processamento social; inclui também a capacidade de resistir, escapar e sobreviver a esse processamento, de forma que no fim do dia a autoridade e a responsabilidade pelas opções morais repousa onde repousava no início: na pessoa humana.

Se essa visão da capacidade moral é aceita, os problemas aparentemente resolvidos e liquidados da sociologia da moralidade vêm a ser novamente escancarados. A questão da moralidade deve ser ressituada; da problemática da socialização, educação e civilização — em outras palavras, do reino dos "processos humanizadores" socialmente administrados — ela deve ser transferida para a área dos processos e instituições repressivos, mantenedores dos padrões e diretores de tensões, como um dos "problemas" que estão destinados a tratar, acomodar ou transformar. A capacidade moral — objeto mas não produto de tais processos e instituições — teria então que revelar sua origem alternativa. Uma vez rejeitada a explicação da tendência moral como impulso consciente ou inconsciente para a solução do "problema hobbesiano", os fatores responsáveis pela presença da capacidade moral devem ser buscados na esfera *social*, mas não *societária*. O comportamento moral é concebível apenas no contexto da coexistência, do "estar com os outros", isto é, no contexto social; mas não deve seu aparecimento à presença de agências supraindividuais de treinamento e imposição, ou seja, ao contexto societário.

Fontes pré-societárias da moralidade

A modalidade existencial do social (ao contrário da estrutura societária) raramente ocupou o centro das atenções sociológicas. Era de bom grado entregue ao campo da antropologia filosófica e vista como sendo, na melhor das hipóteses, o distante limite exterior do território da sociologia propriamente dita. Não há, portanto, consenso sociológico quanto ao significado, o conteúdo experimental e as consequências comportamentais da condição primária de "estar com os outros".

Ainda estão para ser plenamente investigadas na prática sociológica as maneiras pelas quais essa condição pode se tornar sociologicamente relevante.

A prática sociológica mais comum não parece atribuir a esse "estar com os outros" (isto é, com outros seres humanos) um status ou significado especial. Os outros são dissolvidos nos conceitos muito mais inclusivos de contexto da ação, situação do ator ou, no geral, de "ambiente" — esses vastos territórios em que se situam as forças que levam para determinada direção as opções do ator ou limitam sua liberdade de escolha e que contêm os objetivos que atraem a sua atividade proposital e portanto fornecem os motivos para a ação. Os outros não são creditados com subjetividade, que poderia isolá-los de outros constituintes do "contexto da ação". Ou melhor, sua condição única de seres humanos é reconhecida, mas dificilmente encarada na prática como uma circunstância que confronta o ator com uma tarefa qualitativamente distinta. Para todos os efeitos e interesses práticos, a "subjetividade" do outro resume-se à reduzida previsibilidade de suas reações e, portanto, à restrição que impõe à busca do ator por um controle completo da situação e uma eficiente execução da tarefa estabelecida. A conduta errática do outro ser *humano*, enquanto distinto dos elementos inanimados presentes no campo da ação, é um incômodo; e, por tudo o que sabemos, um incômodo temporário. O controle do ator sobre a situação visa a uma manipulação tal do contexto de ação do outro que favoreça a probabilidade de um curso específico de conduta e, portanto, reduzir ainda mais o outro dentro do horizonte do ator a uma posição praticamente indistinta do resto dos objetos relevantes para o sucesso da ação. A presença do outro ser *humano* no campo da ação constitui um desafio *tecnológico*; alcançar o domínio sobre o outro, reduzindo-o à condição de fator calculável e manipulável da atividade que visa a um fim, é reconhecidamente difícil. Pode mesmo exigir habilidades especiais da parte do ator (tais como compreensão, retórica ou conhecimento de psicologia) que são dispensáveis ou inúteis nas relações com outros objetos do campo de ação.

Dentro dessa perspectiva comum, a importância do outro esgota-se inteiramente no impacto que exerce sobre a chance do ator atingir seu objetivo. O outro importa na medida em que (e somente na medida em que) sua fragilidade e inconstância diminuem a probabilidade de que a busca de determinado fim seja eficientemente concluída. A tarefa do ator é garantir uma situação na qual o outro deixará de importar e não precisará ser levado em conta. A tarefa e sua realização são portanto sujeitas a uma avaliação técnica, não moral. As opções abertas para o ator na sua relação com o outro dividem-se em efetivas e não efetivas, em eficientes e ineficientes — mesmo em racionais e irracionais — mas não em certas e erradas, boas e más. A situação elementar de "estar com os outros" não gera por si mesma (isto é, a não ser que forçada por pressões externas) nenhuma problemática moral. Sejam quais forem as considerações morais que possam interferir com ela, têm seguramente que partir de fora. Sejam quais forem as restrições que possa impor às opções do ator, não decorrem da lógica intrínseca do cálculo de meios e fins. Analiticamente falando, precisam ser francamente consideradas entre os fatores irracionais. Na situação de "estar com os outros" plenamente organizada pelos objetivos do ator, a moralidade é uma intrusa.

Uma concepção alternativa das origens da moralidade pode ser buscada no famoso retrato que Sartre fez da relação *ego-alter* como modo de existência essencial e universal. Mas não é nada certo que se possa encontrá-la aí. Se resulta da análise de Sartre uma concepção de moralidade, é uma concepção negativa: a moralidade como um limite, mais do que um dever, uma restrição e não um estímulo. Nesse ponto (embora somente nesse ponto), as implicações sartrianas para a avaliação do status da moralidade não partem de maneira significativa da interpretação sociológica padrão, previamente abordada, do papel da moralidade no contexto da ação elementar.

A novidade radical consiste, é claro, em isolar os outros humanos do resto do horizonte do ator, como unidades dotadas de condição e capacidade qualitativamente distintas. Para Sartre, o outro torna-se *alter ego*, um colega, um sujeito como eu mesmo, dotado de uma subjetividade que só posso imaginar como réplica daquela que conheço de minha experiência interior. Um abismo separa o *alter ego* de todos os demais objetos do mundo, verdadeiros ou imaginários. O *alter ego* faz o que eu faço; pensa, avalia, projeta e, enquanto faz tudo isso, olha para mim como eu olho para ele. Meramente olhando para mim, o outro se torna o limite da minha liberdade. Ele agora usurpa o direito de definir-me e definir os meus fins, assim minando meu afastamento e autonomia, comprometendo minha identidade e meu à-vontade no mundo. A própria presença do *alter ego* neste mundo me envergonha e é causa constante da minha angústia. Não posso ser tudo o que quero ser. Não posso fazer tudo o que quero fazer. Minha liberdade malogra. Na presença do *alter ego* — isto é, no mundo — meu ser para mim mesmo é também, inevitavelmente, ser para o outro. Quando ajo, não posso deixar de levar em conta essa presença e, portanto, também as definições, pontos de vista e perspectivas que ela implica.

Somos tentados a dizer que a inevitabilidade das considerações morais é inerente à descrição sartriana da conjunção *ego-alter*. E no entanto não está nada claro que obrigações morais, se é que existe alguma, podem ser determinadas pela conjunção assim descrita. Alfred Schutz estava inteiramente certo ao interpretar o resultado do encontro *ego-alter*, tal como descrito por Sartre, da seguinte maneira:

> Minhas próprias possibilidades viram probabilidades para além do meu controle. Não sou mais senhor da situação — ou, pelo menos, a situação ganhou uma dimensão que me escapa. Virei um utensílio com o qual e sobre o qual o Outro pode agir. Percebo essa experiência não por cognição, mas uma sensação de desconforto ou embaraço que, segundo Sartre, é uma das características destacadas da condição humana.[6]

O desconforto e embaraço sartrianos têm uma inconfundível e conhecida semelhança com aquela restrição exterior ridicularizante que a perspectiva sociológica comum imputa à presença dos outros. Mais precisamente, representam um reflexo subjetivo do transe que a sociologia tenta captar na estrutura impessoal e objetiva daquela presença; ou, melhor ainda, representam um apêndice emocional, precognitivo, da postura lógico-racional. As duas descrições da condição existencial são unidas pelo ressentimento que implicam. Em ambas, o outro é uma amolação e um fardo; um desafio, na melhor das hipóteses. Num caso, sua presença não pede quaisquer normas morais — com efeito, nenhuma outra norma além das regras do comportamento racional. Em outro, ele molda a moralidade que gera como um conjunto de regras, mais do que normas (muito menos como propulsão interna); regras que são *naturalmente* ressentidas, uma vez que revelam outros seres humanos como uma exterioridade hostil da condição humana, como uma restrição da liberdade.

Há, no entanto, uma terceira descrição da condição existencial de "estar com os outros" — uma que pode fornecer um ponto de partida para uma abordagem sociológica realmente diferente e original da moralidade, capaz de revelar e articular os aspectos da sociedade moderna que as abordagens ortodoxas deixam invisíveis. Emmanuel Levinas[7], responsável por essa descrição, encerra sua ideia diretriz numa citação de Dostoievski: "Somos todos responsáveis por todos, por todos os homens perante todos, e eu mais que os outros."

Para Levinas, "estar com os outros", esse primaríssimo e irremovível atributo da existência humana, significa primeiro e acima de tudo *responsabilidade*. "Se o outro olha para mim, sou responsável por ele, mesmo não tendo assumido responsabilidades para com ele." Minha responsabilidade é a única forma pela qual o outro existe para mim; é o modo da sua presença, da sua proximidade:

> o Outro não está apenas próximo de mim no espaço ou próximo como um parente, mas se aproxima de mim essencialmente na medida em que eu me sinto — em que eu sou — responsável por ele. É uma estrutura que de forma alguma se assemelha à relação intencional que nos liga em conhecimento ao objeto — não importa qual objeto, mesmo um objeto humano. A proximidade não reverte à sua intencionalidade; em particular, não reverte ao fato de que o Outro é conhecido por mim.

De forma bem clara, *minha responsabilidade é incondicional*. Não depende de conhecimento anterior das qualidades do seu objeto; ela precede tal conhecimento. Não depende de uma intenção interessada pelo objeto; precede tal intenção. Nem o conhecimento nem a intenção contribuem para a proximidade do outro, para o modo especificamente humano de conjunção. "O laço com o Outro é atado somente como responsabilidade." E isso, ainda por cima,

> quer seja aceito ou recusado, quer sabendo ou não como assumir [tal responsabilidade], quer se seja ou não capaz de fazer algo concreto pelo Outro. Dizer: *me voici* [aqui estou]. Fazer algo pelo Outro. Dar. Ser um espírito humano, é isso... Analiso o relacionamento inter-humano como se, em proximidade com o Outro — para além da imagem que eu mesmo faça do outro ser humano — seu rosto, a expressão do Outro (e todo o corpo humano é, nesse sentido, mais ou menos rosto) fosse o que me *ordenasse* a servi-lo... O rosto ordena e me ordena. Sua significação é uma ordem significada. Para ser preciso, se o rosto significa uma ordem em relação a mim, não é da maneira pela qual um sinal comum significa seu significado; esta ordem é a própria *significatividade* do rosto.

Com efeito, de acordo com Levinas, *responsabilidade é a estrutura essencial, primária e fundamental da subjetividade*. Responsabilidade que significa "responsabilidade pelo Outro" e, portanto, uma responsabilidade "pelo que não fiz ou pelo que nem sequer me interessa".

Essa responsabilidade existencial, o único significado de subjetividade, de ser um sujeito, não tem nada a ver com obrigação contratual. Não tem nada em comum também com o cálculo que eu possa fazer de benefícios mútuos. Não requer uma firme ou vã expectativa de reciprocidade, de "intenções mútuas", de recompensa do outro à minha responsabilidade por ele. Não estou assumindo minha responsabilidade por ordem de uma força superior, seja um código moral sancionado com a ameaça do inferno ou um código legal sancionado com a ameaça de prisão. Torno-me responsável ao me constituir como sujeito. Tornar-me responsável *é* a minha constituição como sujeito. Portanto, é assunto meu e somente meu. "A relação intersubjetiva é uma relação assimétrica... Sou responsável pelo Outro sem esperar reciprocidade, mesmo que tenha de morrer por isso. Reciprocidade é assunto *dele*."

Sendo a responsabilidade o modo de existência do sujeito humano, *a moralidade é a estrutura primária da relação intersubjetiva* na sua forma mais cristalina, não afetada por quaisquer fatores não morais (como interesse, cálculo de benefícios, busca racional das melhores soluções ou capitulação à coerção). Sendo a substância da moralidade um dever em relação ao outro (enquanto distinto de uma obrigação) e um dever que precede todo interesse, as raízes da moralidade penetram bem mais fundo que os arranjos societários, como cultura ou estruturas de dominação. Os processos societários começam quando a estrutura da moralidade (equivalente da intersubjetividade) já está lá. *A moralidade não é um produto da sociedade. A moralidade é algo que a sociedade manipula* — explora, redireciona, espreme.

Em contrapartida, o comportamento imoral, conduta que desiste ou abdica da responsabilidade pelo outro, não é um efeito do mau funcionamento societário. É portanto a ocorrência de comportamento imoral, mais do que de comportamento moral, que requer investigação da administração social da intersubjetividade.

Proximidade social e responsabilidade moral

A responsabilidade, esse tijolo constitutivo de todo comportamento moral, surge da proximidade do outro. Proximidade significa responsabilidade e responsabilidade *é* proximidade. A discussão da prioridade relativa de uma ou de outra é reconhecidamente gratuita, pois nenhuma é concebível sozinha. O isolamento da responsabilidade e, assim, a neutralização do impulso moral que a acompanha deve necessariamente envolver (é, de fato, sinônimo de) um reposicionamento da proximidade com separação física ou espiritual. A alternativa da proximidade é a distância social. O atributo moral da proximidade é a responsabilidade; o atributo moral da distância social é a ausência de relacionamento moral ou heterofobia. *A responsabilidade é silenciada uma vez desgastada a proximidade; pode eventualmente ser substituída pelo ressentimento, uma vez o cossujeito humano seja transformado num Outro.* O processo de transformação é de separação social. Foi tal separação que tornou possível que milhares matassem e milhões assistissem o assassinato sem protestar. Foram as conquistas tecnológica e burocrática da moderna sociedade racional que tornaram possível tal separação.

Hans Mommsen, um dos mais notáveis historiadores alemães do período nazista, sumariou recentemente o significado histórico do Holocausto e o problema que cria para a autopercepção da sociedade moderna:

> Enquanto a Civilização Ocidental desenvolveu os meios para uma inimaginável destruição em massa, a instrução fornecida pela tecnologia moderna e as técnicas de racionalização produziu uma mentalidade puramente tecnocrática e burocrática, exemplificada pelo grupo de executores do Holocausto, quer tenham cometido assassinato com as próprias mãos ou preparado a deportação e extermínio atrás de uma mesa do Departamento Central de Segurança do Reich (*Reichssicherheithauptamt*), nos escritórios do serviço diplomático ou como plenipotenciários do Terceiro Reich nos países satélites ou ocupados. Nesse ponto, a história do Holocausto parece ser o *mene tekel* do Estado moderno.[8]

O que mais tenha alcançado o Estado nazista, seja o que for, o fato é que, sem dúvida, conseguiu superar o mais formidável obstáculo ao extermínio sistemático, proposital, não emocional e a sangue-frio de pessoas, velhos e jovens, homens e mulheres: aquela "piedade animal pela qual são afetados todos os homens normais na presença do sofrimento físico".[9] Não sabemos muito da piedade *animal*, mas sabemos que existe uma maneira de ver a condição humana elementar que torna explícita a universalidade da repulsa humana ao assassinato, assim como o ímpeto de ajudar os que sofrem. Se esta visão é correta ou pelo menos plausível, então o feito do regime nazista consistiu primeiro e acima de tudo em neutralizar o impacto moral do modo de existência especificamente humano. É importante saber se esse sucesso deveu-se às características únicas do movimento e governo nazistas ou se pode ser relacionado a atributos mais comuns da nossa sociedade que os nazistas meramente e de forma hábil utilizaram a serviço dos objetivos de Hitler.

Até uma ou duas décadas atrás era comum — não apenas entre os leigos, mas também entre os historiadores — procurar a explicação para o extermínio em massa dos judeus da Europa na longa história do antissemitismo europeu. Tal explicação requeria, evidentemente, que se destacasse o antissemitismo alemão como o mais intenso, impiedoso e mortífero; afinal de contas, foi na Alemanha que se concebeu e puseram em execução o monstruoso plano de completa aniquilação de toda uma raça. Como lembramos, no entanto, do segundo e terceiro capítulos, tanto a explicação como o seu corolário foram desacreditados pela pesquisa histórica. Houve uma evidente descontinuidade entre o ódio tradicional, pré-moderno, aos judeus e o moderno projeto de extermínio indispensável a que se perpetrasse o Holocausto. No que diz respeito à função dos sentimentos populares, o volume sempre crescente de evidência histórica prova, para além de qualquer dúvida razoável, uma correlação quase negativa entre o sentimento antijudaico comum, tradicional, "amistoso", baseado na competição, e a disposição de abraçar a visão nazista da destruição total e participar da sua realização.

Há cada vez mais consenso entre os historiadores do período nazista de que *a perpetração do Holocausto requereu a neutralização das atitudes alemãs normais em relação aos judeus, não a mobilização delas*; de que a continuação "natural" do ressentimento antijudaico tradicional era muito mais uma repulsa pelas "ações radicais" dos assassinos nazistas do que uma vontade de cooperar no assassinato em massa; e de que os planejadores SS do genocídio tinham que abrir caminho para a *Endlösung* preservando a independência dessa tarefa face aos sentimentos da população em geral e, assim, a imunidade deles à influência das atitudes tradicionais, de sustentação comunitária e surgimento espontâneo, em relação a suas vítimas.

As descobertas relevantes e irrefutáveis dos estudos históricos foram recentemente recapituladas por Martin Broszat: "Naquelas cidades e localidades onde os judeus formavam um largo segmento da população, as relações entre os alemães e eles eram em geral, mesmo nos primeiros anos do período nazista, mais ou menos boas e raramente hostis."[10] As tentativas nazistas de insuflar os sentimentos antissemíticos e dinamizar o ressentimento estático (distinção habilmente formulada por Müller-Claudius) — isto é, de inflamar a população não partidária, sem compromisso ideológico, para cometer atos de violência contra os judeus ou pelo menos apoiar ativamente as exibições de força das SA — fracassaram pela repugnância popular à coerção física, pelas inibições arraigadas a infligir dor e sofrimento físico e pela teimosa lealdade do ser humano a seus vizinhos, a pessoas que se conhecem e fazem parte do nosso mapa-múndi como pessoas e não como espécimes anônimos de um grupo. As explosões de violência dos SA na farra dos primeiros meses do governo Hitler tinham que ser dissuadidas e vigorosamente suprimidas para afastar a ameaça de alienação e rebelião popular; embora satisfeito com a ostentação antijudaica dos seus seguidores, Hitler sentia-se obrigado a intervir pessoalmente para dar um basta a toda iniciativa antissemítica radical. O boicote aos judeus, planejado para durar indefinidamente, foi no último minuto reduzido a uma "manifestação de alerta" de 24 horas, em parte por medo às reações estrangeiras, mas em larga medida devido à evidente falta de entusiasmo popular pela aventura. Após o dia do boicote (1º de abril de 1933), os líderes nazistas queixaram-se em seus informes e relatórios da antipatia generalizada que despertou, exceto nos SA e militantes do partido, sendo o ato classificado como um fracasso completo; concluiu-se da necessidade de uma propaganda contínua para despertar e alertar as massas para o *seu* papel na implementação das medidas antijudaicas.[11] Apesar dos esforços subsequentes, o fracasso do dia do boicote estabeleceu o padrão para todas as políticas antissemíticas que se seguiram e cujo sucesso dependia de uma ativa participação da população em geral. Enquanto estiveram abertos e funcionando, as lojas e os consultórios médicos judeus continuaram a atrair clientes e pacientes. Os camponeses da Francônia e da Baviera tiveram que ser forçados a não negociar mais com os comerciantes de gado judeus. Como vimos antes, a *Kristallnacht*, único pogrom em massa oficialmente planejado e coordenado, também foi considerada contraprodutiva, na medida em que se esperava explicitar o compromisso do alemão médio com a violência antissemítica. Em vez disso, a maioria das pessoas reagiu com consternação ao ver as calçadas cobertas de vidro partido e velhos vizinhos sendo enfiados por jovens rufiões e assassinos em carros de polícia. O ponto que não pode ser superestimado é que todas essas reações negativas à aberta exibição de violência antijudaica coexistiam, sem qualquer contradição visível, com uma forte aprovação em massa da legislação antijudaica — com uma redefinição legal do judeu, com a extirpação do judeu do *Volk* alemão e com camadas mais e mais espessas de restrições e proibições.[12]

Julius Streicher, pioneiro da propaganda nazista antissemítica, descobriu que a tarefa mais difícil de seu jornal *Der Stürmer* era fazer o estereótipo do "judeu como tal" pespegar-se às imagens pessoais que seus leitores tinham dos judeus que eles conheciam, dos seus vizinhos, amigos ou sócios judeus. De acordo com Dennis E. Showalter, autor de uma penetrante monografia sobre a curta mas turbulenta história do jornal, Streicher não foi o único a fazer essa descoberta: "Um importante desafio do antissemitismo político é superar a imagem do 'judeu ao lado' — o conhecido ou sócio que vive e respira, cuja simples existência parece negar a validade daquele estereótipo negativo, do 'judeu mitológico'."[13] Surpreendentemente, parecia haver pouca correlação entre as imagens pessoais e a abstrata; como se não fosse hábito humano experimentar a contradição lógica entre uma coisa e outra como dissonância cognitiva ou — de modo mais genérico — como um problema psicológico; como se, apesar do referencial aparentemente idêntico das imagens pessoais e abstratas, elas não fossem em geral consideradas como noções que pertencem à mesma categoria, como representações a serem comparadas, checadas uma em relação à outra e por fim reconciliadas ou rejeitadas. Muito depois de a máquina de destruição em massa ter sido posta em pleno funcionamento — em outubro de 1943, para ser exato — Himmler queixava-se com os capangas que mesmo militantes dedicados ao partido, que não haviam demonstrado qualquer compunção particular em relação ao extermínio total da raça judia, tinham seus próprios judeus especiais, particulares, privados, que queriam proteger e excluir do genocídio:

> "O povo judeu é para ser exterminado", diz todo membro do partido. "Isso é claro, é parte do nosso programa a eliminação, o extermínio dos judeus, tudo bem, vamos fazer isso." E, então, eis que um por um dos 80 milhões de bons alemães, cada um deles, tem o seu judeu decente. "Claro, todos os outros são porcos, mas este é um judeu de primeira classe."[14]

Parece que o que separa as imagens pessoais dos estereótipos abstratos e impede o choque que qualquer raciocínio lógico consideraria inevitável é a saturação moral daquelas e o caráter moralmente neutro, puramente intelectual, destes últimos. O contexto de proximidade-com-responsabilidade dentro do qual são formadas as imagens pessoais cerca-as com uma grossa muralha moral praticamente impenetrável a argumentos "meramente abstratos". Por mais persuasivo ou insidioso que possa ser o estereótipo intelectual, sua zona de atuação, porém, se interrompe abruptamente onde começa a esfera do relacionamento pessoal. "O outro" como *categoria abstrata* simplesmente não se comunica com "o outro" que *eu conheço*. Este pertence ao reino da moralidade, do qual aquele está firmemente excluído. O segundo reside no universo semântico do bom e do mau, que teimosamente recusa a se subordinar ao discurso da eficiência e da escolha racional.

Supressão social da responsabilidade moral

Já sabemos que houve pouca ligação direta entre a difusa heterofobia e o assassinato em massa planejado e perpetrado pelos nazistas. O que a evidência histórica acumulada fortemente sugere, além disso, é que o assassinato em massa na escala sem precedentes do Holocausto não foi (e com toda probabilidade não poderia ser) um efeito do despertar, soltar, estimular e intensificar ou uma eclosão de tendências pessoais adormecidas; nem foi, em qualquer outro sentido, uma continuidade da hostilidade que existisse nas relações pessoais diretas, por mais azedas e amargas que essas possam eventualmente ter-se tornado. Há um claro limite até onde pode ser esticada essa animosidade baseada no relacionamento pessoal. Na maioria dos casos, ela resistiria a ser esticada além da linha traçada por aquela responsabilidade elementar em relação ao outro que está inextricavelmente entrelaçada à proximidade humana, ao "viver com os outros". *O Holocausto só poderia ser executado com a condição de neutralizar o impacto dos impulsos morais primitivos, de isolar a maquinária do assassinato da esfera em que despontam e atuam tais impulsos, de torná-los marginais ou completamente irrelevantes para a tarefa a realizar.*

Neutralização, isolamento e marginalização esses que foram alcançados pelo regime nazista com a utilização de um formidável aparato da indústria, transporte, ciência, burocracia e tecnologia modernos. Sem eles, o Holocausto seria impensável, a grandiosa visão de uma Europa *judenrein*, do total extermínio da raça judia, se esgotaria numa miríade de pogroms maiores ou menores perpetrados por psicopatas, sádicos, fanáticos e outros viciados em violência gratuita; por mais cruéis e sangrentas, tais ações dificilmente seriam proporcionais ao objetivo. Foi a elaboração da "solução para o problema judeu" como uma tarefa racional, técnico-burocrática, como algo a ser feito a uma categoria específica de objetos por um conjunto específico de especialistas e organizações especializadas — em outras palavras, como uma tarefa despersonalizada não dependente dos sentimentos e compromissos pessoais — que se revelou no final adequada à visão de Hitler. No entanto, a solução não poderia ser assim visualizada nem, certamente, executada enquanto os futuros objetos das operações burocráticas, os judeus, não fossem removidos do horizonte da vida cotidiana alemã, cortados da rede de relacionamentos pessoais, transformados na prática em exemplares de uma categoria, de um estereótipo — no conceito abstrato do *judeu metafísico*. Ou seja, enquanto não deixassem de ser aqueles "outros" aos quais se estende normalmente a responsabilidade moral e não perdessem a proteção que essa moralidade natural oferece.

Depois de analisar exaustivamente os sucessivos fracassos dos nazistas em despertar o ódio popular contra os judeus e usá-lo a serviço da "solução do problema judaico", Ian Kershaw chega à conclusão de que

> Onde os nazistas não tiveram sucesso foi na despersonalização dos judeus. Quanto mais o judeu era forçado a abandonar a vida social, mais parecia encaixar-se nos estereótipos de uma propaganda que paradoxalmente intensificava sua campanha contra a "judiaria" quanto menos judeus de fato restassem na Alemanha. A despersonalização aumentou a já existente indiferença generalizada da opinião pública alemã e criou um estágio essencial entre a arcaica violência e o racionalizado extermínio da "linha de montagem" dos campos da morte.
>
> A "Solução Final" não teria sido possível sem os sucessivos passos para excluir os judeus da sociedade alemã, dados abertamente aos olhos do público, na sua forma legal que conquistou ampla aprovação, e resultaram na despersonalização e degradação da figura do judeu.[15]

Como já observamos no terceiro capítulo, os alemães que fizeram objeções às violentas explosões das SA quando o "judeu ao lado" era a vítima dos rufiões (mesmo aqueles que tiveram a coragem de manifestar sua repulsa) aceitaram com indiferença e muitas vezes com satisfação as restrições legais impostas ao "judeu como tal". O que despertava sua consciência se atingia pessoas que conheciam mal provocava qualquer sentimento quando se dirigia contra um grupo abstrato e estereotipado. Eles viam com serenidade, ou não viam, o gradual desaparecimento dos judeus de seu mundo cotidiano. Até que, para os jovens soldados alemães e os SS encarregados de "liquidar" tantas *Figuren*, o judeu se tornou "apenas uma 'peça de museu', algo para olhar com curiosidade, um fantástico animal fóssil com uma estrela amarela no peito, uma testemunha de tempos idos mas não mais pertencente ao presente, algo que devíamos viajar para bem longe se quiséssemos ver".[16] A moralidade não ia tão longe. Ela tende a ficar em casa e no presente.

Nas palavras de Hans Mommsen,

> A política de Heidrich de isolar social e moralmente a minoria judaica da maioria da população prosseguiu sem maiores protestos públicos porque aquela parte da população judaica que estivera em contato íntimo com seus vizinhos alemães ou não estava incluída na crescente discriminação ou fora passo a passo isolada deles. Só depois que um acúmulo de legislação discriminatória empurrou os judeus da Alemanha a um papel de párias sociais, completamente privados de qualquer comunicação social regular com a maioria da população, foi que a deportação e o extermínio puderam ser levados a efeito sem abalar a estrutura social do regime.[17]

Raul Hilberg, a maior autoridade na história do Holocausto, teve a dizer o seguinte sobre os passos que levaram ao gradual silenciamento das inibições morais e ao desencadeamento do mecanismo da destruição em massa:

> Na sua forma completa, um processo de destruição numa sociedade moderna será então estruturado como mostra este quadro:

Definição

↓

Demissão de empregados
e expropriação de casas de negócio

↓

Concentração

↓

Exploração do trabalho e medidas para matar de fome

↓

Extermínio

↓

Confisco de bens pessoais

A sequência de passos num processo de destruição é assim determinada. Se há uma tentativa de infligir o máximo de dano a um grupo de pessoas, é portanto inevitável que uma burocracia — não importa quão descentralizado o seu aparato ou quão não planejadas as suas atividades — empurre suas vítimas através desses estágios.[18]

Os estágios, sugere Hilberg, são logicamente determinados; formam uma sequência racional, uma sequência conforme aos padrões modernos que nos levam a procurar os caminhos mais curtos e os meios mais eficientes para alcançar determinado fim. Se agora tentamos descobrir o princípio-guia dessa solução racional para o problema da destruição em massa, verificamos que *os sucessivos estágios são dispostos de acordo com a lógica da expulsão do reino do dever moral* (ou, para usar o conceito sugerido por Helen Fein[19], do *universo das obrigações*).

A definição coloca o grupo de vítimas à parte (todas as definições significam dividir a totalidade em duas partes — uma marcada e a outra não) como um grupo *diferente*, de modo que tudo o que a ele se aplica não se aplique ao resto. Pelo próprio ato de ser definido, o grupo foi assinalado para um tratamento *especial*; o que é adequado às pessoas "comuns" não deve necessariamente ser adequado a ele. Membros individuais do grupo tornam-se agora, além disso, exemplares de uma espécie; algo da natureza específica não pode penetrar senão suas imagens individuais, comprometendo a proximidade originalmente inocente e limitando sua autonomia como universo moral independente.

Demissões e expropriações rasgam a maioria dos contratos, substituindo a antiga proximidade por uma distância física e espiritual. O grupo vitimizado é então efetivamente removido de cena; é no máximo um grupo de que se ouve falar mas não se vê, de forma que aquilo que se ouve a seu respeito não tem nenhuma chance de ser traduzido para o conhecimento dos destinos individuais e, portanto, de ser checado em confronto com a experiência pessoal.

A concentração completa esse processo de distanciamento. O grupo vitimizado e os restantes não se encontram mais, seus processos de vida não se cruzam, a comunicação estanca, o que quer que aconteça a um dos grupos agora segregados não diz respeito ao outro, não tem significado fácil de traduzir na linguagem do relacionamento humano.

A exploração e a fome realizam mais um feito verdadeiramente assustador: disfarçam a desumanidade como humanitarismo. Há ampla evidência de chefes nazistas locais pedindo aos superiores permissão para matar alguns judeus sob sua jurisdição (bem antes de ter sido dado o sinal para a matança em massa) de modo a poupá-los da agonia da fome; como os suprimentos de comida não eram suficientes para sustentar uma massa populacional isolada nos guetos e despojada de sua riqueza e renda, o assassinato parecia um ato de misericórdia — com efeito, uma manifestação humanitária. "O círculo diabólico das políticas fascistas" permitia "criar situações e estados de emergência deliberadamente insuportáveis e usá-los então para legitimar passos ainda mais radicais."[20]

E assim o ato final do extermínio não foi de forma alguma um desvio revolucionário. Foi, por assim dizer, um resultado lógico (embora, lembrem-se, imprevisto de início) dos muitos passos dados anteriormente. Nenhum dos passos era inevitável em função do estado que as coisas já tinham atingido, mas cada um deles tornava racional a escolha do estágio seguinte na rota da destruição. *Quanto mais a sequência se afastava do ponto original, do ato da Definição, mais se guiava por considerações puramente técnico-racionais e tanto menos tinha que levar em conta inibições morais.* De fato, deixava simplesmente de precisar de escolhas morais.

As passagens entre os estágios tinham um extraordinário aspecto em comum. Todas aumentavam a distância física e mental entre as vítimas-alvo e o restante da população, composto igualmente pelos executores e as testemunhas do genocídio. Nessa qualidade residia sua inerente racionalidade do ponto de vista do destino final e sua eficiência em levar até o fim a tarefa da destruição. Evidentemente, as inibições morais não atuam à distância. Estão inextricavelmente amarradas à proximidade humana. Fica, ao contrário, mais fácil cometer atos imorais com cada centímetro a mais de distância social. Se Mommsen está certo quando aponta como "dimensão antropológica" da experiência do Holocausto "o perigo inerente, na atual sociedade industrial, de um processo de se acostumar à indiferença moral diante de ações não imediatamente relacionadas à esfera de experiência da própria pessoa"[21], então o perigo para o qual ele alerta deve ser remetido à capacidade dessa sociedade industrial de ampliar a distância entre os homens a um ponto em que a responsabilidade e as inibições de ordem moral se tornam inaudíveis.

Produção social da distância

Inextricavelmente atada à proximidade humana, a moralidade parece conformar-se à lei da perspectiva ótica. Parece grande e espessa quando perto do olho. Com o aumento da distância, a responsabilidade pelo outro encolhe e as dimensões morais do objeto se embaçam, até que ambas atingem o ponto de desaparecimento e somem de vista.

Essa qualidade do impulso moral parece independente da ordem social que fornece o quadro da interação. O que de fato depende dessa ordem é a efetividade pragmática das predisposições morais; sua capacidade de controlar as ações humanas, de estabelecer limites ao dano infligido ao outro, de traçar os parâmetros nos quais toda interação tende a se delimitar. A importância — e o perigo — da indiferença moral tornam-se particularmente agudos na nossa moderna sociedade industrial racionalizada, tecnologicamente eficiente, porque em tal sociedade a ação humana pode ser efetiva à distância e a uma distância sempre crescente com o progresso da ciência, da tecnologia e da burocracia. Em tal sociedade, *os efeitos da ação humana alcançam muito além do "ponto de desaparecimento" da visibilidade moral.* A capacidade visual do impulso moral, limitada como é pelo princípio da proximidade, permanece constante, enquanto cresce rapidamente a distância em que a ação humana pode ser efetiva e consequente e, portanto, também o número de pessoas que podem ser afetadas por tal ação. A esfera de interação influenciada pelos impulsos morais é encolhida em comparação com o volume crescente de ações subtraídas à sua interferência.

O notório sucesso da civilização moderna em substituir pelos critérios racionais todos os demais critérios de ação, considerados "irracionais" na moderna definição (e assomam aí com peso as avaliações morais), foi condicionado de forma decisiva pelo progresso do "controle remoto", isto é, pela ampliação da distância em que a ação humana é capaz de produzir efeitos. São os alvos de ação remotos, mal visíveis, que estão livres de avaliação moral; e assim a escolha da ação que afeta tais alvos está livre das limitações impostas pelo impulso moral.

Como demonstraram enfaticamente as experiências de Milgram, o silenciamento do apelo moral e a suspensão das inibições morais são alcançados precisamente tornando-se "remotos e mal visíveis" os alvos autênticos da ação (embora muitas vezes desconhecidos do ator), não através de uma aberta cruzada antimoral ou de uma doutrinação que visa a substituir o velho sistema moral por um conjunto de regras alternativo. O mais óbvio exemplo da técnica que coloca as vítimas fora do raio de visão, tornando-as portanto inacessíveis a uma avaliação moral, são as armas modernas. O progresso bélico consistiu sobretudo em eliminar cada vez mais a possibilidade do combate face a face, de se cometer o ato de matar em dimensão humana, com um significado do senso comum; com armas separando e distanciando, em vez de confrontando e aproximando os exércitos beligerantes, o treinamento dos seus operadores para suprimir os impulsos morais, para atacar a moralidade "fora de moda", perde muito de sua importância anterior, uma vez que o uso das armas parece ter apenas uma relação abstrata-intelectual com a integridade moral dos usuários. Nas palavras de Philip Caputo, o caráter da guerra "parece ser uma questão de distância e tecnologia. Jamais haveria erro em matar pessoas a longa distância com armas sofisticadas."[22] Na medida em que não se veem os efeitos práticos da ação cometida ou que não se pode relatar sem equívocos as consequências visíveis de atos tão inocentes e insignificantes quanto apertar um botão ou girar uma chave, é improvável que surja um conflito moral ou, se surgir, será provavelmente em surdina. A invenção de artilharia capaz de atingir um alvo invisível para aqueles que operam as armas pode ser vista como o ponto simbólico inicial da guerra moderna e da consequente irrelevância dos fatores morais: essa artilharia permite destruir o alvo apontando a arma para uma direção inteiramente diferente.

As façanhas das armas modernas podem ser encaradas como metáfora para um processo muito mais diversificado e ramificado da produção social da distância. John Lachs atribuiu as características unificadoras das muitas manifestações desse processo à introdução em escala maciça da *mediação da ação* e do *intermediário* — alguém que "se situa entre eu e minha ação, tornando impossível para mim experimentá-la diretamente".

> A distância que sentimos de nossas ações é proporcional à ignorância que temos delas; nossa ignorância, por sua vez, é em grande parte uma medida da extensão da cadeia de intermediários entre nós e nossos atos... Na medida em que perdemos consciência do contexto, as ações se tornam movimentos inconsequentes. Com as consequências longe dos olhos, as pessoas podem par-

ticipar dos atos mais abomináveis sem sequer questionar seu papel e responsabilidade neles...

[É extremamente difícil] ver como nossas ações, através de seus efeitos remotos, contribuem para a produção de miséria. Não é desonesto se ver como inocente e condenar a sociedade. É o resultado natural da mediação em larga escala, que inevitavelmente leva a uma monstruosa ignorância.[23]

Uma vez a ação tenha sido mediada, seus efeitos últimos situam-se fora daquela área relativamente estreita dentro da qual os impulsos morais retêm sua força reguladora. Ao contrário, atos contidos dentro dessa área moralmente impregnada são, para a maioria dos participantes ou testemunhas, inócuos o bastante para não serem moralmente censurados. A minuciosa divisão do trabalho, assim como a mera extensão da cadeia de atos que medeiam entre a iniciativa e seus efeitos palpáveis, libera a maioria dos constituintes da aventura coletiva — por mais decisivos que sejam — de significação e exame morais. São ainda sujeitos a análise e avaliação, mas por critérios técnicos, não morais. "Problemas" pedem melhor e mais racional planejamento, não investigação da alma. Os atores se ocupam da tarefa racional de encontrar melhores meios de atingir um fim determinado — e parcial —, não de uma tarefa moral de avaliação do objetivo último (do qual só têm uma vaga ideia ou pelo qual não se sentem responsáveis).

Na sua detalhada história da invenção e utilização do infame caminhão com câmara de gás, solução nazista inicial para a tarefa técnica do assassinato em massa rápido, limpo e barato, Christopher R. Browning dá a seguinte visão do mundo psicológico das pessoas envolvidas:

Especialistas cuja competência nada tinha a ver com assassinatos em massa de repente se viram transformados em peças menores na engrenagem da destruição. Ocupados em providenciar, despachar, manter e consertar veículos, sua competência e equipamentos seriam de repente forçados a servir os assassinatos em massa quando foram encarregados de produzir camionetas com câmaras de gás... O que os chateava eram críticas e queixas sobre defeitos técnicos do seu produto. As falhas dos veículos eram um reflexo negativo do seu trabalho que tinha de ser corrigido. Inteiramente a par dos problemas surgidos no campo, eles batalhavam para encontrar ajustes técnicos engenhosos que tornassem seu produto mais eficiente e aceitável para os operadores... Sua

> maior preocupação era não serem considerados incompetentes para a tarefa que lhes fora designada.[24]

Nas condições da divisão burocrática do trabalho, "o outro" dentro do círculo de proximidade em que a responsabilidade moral reina soberana é um colega de trabalho cujo sucesso em sua tarefa depende da aplicação do ator na sua parte da tarefa; o superior imediato, cuja posição ocupacional depende da cooperação dos subordinados; e uma pessoa imediatamente abaixo na linha hierárquica que espera ter suas tarefas claramente definidas e viabilizadas. Ao lidar com esses outros, aquela responsabilidade moral que a proximidade tende a gerar toma a forma de lealdade à organização — essa abstrata formulação da rede de interações diretas, face a face. Sob a forma de lealdade à organização, os impulsos morais dos atores podem ser utilizados para propósitos moralmente abjetos sem minar a adequação ética do interrelacionamento dentro daquela área de proximidade coberta pelos impulsos morais. Os atores podem continuar a acreditar sinceramente na sua própria integridade; com efeito, seu comportamento conforma-se aos padrões morais mantidos na única região em que outros padrões viraram optativos. Browning investigou as histórias pessoais de quatro funcionários que comandavam o Bureau Judaico (B III) do Ministério das Relações Exteriores da Alemanha. Descobriu que dois estavam satisfeitos com o seu trabalho e os outros dois preferiam ser transferidos de serviço.

> Estes últimos conseguiram afinal deixar o B III, mas enquanto estiveram lá cumpriram rigorosamente o seu dever. Não se opunham abertamente ao trabalho mas agiam veladamente e em silêncio para serem transferidos; manter limpas suas fichas funcionais era a sua prioridade máxima. Zelosa ou relutantemente, porém, o fato é que todos os quatro trabalhavam de forma eficiente... Mantinham a máquina em funcionamento e os mais ambiciosos e inescrupulosos dentre eles ainda davam um empurrãozinho.[25]

A divisão de tarefas e a resultante separação de minicomunidades morais face aos efeitos últimos da operação produz a distância entre vitimadores e vítimas da crueldade que reduz ou elimina a contrapressão das inibições morais. A distância física e funcional correta não pode ser alcançada, porém, ao longo de toda a cadeia burocrática de comando. Alguns dos vitimadores devem se encontrar face a face com as vítimas ou pelo menos devem estar tão próximos delas a ponto de não poder evitar ou mesmo abafar a visão dos efeitos de suas ações com o tempo. Outro método é necessário para garantir a distância *psicológica* correta na ausência das distâncias *física* ou *funcional*. Tal método é fornecido por uma forma especificamente moderna de autoridade — a competência especializada.

A essência dessa competência é a suposição de que fazer as coisas da forma adequada requer certo conhecimento, que tal conhecimento é distribuído de maneira desigual, que algumas pessoas possuem mais esse conhecimento que outras, que aqueles que o possuem deveriam ser encarregados de fazer as coisas e que ser encarregado coloca sobre seus ombros a responsabilidade pela maneira como as coisas são feitas. De fato, a responsabilidade é vista não como investida nos especialistas, mas nas habilidades específicas que eles representam. O instituto da especialidade e a posição associada que se volta para a ação social aproximam intimamente o famoso ideal de Saint-Simon (entusiasticamente endossado por Marx) da "administração das coisas, não de pessoas"; os atores servem como meros agentes do conhecimento, como portadores de *know-how*, e sua responsabilidade pessoal repousa inteiramente na representação adequada do conhecimento, isto é, em fazer as coisas com "arte", da melhor maneira que o conhecimento existente permite. Para aqueles que não possuem o *know-how*, a ação responsável significa seguir o conselho dos especialistas. Nesse processo, a responsabilidade pessoal se dissolve na autoridade abstrata do *know-how* técnico.

Browning cita extensamente o memorando preparado pelo especialista técnico Willy Just sobre a melhoria técnica das camionetas de gás. Just propôs que a montadora dos veículos diminuísse o compartimento de carga: as camionetas existentes não davam conta dos acidentados terrenos na Rússia quando totalmente carregadas, de modo que era necessário um excesso de monóxido de carbono para preencher o espaço vazio que sobrava e toda a operação levava tempo demais e perdia consideravelmente em eficiência:

> Um caminhão menor, totalmente carregado, poderia operar muito mais rápido. Uma redução do compartimento traseiro não afetaria prejudicialmente o equilíbrio de peso, sobrecarregando o eixo dianteiro, porque "na verdade ocorre automaticamente uma correção na distribuição de peso pelo fato de que a carga, na sua

> luta para abrir a porta traseira durante a operação, situa-se preponderantemente ali". Pelo fato de que o tubo de conexão logo se enferrujava com os "fluidos", o gás deveria ser introduzido de cima, não de baixo. Para facilitar a limpeza, deveria ser feito um orifício de oito a doze polegadas no chão, com uma tampa aberta por fora. O chão deveria ser ligeiramente inclinado e a tampa equipada com uma pequena peneira. Assim, todos os "fluidos" fluiriam para o meio, os "fluidos finos" sairiam ainda durante a operação e os "mais espessos" poderiam ser tirados com mangueira depois.[26]

Todas as aspas são de Browning; Just não buscava nem usava metáforas astuciosas ou eufemismos, sua linguagem era a linguagem direta, terra a terra, da tecnologia. Como especialista na construção de caminhões, ele procurava de fato lidar com o movimento da carga, não com os seres humanos desesperados em busca de ar; ocupava-se de fluidos finos e espessos, não de vômito e excrementos humanos. O fato de que a carga eram seres humanos à beira da morte e que perdiam o controle do próprio organismo não diminuía o desafio técnico do problema. Este fato tinha, de qualquer forma, que ser traduzido na linguagem neutra da tecnologia da produção automobilística antes que pudesse se tornar um "problema" a ser "resolvido". Ficamos a imaginar se alguma vez foi tentada uma retradução por aqueles que leram o memorando de Just e executaram suas instruções técnicas.

Para as cobaias de Milgram, o "problema" era a experiência montada e administrada por especialistas científicos. Os especialistas de Milgram cuidaram para que os atores dirigidos por um especialista, ao contrário dos operários da fábrica *Sodomka* aos quais se destinava o memorando de Just, não tivessem dúvidas quanto ao sofrimento que suas ações estavam causando, para que não houvesse chance de uma desculpa do tipo "eu não sabia". O que a experiência de Milgram provou no final foi o poder da especialização e sua capacidade de triunfar sobre os impulsos morais. Pessoas morais podem ser levadas a cometer atos imorais mesmo que saibam (ou acreditem) que os atos são imorais — contanto que sejam convencidas de que os especialistas (pessoas que, por definição, sabem algo que elas não sabem) definiram suas ações como necessárias. Afinal, a maioria das ações na nossa sociedade não é legitimada pela discussão dos seus objetivos, mas pelo conselho ou instrução recebidos de pessoas em posição de saber.

Observações finais

Reconheço que este capítulo fica bem aquém de formular uma teoria sociológica alternativa do comportamento moral. Seu intento é muito mais modesto: discutir algumas fontes de impulso moral além das sociais e algumas condições socialmente produzidas nas quais se torna possível o comportamento imoral. Parece que mesmo uma discussão assim limitada mostra que a sociologia ortodoxa da moralidade precisa de uma revisão substancial. Uma das suposições ortodoxas que parecem ter falhado de modo particularmente claro é a de que o comportamento moral nasce da operação social e é mantido pelo funcionamento de instituições sociais, de que a sociedade é essencialmente um instrumento moralizador e humanizador e de que, consequentemente, a incidência de conduta imoral acima de uma escala marginal pode ser explicada apenas como efeito da disfunção de arranjos sociais "normais". O corolário dessa suposição é de que a imoralidade não pode, em geral, ser socialmente produzida e que suas verdadeiras causas devem ser buscadas em outra parte.

O que este capítulo pretende dizer é que poderosos impulsos morais têm sua origem em fatores pré-societários, ao passo que alguns aspectos da organização societária moderna provocam um considerável enfraquecimento de seu poder de coerção; que, com efeito, a sociedade pode tornar a conduta imoral mais, não menos, plausível. A imagem mítica promovida no Ocidente de que um mundo sem a burocracia e a especialização modernas seria um mundo governado pela "lei da selva" ou a "lei do mais forte" evidencia em parte a necessidade de autoafirmação da burocracia moderna[27], que se pôs a destruir a competição de normas decorrentes de impulsos e propensões que ela não controlava[28], e em parte até que ponto se perdeu e esqueceu a antiga habilidade humana de regular relações recíprocas com base na responsabilidade moral. O que é então apresentado e concebido como selvageria a domar e suprimir pode revelar-se a exame mais detido ser o mesmíssimo impulso que o processo civilizador se pôs a neutralizar e depois a substituir por pressões controladoras que emanam da nova estrutura de dominação. Assim que as forças morais geradas pela proximidade humana são deslegitimadas e paralisadas, as novas forças que as substituíram adquirem uma liberdade de manobra sem precedentes. Elas podem gerar uma conduta em escala de massa que só os criminosos no poder são capazes de definir como eticamente correta.

Entre as conquistas societárias na esfera da administração da moralidade é preciso mencionar: a produção social da distância, que ou anula ou enfraquece a pressão da responsabilidade moral; a substituição da responsabilidade moral por responsabilidade técnica, o que efetivamente encobre a importância moral da ação; e a tecnologia da segregação e separação, que promove a indiferença pela provação do Outro, a qual de outra forma seria submetida a avaliação moral e a uma resposta moralmente motivada. É preciso também considerar que todos esses mecanismos de erosão da moralidade são ainda mais reforçados pelo princípio da soberania dos poderes do Estado que usurpam a suprema autoridade ética em prol das sociedades que governam. Exceto pela difusa e muitas vezes ineficaz "opinião mundial", os governantes dos Estados não são em geral constrangidos em sua administração por nenhuma norma que se imponha ao território do seu governo soberano. Não faltam provas de que, quanto mais inescrupulosas suas ações nesse campo, mais intensos são os apelos para sua "pacificação", o que reconfirma e reforça seu monopólio e ditadura no campo do juízo moral.

O que se segue é que, na moderna ordem, o antigo conflito sofocleano entre lei moral e lei social não dá sinais de declínio. Quando nada, tende a tornar-se mais frequente e mais profundo — e as chances são todas favoráveis às pressões societárias de supressão da moralidade. Em muitas ocasiões, comportamento moral significa assumir uma posição considerada e decretada antissocial ou subversiva pelos poderes instituídos *e* pela opinião pública (quer manifesta ou meramente expressa pela ação ou não ação da maioria). A promoção do comportamento moral em tais casos significa resistência à autoridade e ação societárias que visam a enfraquecer o seu poder. O dever moral tem que contar puramente com sua fonte: a responsabilidade humana essencial pelo Outro.

Que esses problemas têm uma urgência além do interesse acadêmico é o que nos lembram as palavras de Paul Hilberg:

> Recordem, de novo, que a questão básica era saber como uma nação ocidental, uma nação civilizada, foi capaz de tal coisa. E então, logo depois de 1945, vemos a questão totalmente invertida quando começamos a perguntar: "Há alguma nação ocidental incapaz disso?" ... Em 1941 o Holocausto não era esperado e essa é a razão da nossa subsequente ansiedade. Já não ousamos excluir o inimaginável.[29]

8

Pós-reflexão

Racionalidade e vergonha

Uma história de Sobibor: quatorze internos tentaram escapar. Em questão de horas foram todos capturados e levados à praça de assembleia do campo para serem confrontados com os demais prisioneiros. Lá, disseram-lhes: "Daqui a pouco vocês vão morrer, é claro. Mas, antes, cada um vai escolher um companheiro para morrer junto." Eles reagiram: "Nunca!" Ao que replicou calmamente o comandante: "Se vocês se recusarem, eu mesmo farei a escolha. Só que, nesse caso, escolherei cinquenta em vez de quatorze." Não precisou cumprir a ameaça.

Em *Shoah*, Lanzmann mostra um sobrevivente que conseguiu fugir de Treblinka e se lembra que, quando o gás diminuía nos alimentadores das câmaras, membros do *Sonderkommando* tinham suas rações de comida suspensas e, como não eram mais úteis, eram ameaçados de extermínio. Suas perspectivas de sobrevivência renasciam quando novos grupos judaicos eram recolhidos e carregados nos trens para Treblinka.

Também no filme de Lanzmann, um antigo integrante de um desses *comandos especiais*, hoje barbeiro em Tel-Aviv, conta que, quando raspava o cabelo das vítimas para a fabricação de colchões alemães, não revelava o objetivo daquilo e incitava as pessoas a irem mais rápido para o que supunham ser um banho público.

Na discussão iniciada pelo profundo e comovedor artigo "Poloneses pobres veem o gueto", publicado pelo professor Jan Blonski em 1987 nas páginas do respeitado semanário católico polonês *Tygodnik Powszechny*, Jerzy Jastrzebowski lembrou uma história contada por um membro mais velho de sua família. A família se oferecera para esconder um velho amigo, um judeu que parecia polaco e falava o polonês elegante de um aristocrata, mas recusou-se a fazer o mesmo por suas três irmãs, que pareciam judias e falavam com acentuado sotaque judeu. O amigo recusou-se a ser salvo sozinho. Jastrzebowski comenta:

> Tivesse sido diferente a decisão da minha família, havia nove chances contra uma de que seríamos todos fuzilados. [Na Polônia ocupada pelos nazistas, a punição por esconder ou ajudar judeus era a morte.] A probabilidade de que nosso amigo e suas irmãs sobrevivessem naquelas condições seriam talvez menores ainda. E, no entanto, a pessoa que me contava esse drama de família, repetindo "o que a gente podia fazer? Não havia nada que a gente pudesse fazer!", não me olhava nos olhos. Ele sabia que eu percebia uma mentira, embora todos os fatos fossem verdadeiros.

Outro que contribuiu para a discussão, Kazimierz Dziewanowski, escreveu:

> Se no nosso país, na nossa presença e diante dos nossos olhos, milhões de inocentes foram mortos, isso é tão terrível, uma tragédia tão imensa que é natural, humano, compreensível que aqueles que sobreviveram se sintam assombrados e não consigam recuperar a calma... É impossível provar que se poderia ter feito mais do que foi feito, embora também seja possível provar que se poderia ter feito mais.

Wladyslaw Bartoszewski, que durante a ocupação foi encarregado da assistência polonesa aos judeus, comentou: "Só pode dizer que fez tudo o que podia aquele que pagou por isso com a morte."

De longe a mensagem mais chocante de Lanzmann é *a racionalidade do mal* (ou seria o mal da racionalidade?). Hora após hora dessa interminável agonia que é assistir *Shoah*, a terrível, humilhante verdade revela-se e desfila toda a sua obscena nudez: quão poucos homens armados foram necessários para matar milhões.

Espantoso como estavam amedrontados aqueles homens armados, a que ponto conscientes da fragilidade do seu domínio sobre o gado humano. Seu poder assentava-se sobre os condenados que viviam num mundo de faz de conta, o mundo que eles, os homens armados, definiam e narravam para suas vítimas. Nesse mundo, a obediência era racional, a racionalidade era a obediência. A racionalidade compensava — pelo menos por um tempo — mas naquele mundo não havia outro tempo, mais dilatado. Cada passo no caminho para a morte era cuidadosamente elaborado de forma a ser calculável em termos de perdas e lucros, recompensa e castigo. Música e ar fresco eram a recompensa pela longa, interminável sufocação na viagem como gado. Um banho completo, com vestiários e barbeiros, toalha e sabão, era uma saudação libertária para quem abandonava piolhos, sujeira e o fedor do suor e dos excrementos humanos. Pessoas racionais entram serenas, mansas, alegremente, numa câmara de gás se puderem acreditar simplesmente que se trata de uma casa de banhos.

Os integrantes do *Sonderkommando* sabiam que dizer aos banhistas que a casa de banho era uma câmara de gás era transgressão punível com a morte imediata. O crime não pareceria tão abominável e a punição não seria tão dura se as vítimas fossem levadas à morte simplesmente por medo ou resignação suicida. Mas para fundar sua ordem apenas no medo a SS precisaria de mais tropas, braços e dinheiro. A racionalidade era mais eficiente, mais fácil de obter e mais barata. E assim, para destruí-las, os SS cultivavam cuidadosamente a racionalidade das vítimas.

Entrevistado recentemente na TV britânica, um alto comandante da área de segurança sul-africana deu com a língua nos dentes: o verdadeiro perigo da organização negra Congresso Nacional Africano, disse ele, não está nos atos de sabotagem e terrorismo, por mais espetaculares e custosos, mas em induzir a população negra ou grande parte dela a desrespeitar "a lei e a ordem"; se isso acontecesse, mesmo o melhor serviço secreto e as mais poderosas forças de segurança seriam inúteis (temor justificado recentemente pela experiência da *Intifada*). O terror é eficiente enquanto o balão da racionalidade não é furado. O governante mais sinistro, cruel e sanguinolento deve ser um firme pregador e defensor da racionalidade — do contrário, perecerá. Dirigindo-se aos súditos, ele deve "apelar à razão". Deve proteger a razão, louvar as virtudes do cálculo dos custos e resultados, defender a lógica em oposição às paixões e aos valores que irracionalmente não levam em conta os custos e se recusam a obedecer à lógica.

Em geral, todos os governantes podem confiar que a racionalidade esteja do seu lado. Mas os governantes nazistas, além do mais, truncaram de tal forma as regras do jogo que a racionalidade da sobrevivência tornaria irracionais todos os outros motivos da ação humana. Dentro do mundo moldado segundo os padrões nazistas, a razão era inimiga da moralidade. A lógica requeria o apoio ao crime. A defesa racional da própria sobrevivência apelava a não resistir à destruição dos outros. Tal racionalidade lançava os sofredores uns contra os outros e obliterava sua humanidade comum. Também fazia deles uma ameaça e um inimigo para todos os outros ainda não marcados para morrer e por enquanto desfrutando do papel de espectadores. Indulgente, o nobre credo da racionalidade absolvia tanto as vítimas como os espectadores da acusação de imoralidade e da consciência culpada. Tendo reduzido a vida humana ao cálculo da autopreservação, esta racionalidade roubava à vida humana sua humanidade.

O regime nazista de há muito desapareceu, mas seu legado venenoso está longe de morto. Nossa persistente inabilidade para chegar a um acordo sobre o significado do Holocausto, nossa incapacidade de desmascarar e desarmar a armadilha homicida, nossa disposição de continuar brincando de história com os dados viciados da razão que descarta os clamores da moralidade como irrelevantes ou loucos, nossa submissão à autoridade do cálculo custos-benefícios como argumento contra os mandamentos éticos — tudo isso evidencia a corrupção que o Holocausto expôs mas fez pouco, ao que parece, para desacreditar.

Dois anos da minha tenra infância foram marcados pelas heroicas mas infrutíferas tentativas do meu avô de me apresentar aos tesouros da sabedoria bíblica. Talvez ele não fosse um professor muito inspirado, talvez eu fosse um aluno ingrato e obtuso. O fato é que não me lembro de quase nada das suas lições. Uma história, contudo, penetrou fundo o meu cérebro e me perseguiu por muitos anos. Era a história de um santo sábio que encontrou um mendigo na estrada quando viajava com um jumento carregado de sacas de comida. O mendigo pediu algo para comer. "Espere", disse o sábio, "primeiro tenho que desamarrar os sacos." Antes, porém, que terminasse de fazê-lo, a prolongada fome cobrou seu tributo e o mendigo morreu. Então o sábio começou a rezar: "Castigue-me, Senhor, por não ter salvo a vida do meu próximo!" O choque que essa história me causou é praticamente a única coisa que eu lembro das intermináveis homilias do meu avô. Ela chocava-se com toda a lavagem cerebral a que me submetiam as professoras naquela época e a que me submetem desde então. A história chocava-me por ilógica (e com efeito o era) e, portanto, como errada (o que não era). Foi preciso o Holocausto para me convencer de que a segunda coisa não decorria necessariamente da primeira.

Mesmo sabendo que não se poderia fazer muito mais do que foi feito para salvar as vítimas do Holocausto (pelo menos não sem custos adicionais provavelmente formidáveis), isso não significa que as aflições morais possam ser postas para descansar. Nem que a vergonha de uma pessoa moral seja infundada (mesmo que sua irracionalidade em termos de autopreservação possa ser provada de fato com facilidade). Para esse sentimento de vergonha — condição indispensável à vitória sobre o lento veneno que é o pernicioso legado do Holocausto — são irrelevantes os cálculos mais escrupulosos e historicamente acurados do número daqueles que "poderiam" e daqueles que "não poderiam" ajudar, daqueles que "poderiam" e daqueles que "não poderiam" ser ajudados.

Mesmo os mais sofisticados métodos quantitativos de investigação dos "fatos" não nos levariam muito longe em matéria de solução objetiva (isto é, universalmente irrefutável) para a questão da responsabilidade moral. Não há método científico para decidir se os vizinhos decentes falharam em impedir o transporte dos judeus para os campos de concentração porque os judeus eram passivos e dóceis demais ou se os judeus raramente conseguiram escapar dos seus perseguidores porque não tinham para onde fugir, por sentirem a hostilidade ou indiferença do meio. Também não há métodos científicos para decidir se os residentes prósperos do gueto de Varsóvia podiam ter feito mais para aliviar a provação dos pobres que morriam de fome e de frio nas ruas ou se os judeus alemães poderiam ter-se rebelado contra a deportação dos *Ostjuden* [judeus do leste] ou se os judeus com cidadania francesa poderiam ter feito algo para impedir que os "judeus estrangeiros" fossem encarcerados. Pior ainda, no entanto, é que *o cálculo das possibilidades objetivas e dos custos só obscurece a essência moral do problema.*

A questão não é saber se os que sobreviveram coletivamente — combatentes que por vezes não podiam ser mais do que espectadores, espectadores que por vezes só podiam temer se tornar vítimas — *deveriam* sentir vergonha ou orgulho de si mesmos. A questão é que somente a *vergonha libertadora* pode ajudar a recuperar o significado moral da terrível experiência histórica e assim ajudar a exorcizar o espectro do Holocausto, que até hoje assombra a consciência humana e nos faz negligenciar a vigilância no presente em prol de vivermos em paz com o passado. A opção não é entre vergonha e orgulho, mas entre o orgulho da vergonha moralmente purificadora e a vergonha do orgulho moralmente devastador. Não sei como reagiria se um estranho batesse à minha porta e me pedisse para sacrificar a mim mesmo e a minha família para salvar a vida dele. Tal dilema me foi poupado. Tenho certeza, porém, de que se me recusasse a abrigá-lo, seria plenamente capaz de me justificar com os outros e comigo mesmo argumentando que, pelo número de vidas salvas e perdidas, despachar o estranho foi uma decisão inteiramente racional. Tenho certeza, também, de que sentiria aquela vergonha irracional e ilógica mas por demais humana. E no entanto tenho certeza igualmente de que, não fosse por essa vergonha, a decisão de despedir o estranho iria me corroer até o fim dos meus dias.

O mundo desumano criado por uma tirania homicida desumanizou as suas vítimas e aqueles que assistiram passivamente à vitimação, o que obteve pressionando uns e outros a usar a lógica da autopreservação como meio de se absolverem da inação e insensibilidade moral. Ninguém pode ser considerado culpado pelo simples fato de ceder sob tal pressão. Mas ninguém pode se furtar à autocensura moral por tal capitulação. E só quando nos sentimos envergonhados de nossas fraquezas podemos finalmente destroçar a prisão mental que sobreviveu a seus construtores e carcereiros. A tarefa, hoje, é destruir esse poder que tem a tirania de manter prisioneiras suas vítimas e testemunhas muito depois de desmantelada a prisão.

Ano após ano o Holocausto vai encolhendo para o nível de um episódio histórico, que além disso recua mais e mais no passado. A importância de lembrá-lo consiste cada vez menos na necessidade de punir os criminosos ou ajustar contas ainda não saldadas. Os criminosos que escaparam a julgamento são hoje velhos de senilidade bem avançada, como também o são ou logo serão a maioria dos que sobreviveram a seus crimes. Mesmo que outro assassino seja descoberto, arrancado de seu esconderijo e submetido a uma justiça tardia, será cada vez mais difícil enfrentar a enormidade dos seus crimes com a santa dignidade do processo legal. (Disso é testemunho a embaraçosa experiência dos processos Demianiuk e Barbie.) Há também cada vez menos sobreviventes que eram maduros o suficiente na época das câmaras de gás para decidir se abriam ou fechavam a porta aos estranhos em busca de ajuda. Se o pagamento pelos crimes cometidos e o ajuste de contas esgotassem a importância histórica do Holocausto, poder-se-ia deixar esse horrível episódio onde aparentemente se encontra — no passado — e aos cuidados de historiadores profissionais. A verdade, no entanto, é que o acerto de contas é apenas uma das razões para lembrar o Holocausto para sempre. E, aliás, uma razão menor — o que nunca porém foi tão evidente quanto agora, quando essa razão perde rápido o que quer que lhe tenha sobrado de importância *prática*.

Hoje, mais do que em qualquer outra época, o Holocausto não é uma propriedade privada (se é que já o foi) — nem dos que o perpetraram, para serem punidos; nem de suas vítimas diretas, para reivindicarem uma simpatia especial, favores ou indulgência em nome de sofrimentos passados; nem de suas testemunhas, em busca de redenção ou certificados de inocência. *A importância atual do Holocausto está na lição que ele traz para toda a humanidade.*

A lição do Holocausto é a facilidade com que a maioria das pessoas, colocadas numa situação em que não existe boa escolha ou que a torna muito cara, arranja uma justificativa para escapar ao dever moral (ou não consegue aderir a ele), adotando em vez disso os preceitos do interesse racional e da autopreservação. *Em um sistema em que a racionalidade e a ética apontam em sentidos opostos, o grande perdedor é a humanidade.* O mal pode fazer o trabalho sujo, apostando que a maioria das pessoas a maior parte do tempo evita fazer coisas imprudentes e temerárias — como resistir ao mal, por exemplo. O mal não precisa nem de seguidores entusiasmados nem do aplauso de um público — basta o instinto de autopreservação, estimulado pelo reconfortante pensamento de que ainda não chegou a minha hora, graças a Deus: me curvando inteiramente, ainda posso escapar.

E há uma outra lição do Holocausto, de não menos importância. Se a primeira lição é um alerta, a segunda é uma esperança. É a segunda lição que faz valer a pena repetir a primeira.

Esta segunda lição nos diz que colocar a autopreservação acima do dever moral não é algo de modo nenhum predeterminado, inevitável e inelutável. Podemos ser pressionados a fazê-lo, mas não somos forçados a isso, de maneira que não se pode de fato jogar a responsabilidade da ação nos que pressionaram para tal. *Não importa quantas pessoas optaram pelo dever moral acima da racionalidade da autopreservação — o que realmente importa é que alguns fizeram essa opção.* O mal não é todo-poderoso. Pode-se resistir a ele. O testemunho dos poucos que resistiram desmantela a autoridade lógica da autopreservação — ele revela afinal do que se trata: de *uma escolha*. Fica-se a imaginar quantos precisariam desafiar essa lógica para incapacitar o mal. Existirá um limiar de desafio além do qual a tecnologia do mal bate pino e é obrigada a parar?

Apêndice

Manipulação social da moralidade: atores moralizantes, ação adiaforética

Creio que a grande honraria do Prêmio Amalfi Europeu foi dada ao livro *Modernidade e Holocausto*, não ao autor, e é em nome deste livro e particularmente da mensagem que ele contém que com gratidão e alegria aceito vossa homenagem profissional. Fico feliz por várias razões com a distinção conferida a este livro.

Primeiro, é um livro que nasceu da experiência envolvendo a divisão até recentemente profunda e aparentemente intransponível entre o que a gente chamava de Europa "oriental" e "ocidental". As ideias que entraram no livro e sua mensagem tiveram gestação tanto na minha universidade de Varsóvia como na companhia de colegas na Grã-Bretanha, país que nos anos de exílio me ofereceu um segundo lar. Tais ideias desconheciam aquela divisão; só sabiam da nossa experiência europeia comum, da nossa história comum, cuja unidade pode ser desvirtuada, até temporariamente abafada, mas não destruída. É a nosso destino comum europeu, unificado, que se dirige o meu livro.

Segundo, este livro jamais existiria se não fosse por minha amiga e companheira de toda a vida, Janina, cujo *Inverno de manhã*, livro de reminiscências dos anos de infâmia humana, abriu meus olhos para o que normalmente nos recusamos a ver. Escrever *Modernidade e Holocausto* virou uma compulsão intelectual e um dever moral assim que li o sumário de Janina sobre a triste sabedoria que ela adquiriu no círculo fechado do inferno criado pelo homem: "A coisa mais cruel da crueldade é que desumaniza suas vítimas antes de destruí-las. E a mais dura das lutas é continuar humano em condições inumanas." Foi a amarga sabedoria de Janina que tentei encerrar na mensagem do meu livro.

Terceiro, a própria mensagem, sobre a face oculta e indecente de nosso bravo e confiante mundo de afluência e o jogo perigoso que esse mundo faz com o impulso moral do homem, parece ecoar preocupações cada vez mais difundidas. Este, suponho, é o significado de conceder o cobiçado Prêmio Amalfi ao livro que contém tal mensagem. Mas também do fato de que a prestigiosa Conferência Amalfi tenha sido dedicada inteiramente à questão da moralidade e da utilidade, cujo divórcio, como a mensagem indica, está na base mesma dos sucessos espetaculares e dos mais aterradores crimes da nossa civilização, e cuja reunificação é a única chance que o nosso mundo pode ter de chegar a um termo com seus próprios e apavorantes poderes. A conferência que segue é portanto mais do que uma mera reafirmação da mensagem do livro. É uma voz num discurso que, espera-se, nossa vocação comum manterá em foco.

Virtutem doctrina paret naturae donet. Para os antigos romanos o dilema era tão agudo quanto hoje para nós. É a moralidade ensinada ou reside na própria modalidade humana de existência? Decorre do processo de socialização ou já está "dada" antes que todo aprendizado comece? Ou é, como insistia Max Scheler, exatamente o contrário: o sentimento de companheirismo, substância de todo comportamento moral, não será precondição para a vida social?

É por demais comum descartar a questão como de interesse puramente acadêmico. Às vezes é jogada no meio de questões vãs e supérfluas nascidas da infatigável mas notoriamente suspeita curiosidade metafísica. Quando explicitamente levantada por sociólogos, presume-se que tenha sido respondida de modo conclusivo há muito tempo, por Hobbes e por Durkheim, de uma forma que deixa pouco espaço à dúvida, e desde então transformada numa antiquestão pela prática sociológica de rotina. Para os sociólogos pelo menos, a sociedade é a raiz de tudo o que é humano, e tudo o que é humano passa a existir pelo aprendizado social. Praticamente nunca temos a oportunidade de discutir abertamente a questão. Por tudo o que nos diz respeito, ela foi resolvida antes que pudesse ser discutida: sua resolução fundou a linguagem que constitui nosso típico discurso sociológico. Nessa linguagem, não se pode falar de moralidade de qualquer outra forma exceto em termos de socialização, ensinamento e aprendizado, prerrequisitos sistêmicos e funções societárias. E, como nos lembrou Wittgenstein, nada podemos dizer a não ser o que pode ser dito. A forma de vida sustentada pela linguagem da sociologia não contém moralidade socialmente não sancionada. Nessa linguagem, nada que não seja socialmente sancionado pode ser considerado moral. E aquilo que não se pode falar está fadado a permanecer em silêncio.

Todos os discursos definem os seus temas, mantêm a integridade preservando a especificidade de suas definições e se reproduzem pela sua reiteração. Poderíamos, por assim dizer, ficar nessa observação trivial e deixar que a sociologia atue com seu discurso e sua insensibilidade seletivos habituais, não fossem tão sérias as implicações de permanecer em silêncio. O nível de seriedade foi demonstrado, gradual mas inexoravelmente, por Auschwitz, Hiroshima e o Gulag. Ou melhor, pelo problema que os vitoriosos autores do Gulag e de Hiroshima enfrentaram ao levar a julgamento, acusar e condenar os vencidos autores de Auschwitz. Foi Hannah Arendt, no melhor da sua percepção e irreverência, quem proferiu as verdadeiras implicações desses problemas:

> O que exigimos nesses processos, cujos réus cometeram crimes "legais", foi que os seres humanos sejam capazes de distinguir o certo do errado quando tudo o que têm para orientá-los é o seu próprio juízo, que no entanto acontece de estar em completa oposição com o que eles têm que encarar como a opinião unânime de todos à sua volta. E essa questão é tanto mais séria quanto sabemos que os poucos que se mostraram "arrogantes" o bastante para confiar apenas no seu próprio julgamento não eram de forma alguma idênticos àqueles que continuaram a acatar velhos valores ou que foram guiados por uma crença religiosa... Esses poucos que ainda eram capazes de distinguir o certo do errado seguiram de fato apenas seu próprio julgamento e o fizeram livremente; não havia regras a acatar, às quais se subordinariam os casos particulares com que eram confrontados.

Era necessário portanto fazer a pergunta: qualquer um dos que então eram levados a julgamento teria sofrido de consciência culpada caso houvesse vencido? A descoberta mais terrível foi que a resposta a essa pergunta seria certamente um enfático "não" e que nos faltam argumentos para mostrar por que deveria ser de outra forma. Tendo decretado a inexistência ou a improcedência de tais distinções entre o bem e o mal por não trazerem a chancela da sanção social, não podemos seriamente exigir que os indivíduos tomem iniciativas morais. Nem podemos onerá-los com a responsabilidade por suas opções morais a não ser que a responsabilidade tenha sido *de facto* atribuída pelas prescrições da sociedade. E normalmente não gostaríamos de fazer isso (quer dizer, exigir dos indivíduos que tomem decisões morais por sua própria responsabilidade). Fazê-lo significaria, afinal, sancionar uma responsabilidade moral que solapa o poder legislativo da sociedade; e que sociedade renunciaria a esse poder por vontade própria, a não ser quando incapacitada por uma esmagadora força militar? Com efeito, assumir o julgamento dos responsáveis por Auschwitz não era uma tarefa fácil para os que mantinham o Gulag em segredo e para os que preparavam secretamente Hiroshima.

É talvez por causa dessa dificuldade que, como observou Harry Redner, "grande parte da vida e do pensamento tais como se apresentam hoje baseia-se na suposição de que Auschwitz e Hiroshima jamais aconteceram ou, se aconteceram, foram apenas meras explosões, escapes, que ocorreram muito longe de nós e há muito tempo atrás para que possam nos preocupar agora". Os dilemas legais surgidos nos julgamentos de Nuremberg foram resolvidos lá, naquela época, tratados como questões locais, específicas de um caso extraordinário e patológico, que jamais tiveram a chance de transbordar dos limites do seu paroquialismo cuidadosamente circunscrito e foram logo contidos assim que ameaçaram escapar ao controle. Nenhuma revisão fundamental de nossa inibição ocorreu ou foi contemplada. Por muitas décadas — até hoje, pode-se dizer — a voz de Hannah Arendt clama no deserto. Muito da ira que a análise de Arendt despertou na época deveu-se à tentativa de manter impermeável essa inibição. Só foram aceitas as explicações dos crimes nazistas que são notoriamente irrelevantes para nós, para o nosso mundo, para a nossa forma de vida. Tais explicações realizam a dupla proeza de condenar o réu e ao mesmo tempo absolver o mundo dos vencedores.

É inútil discutir se a resultante marginalização do crime cometido — à plena luz da aclamação social ou com a tácita aprovação popular — por pessoas que "não eram nem pervertidas nem sádicas", que "eram, e ainda são, tremendamente normais" (Arendt), foi deliberada ou casual, produzida intencionalmente ou por acaso. O fato é que a quarentena iniciada meio século atrás nunca foi suspensa; no mínimo, as cercas de arame farpado ficaram mais grossas com o passar dos anos. Auschwitz passou à história como um problema "judeu" ou "alemão" e como propriedade privada judia ou alemã. Avultando enorme nos "estudos judeus", foi entretanto confinado a notas de rodapé ou parágrafos apressados na principal historiografia europeia. Livros sobre o Holocausto são resenhados sob a rubrica "temas judaicos". O impacto de tais hábitos é reforçado pela veemente oposição do *establishment* judaico a qualquer tentativa, por mais experimental que seja, de "expropriar" a injustiça que os judeus e somente os judeus sofreram. Dessa injustiça o Estado judeu gostaria entusiasticamente de ser o único guardião e, de fato, o único beneficiário legítimo. Essa aliança nada santa efetivamente impede que a experiência por ela descrita como "exclusivamente judia" se torne um problema universal da moderna condição humana e, portanto, propriedade pública. Alternativamente, Auschwitz é apresentado como um evento explicável apenas no quadro das extraordinárias reviravoltas da história alemã, dos conflitos internos da cultura alemã, das trapalhadas da filosofia alemã ou do desconcertante caráter autoritário nacional dos alemães — com exatamente o mesmo efeito paroquial e marginalizante. Por fim e talvez de modo mais perverso, a estratégia que resulta no duplo efeito de marginalizar o crime e absolver a modernidade exclui o Holocausto de uma categoria de fenômenos semelhantes, interpretendo-o ao contrário como uma eclosão de forças pré-modernas (bárbaras, irracionais) supostamente de há muito superadas nas sociedades civilizadas "normais" mas não domadas o suficiente ou mal controladas pela modernização supostamente frágil ou deficiente da Alemanha. Seria de esperar que essa estratégia fosse uma forma favorita de autodefesa: afinal, ela obliquamente reafirma e reforça o mito etiológico da civilização moderna como triunfo da razão sobre a paixão e uma crença auxiliar nesse triunfo como um passo inequívoco de progresso no desenvolvimento histórico da moralidade.

O efeito combinado das três estratégias — quer deliberadas ou subconscientes — é a proverbial perplexidade dos historiadores, que repetidamente se queixam de, por mais que tentam, não conseguir entender o mais espetacular episódio deste século, cuja história eles escreveram com tanta competência e que continuam a escrever cada vez com mais detalhes. Saul Friedländer lamenta a "paralisia do historiador", que na sua opinião (amplamente compartilhada) "resulta da simultaneidade e da interação de fenômenos completamente heterogêneos: fanatismo messiânico e estruturas burocráticas, impulsos patológicos e decretos administrativos, atitudes arcaicas dentro de uma avançada sociedade industrial". Envolvidos na rede dos relatos marginalizantes que todos nós ajudamos a tecer, não conseguimos ver o que olhamos; a única coisa que conseguimos notar é a confusa heterogeneidade do quadro, a coexistência de coisas que nossa linguagem não admite que coexistam, a cumplicidade de fatores que — assim nos dizem os nossos relatos — pertencem a tempos ou épocas diferentes. Sua heterogeneidade não é um achado, mas uma suposição. É essa suposição que gera espanto onde a compreensão é que deveria surgir e se faz necessária.

Em 1940, no auge da escuridão, Walter Benjamin anotou uma mensagem que, a julgar pela contínua paralisia dos historiadores e a imperturbável serenidade dos sociólogos, ainda não foi ouvida como se deveria: "Tal espanto não pode ser o ponto de partida para a genuína compreensão histórica — *a não ser que seja a compreensão de que é insustentável o conceito de história do qual se origina.*" O que é insustentável é o conceito da nossa história — europeia — como ascensão da humanidade sobre o animal que há no homem e como triunfo da organização racional sobre a crueldade da vida, que é estúpida, breve e brutal. O que também é insustentável é a concepção da sociedade moderna como força moralizante inequívoca, de suas instituições como poderes civilizadores, de seus controles coercitivos como barragem que defende a frágil humanidade das torrentes das paixões animalescas. É à exposição de tal insustentabilidade que se dedica este texto, em conformidade com o livro que comenta.

Mas permitam primeiro que repita: a dificuldade de provar que é insustentável o que, segundo todos os padrões, é pressuposição comum do discurso sociológico deriva em não pouca medida da intrínseca qualidade da linguagem do relato sociológico; como todas as linguagens, ela define seus objetos enquanto se propõe a descrevê-los. A autoridade moral da sociedade é autocomprobatória a um nível tautológico na medida em que toda ação desconforme às normas societariamente sancionadas é, por definição, imoral. O comportamento socialmente sancionado é bom, enquanto toda ação condenada societariamente é definida como má. Não há uma saída fácil desse círculo vicioso, uma vez que toda sugestão de uma origem pré-social do impulso moral foi *a priori* condenada como violadora das regras da racionalidade linguística — a única racionalidade que a linguagem permite. O uso da linguagem sociológica implica a aceitação da imagem do mundo que essa linguagem gera e um tácito consentimento de conduzir o discurso resultante de tal forma que toda referência à realidade é dirigida ao mundo assim gerado. A imagem do mundo sociologicamente gerada reproduz o que fazem os poderes de legislação social. Mas faz mais do que isso: silencia a possibilidade de formular visões alternativas, de cuja supressão ou abafamento consiste o feito de tais poderes. Assim, o poder definidor da linguagem suplementa os poderes de diferenciação, separação, segregação e supressão alojados na estrutura de dominação social. Ele também extrai dessa estrutura sua legitimidade e persuasão.

Ontologicamente, estrutura significa relativa repetitividade, monotonia de eventos; epistemologicamente, significa por isso previsibilidade. Falamos de estrutura sempre que nos defrontamos com um espaço dentro do qual as probabilidades não são distribuídas aleatoriamente: alguns eventos são mais prováveis de acontecer que outros. É neste sentido que o habitat humano é "estruturado": uma ilha de regularidade num mar de coisas aleatórias. Essa precária regularidade foi uma conquista e o aspecto definidor decisivo da organização social. Toda organização social, *quer projetada, quer totalizante* (isto é, como campos demarcados de relativa homogeneidade pela supressão ou degradação de todas as outras características diferenciadoras e portanto potencialmente divisórias — tornadas irrelevantes ou, de outro modo, sem importância), consiste em submeter a conduta de suas unidades a critérios de avaliação *instrumentais* ou *processuais*. Mais importante ainda, consiste em colocar fora da lei todos os demais critérios, primeiro e antes de mais nada padrões que possam tornar o comportamento das unidades resistente às pressões uniformizantes e portanto *autônomo* face ao propósito coletivo da organização (que, do ponto de vista organizacional, os torna imprevisíveis e potencialmente desestabilizantes).

Entre os padrões marcados para supressão está o orgulho do lugar, mantido pelo impulso moral e fonte de um comportamento notoriamente autônomo (e portanto, do vantajoso ponto de vista da organização, *imprevisível*). A autonomia do comportamento moral é final e irredutível. Escapa a toda codificação, uma vez que não serve a qualquer propósito além de si mesma e não entra em relação com nada além de si mesma; isto é, nenhum relacionamento que poderia ser monitorado, padronizado, codificado. O comportamento moral, como nos diz o maior filósofo moral do século XX, Emmanuel Levinas, é desencadeado pela mera presença do Outro como um *rosto*, isto é, uma autoridade sem força. O Outro demanda sem ameaçar punir nem prometer recompensa; sua demanda não tem sanção. O Outro não pode fazer nada: é precisamente sua fraqueza que exibe minha força, minha capacidade de agir, como responsabilidade. A ação moral é qualquer coisa que se segue a essa responsabilidade. Ao contrário da ação desencadeada pelo medo da sanção ou pela promessa de recompensa, ela não traz sucesso nem ajuda a sobreviver. Como, não tendo propósito, escapa a toda possibilidade de legislação heterônoma ou argumento racional, permanece surda ao *conatus essendi* e portanto elide o julgamento do "interesse racional" e o conselho da autopreservação calculada, pontes gêmeas para o mundo do "existir", da dependência e da heteronomia. O rosto do Outro, insiste Levinas, é um limite imposto ao esforço de existir. Oferece portanto a liberdade última: liberdade contra a fonte de toda heteronomia, contra toda dependência, contra a persistência da natureza em ser. A moralidade é um "momento de generosidade". "Alguém joga sem ganhar... Graça é o que alguém faz gratuitamente... A ideia do rosto é a ideia do amor gratuito, é a condução de um ato gratuito." É por causa da sua implacável gratuidade que os atos morais não podem ser atraídos, seduzidos, subornados, rotinizados. De uma perspectiva societária, a razão *prática* de Kant é portanto irremediavelmente *não prática*... Do ponto de vista da organização, a conduta de inspiração moral é supremamente inútil, não somente subversiva: não pode ser atrelada a nenhum propósito e coloca limites à esperança de monotonia. Como não pode ser racionalizada, a moralidade deve ser abafada ou manipulada para se tornar irrelevante.

A resposta da organização à autonomia do comportamento moral é a heteronomia das racionalidades instrumentais e processuais. A lei e o lucro deslocam e substituem a gratuidade e ausência de sanções do impulso moral. Os atores são desafiados a justificar sua conduta através da razão tal como definida pelo objetivo ou pelas regras de comportamento. Só ações assim pensadas e justificadas ou adequadas ao relato dessa forma são admitidas na categoria das ações autenticamente *sociais*, isto é, *racionais*, quer dizer ações que servem de propriedades definidoras dos atores como *atores sociais*. Pelo mesmo motivo, ações que não conseguem satisfazer os critérios de busca do objetivo ou de disciplina processual são declaradas não sociais, irracionais — e *privadas*. A maneira da organização socializar a ação inclui, como corolário indispensável, a privatização da moralidade.

Toda organização social consiste portanto em neutralizar o impacto destruidor e desregulador do comportamento moral. Esse efeito é alcançado através de uma série de arranjos complementares: (1) ampliando a distância entre a ação e suas consequências além do alcance do impulso moral; (2) excluindo alguns "outros" da categoria de objetos potenciais da conduta moral, de rostos "em potencial"; (3) desmembrando outros objetos humanos de ação em agregados de traços funcionais específicos, mantidos de tal forma separados que a oportunidade de reunificar o rosto não ocorre e a tarefa colocada para cada ação pode ficar livre da avaliação moral. Por meio desses arranjos, a organização não promove o comportamento imoral; ela não abraça o mal, não o patrocina, como alguns detratores se apressariam em acusar; mas também não promove o bem, apesar de sua própria autopromoção. Simplesmente torna a ação social *sem esforço, adiafórética* (originalmente, *adiaphoron* era uma coisa declarada indiferente pela Igreja) — nem boa nem má, mensurável por padrões técnicos (voltados para um propósito ou processuais) mas não por valores morais. Pela mesma razão, torna ineficiente a responsabilidade moral pelo Outro no seu papel original de limite imposto ao "esforço de existir". (É uma tentação supor que os filósofos sociais, que no limiar da idade moderna perceberam pela primeira vez a organização social como questão de projeto e melhoria racional, teorizaram precisamente essa qualidade da organização como imortalidade do Homem, que transcende e privatiza como irrelevância social a mortalidade dos homens e mulheres individuais.) Analisemos um por um esses arranjos que, simultaneamente, constituem a organização social e tornam adiafórética a ação social.

Para começar com a remoção dos efeitos da ação para além do alcance dos limites morais, essa grande conquista da formulação da ação dentro da hierarquia de comando e execução: uma vez situado no "estado de agente" e separado tanto das fontes conscientes da intenção quanto dos efeitos últimos da ação por uma cadeia de mediadores, os atores raramente enfrentam o momento de escolha e de contemplação das consequências de seus atos; mais importante ainda, quase nunca percebem o que contemplam como consequências de seus atos. Como cada ação é tanto *mediada* quanto "meramente" *mediadora*, a suspeita de ligações causais é convincentemente descartada pela teorização da evidência como "consequência imprevista" ou, de todo modo, como "resultado não intencional" de um ato em si mesmo moralmente neutro — como uma falta de razão mais do que uma falha ética. A organização social pode portanto ser descrita como uma máquina que mantém a responsabilidade moral à tona; não pertence a ninguém em particular, uma vez que a contribuição de todos para o efeito final é parcial ou pequena demais para se atribuir a ela uma sensível função causal. A dissecação da responsabilidade e a dispersão do que resta resulta, no plano estrutural, naquilo que Hannah Arendt descreveu de forma aguda como "regra de Ninguém"; no plano individual, deixa o ator, como sujeito moral, mudo e indefeso quando confrontado com os poderes gêmeos da tarefa e das regras de procedimento.

O segundo arranjo poderia ser melhor descrito como o "desaparecimento do rosto". Consiste em lançar os objetos da ação em uma posição na qual não podem desafiar o ator na sua (dos objetos) qualidade de fonte de demandas morais; isto é, em extirpá-los da categoria de seres que podem potencialmente confrontar o ator como "rosto". A série de meios utilizada para isso é realmente enorme. Vai da explícita isenção de proteção moral ao inimigo declarado, através da classificação de grupos selecionados entre os recursos de ação que podem ser avaliados unicamente em termos do seu valor técnico instrumental, até a remoção do estranho de qualquer relacionamento humano comum, no qual seu rosto poderia se tornar visível e brilhar como uma exigência moral. Em cada caso o impacto limitador da responsabilidade moral pelo Outro é suspenso e tornado ineficaz.

O terceiro arranjo destrói o objeto da ação como pessoa. O objeto foi desmembrado em traços, características; a totalidade do sujeito moral foi reduzida à coleção de partes ou atributos pelos quais não se pode atribuir a ninguém uma subjetividade moral. As ações são então direcionadas a unidades-alvo específicas no conjunto, evitando completamente o momento do encontro com momentos moralmente significativos (foi a realidade dessa organização social, pode-se supor, que se formulou no postulado do reducionismo filosófico promovido pelo positivismo lógico: demonstrar que a entidade P pode ser reduzida a entidades x, y e z implica a dedução de que X não é "nada a não ser" a reunião de x, y e z. Não admira que a moralidade tenha sido uma das primeiras vítimas do tempero reducionista do positivismo lógico). Por assim dizer, o impacto de uma ação com alvo bem delimitado na totalidade do seu objeto humano é mantido fora de vista e isento de avaliação moral por não ser parte da intenção.

Nossa investigação do impacto adiaforético da organização social foi conduzida até aqui em termos conscientemente não históricos e extraterritoriais. Com efeito, a adiaforização parece ser um ato constitutivo necessário de qualquer totalidade social, supraindividual; aliás, de toda organização social. Se assim é de fato, no entanto, nossa tentativa de desafiar e refutar a crença ortodoxa na autoria social da moralidade não fornece por si mesma uma resposta à preocupação ética que levou de início à investigação. É verdade que a sociedade concebida como um mecanismo adiaforético oferece uma explicação muito melhor da crueldade endêmica generalizada na história humana do que a teoria ortodoxa da origem social da moralidade; explica em particular por que num período de guerra ou cruzadas ou colonização ou conflito civil as coletividades humanas normais são capazes de cometer atos que, se cometidos isoladamente, são logo classificados como psicopáticos. E no entanto não consegue dar conta de fenômenos extraordinariamente novos como o Gulag, Auschwitz ou Hiroshima. Sente-se que esses eventos cruciais do nosso século são de fato novos; e ficamos inclinados (com toda razão) a suspeitar que significam o aparecimento de algumas novas características tipicamente modernas que não são atributo universal da sociedade humana como tal e não se verificaram em sociedades do passado. Por que?

Primeiro, uma novidade superevidente e banal é a mera escala do potencial destrutivo da tecnologia que pode ser posta hoje a serviço da ação totalmente indiferente, adiaforética. Esses novos e terríveis poderes são atualmente auxiliados e instigados, além disso, pela crescente eficiência cientificamente fundada dos processos administrativos. Parece que a tecnologia desenvolvida nos tempos modernos apenas estimula mais ainda as tendências já visíveis em toda ação socialmente regulada e organizada; sua escala atual apenas acarreta uma mudança quantitativa. Mas há um ponto no qual o aumento quantitativo propicia uma nova qualidade — e tal ponto parece ter sido ultrapassado numa era que chamamos da modernidade. É verdade que o reino da *techne*, o reino das trocas com o mundo não humano ou com o mundo humano visto como não humano, sempre foi tratado em todas as épocas como moralmente neutro graças ao expediente adiaforético, o da indiferença, sem esforço. Mas, como indica Hans Jonas, nas sociedades desarmadas da tecnologia moderna, "o bem e o mal com os quais tinha que se preocupar a ação estão próximos do ato, seja na própria praxis, seja no seu alcance imediato... O escopo efetivo da ação era pequeno" e assim também suas possíveis consequências, quer planejadas ou impensadas. Hoje, porém, "a cidade dos homens, outrora um enclave no mundo não humano, espraia-se por toda a natureza e usurpa o lugar dela". Os efeitos da ação têm um alcance longínquo e amplo tanto no espaço quanto no tempo. Tornaram-se, como Jonas sugere, *cumulativos*, isto é, transcendem toda localidade espacial e temporal e, como temem muitos, podem eventualmente transcender a capacidade autocurativa da natureza e terminar no que Ricoeur chama de *aniquilição*, que, ao contrário da destruição comum que pode revelar-se ainda uma operação clareadora num processo criativo de mudança, não deixa margem para um novo começo. Possibilitada pela e originada da eterna técnica social adiafórética, a indiferença, essa nova evolução, permitam-nos dizer, multiplicou seu escopo e eficácia ao ponto em que as ações podem ser postas a serviço de objetivos moralmente odiosos em um vasto território e por um período prolongado. Suas consequências podem portanto ser levadas ao ponto em que se tornam realmente irreversíveis ou irreparáveis, sem despertar dúvidas ou sequer vigilância morais no processo.

Segundo, junto com a nova e inaudita força da tecnologia humana surgiu a impotência das autolimitações que os homens impuseram durante milênios sobre seu próprio domínio da natureza e sobre seu controle uns dos outros: o célebre *desencanto com o mundo* ou, como definiu Nietzsche, a "*morte de Deus*". Antes e acima de tudo, Deus significava um limite para o potencial humano: uma restrição, imposta pelo que o homem *é capaz de fazer* sobre o que homem *pode fazer* e *ousa fazer*. A suposta onipotência de Deus traçava um limite para o que o homem era autorizado a fazer e ousar. Os mandamentos limitavam a liberdade dos humanos como indivíduos; mas também estabeleciam limites sobre o que os humanos podiam juntos, como sociedade, legislar; mostravam a capacidade humana de legislar e manipular os princípios do mundo como inerentemente limitada. A ciência moderna, que deslocou e substituiu Deus, removeu esse obstáculo. E também criou uma vacância: a função do supremo legislador-e-administrador, do projetista e diretor da ordem mundial, estava agora terrivelmente vaga. Tinha que ser preenchida, senão... Deus fora destronado, mas o trono ainda estava no lugar. A vacância do trono foi, ao longo de toda a idade moderna, um permanente e tentador convite aos visionários e aventureiros. O sonho de uma ordem e harmonia que tudo abarcassem continuava tão vivo como sempre e parecia agora mais perto de realizar-se do que nunca, mais do que nunca ao alcance do homem. Estava agora ao alcance dos humanos mortais concretizá-lo e afirmar sua superioridade. O mundo tornara-se o jardim do homem mas só a vigilância do jardineiro poderia impedi-lo de descambar para o caos da selvageria. Estava agora ao alcance do homem e apenas dele garantir que os rios corressem na direção certa e que as florestas tropicais úmidas não ocupassem os campos onde deveriam crescer os pés de amendoim. Estava agora ao alcance do homem e apenas dele garantir que estranhos não nublassem a transparência da ordem legal, que a harmonia social não fosse arruinada por classes rebeldes, que a unidade do povo não fosse maculada por raças alienígenas. A sociedade sem classes, a sociedade racialmente pura, a Grande Sociedade eram agora tarefa do homem — uma tarefa urgente, uma questão de vida ou morte, um dever. A clareza do mundo e a vocação humana, outrora garantidas por Deus e agora perdidas, tinham que ser rapidamente restauradas, dessa vez pela sagacidade humana e somente com a responsabilidade (ou irresponsabilidade?) humana.

Foi a combinação da crescente potência de meios com uma irrefreável determinação de usá-la a serviço de uma ordem artificial planejada que deu à crueldade humana seu toque *moderno* inconfundível e tornou possíveis, talvez até inevitáveis, o Gulag, Auschwitz e Hiroshima. Abundam os sinais de que tal combinação chegou ao fim. Sua superação é teorizada por alguns como a da própria modernidade; às vezes como o advento de uma idade pós-moderna; em ambos os casos, porém, o analista haveria de concordar com o veredito de Peter Drucker: "Não há mais salvação pela sociedade." Há muitas tarefas que os governantes humanos podem e deveriam realizar. Mas arquitetar a perfeita ordem mundial não é uma delas. O grande jardim mundial fragmentou-se em inúmeros lotes com suas próprias ordenações específicas, menores. Num mundo densamente povoado, com jardineiros inteligentes e de grande mobilidade, não parece haver lugar para um Jardineiro Supremo, o jardineiro dos jardineiros.

Não podemos aqui fazer um inventário dos eventos que levaram ao colapso do grande jardim. Qualquer que tenha sido a razão, porém, ouso dizer que o colapso é uma boa nova sob inúmeros aspectos. Mas será que ele promete um novo começo para a moralidade da coexistência humana? De que modo ele afeta a temática do nosso raciocínio anterior sobre a ação social adiaforética e, particularmente, sobre as dimensões potencialmente desastrosas que lhe confere a ascensão da tecnologia moderna?

Há poucos — se é que há — ganhos sem perdas. A despedida do grande jardineiro e a dissipação da visão de grande jardinagem tornaram o mundo um lugar *mais seguro*, uma vez desaparecida a ameaça do genocídio que se inspira na e busca a salvação. Mas por si só isso não bastou para torná-lo um lugar seguro. Novos medos substituem os antigos; ou, antes, alguns dos medos mais antigos ressurgem, emergindo da sombra de algum outro há pouco expurgado ou retraído. Somos inclinados a partilhar a premonição de Hans Jonas: cada vez mais, nossos grandes medos estarão ligados ao apocalipse que é ameaçado pela natureza da dinâmica não intencional da civilização técnica como tal, mais do que aos campos de concentração e explosões atômicas feitos sob medida, que requerem propósitos grandiosos e, acima de tudo, a tomada de decisões com um propósito consciente. E assim é porque nosso mundo atual foi liberado das missões do homem branco, do proletariado ou da raça ariana unicamente em função de ter sido liberado de quaisquer outras finalidades e significados, virando assim esse universo de meios sem sentido que só servem à própria reprodução e engrandecimento. Como observou Jacques Ellul, a tecnologia hoje se desenvolve *porque se desenvolve*; os meios tecnológicos são usados porque aí estão, e um crime ainda considerado imperdoável num mundo de outra forma promíscuo de valores é não utilizar os meios que a tecnologia já tornou ou está a ponto de tornar acessíveis. Se podemos fazê-lo, por que diabos não deveríamos fazê-lo? Hoje, a tecnologia não serve à solução de problemas; em vez disso, é a disponibilidade de determinada tecnologia que redefine partes sucessivas da realidade humana como *problemas* que clamam por uma *solução*. Nas palavras de [Herbert] Wiener e [Herman] Kahn, os desenvolvimentos tecnológicos produzem meios para além das demandas, procurando as demandas de modo a satisfazer as capacidades tecnológicas...

A irrefreável regra da tecnologia significa que a determinação causal substitui o propósito e a escolha. De fato, nenhum ponto de referência moral ou intelectual parece concebível a partir do qual se possa averiguar, avaliar e criticar as direções que a tecnologia pode tomar, exceto a sóbria avaliação das possibilidades que a própria tecnologia criou. A razão dos meios chega ao auge triunfante quando os fins finalmente desaparecem pouco a pouco na areia movediça da solução de problemas. O caminho para a onipotência técnica foi aberto pela remoção dos últimos resíduos de significado. Seria de repetir o profético alerta que Valéry escreveu na aurora do nosso século: "*On peut dire que tout ce que nous savons, c'est-à-dire tout ce que nous pouvons, a fini par s'opposer à ce que nous sommes.*" [Pode-se dizer que tudo o que sabemos, quer dizer, tudo o que podemos, acabou por se opor àquilo que somos.] Disseram-nos e acabamos por acreditar que emancipação e liberdade significam o direito de reduzir o Outro, junto com o resto do mundo, a um objeto cuja utilidade começa e termina com sua capacidade de nos dar satisfação. De modo mais completo que qualquer outra forma de organização social, a sociedade que se rende à regra irrestrita e não mais desafiada da tecnologia apagou a face humana do Outro e levou assim a adiaforização da sociabilidade humana a uma profundidade ainda insondada.

Isso, no entanto, é apenas um lado da realidade emergente, seu lado "mundano", que paira acima da experiência cotidiana do indivíduo. Há, como observamos rapidamente antes, um outro lado também: o instável, fortuito e errático desenvolvimento do potencial tecnológico e suas aplicações que, dada a crescente potência instrumental, pode facilmente, sem ninguém notar, levar a uma situação "crítica de massa" na qual um mundo é tecnologicamente criado mas não pode mais ser tecnologicamente controlado. De modo bem parecido à pintura, à música e à filosofia modernas, a moderna tecnologia vai então alcançar finalmente o seu fim lógico, instaurando sua própria impossibilidade. Para impedir tal desenlace, ressaltou Joseph Weizenbaum, é necessário nada menos que o surgimento de uma nova ética, uma ética da distância e das consequências distantes, uma ética mensurável segundo o alcance espacial e temporal excepcionalmente ampliado dos efeitos da ação tecnológica. Uma ética que seria diferente de qualquer outra moralidade conhecida: uma ética que se estenderia acima dos obstáculos socialmente erigidos da ação mediatizada e da redução funcional da pessoa humana.

Tal ética é, com toda probabilidade, a necessidade lógica do nosso tempo; quer dizer, se o mundo que transformou os meios em fins pretende escapar das prováveis consequências de suas próprias realizações. Se tal ética constitui uma perspectiva prática plausível é questão inteiramente diferente. Quem mais do que nós, sociólogos e estudantes das realidades sociais e políticas, deveria estar propenso a duvidar da factibilidade mundana das verdades que os filósofos, justificadamente, provam ser esmagadoramente lógicas e apodeticamente necessárias? E no entanto quem mais do que nós, sociólogos, estamos aptos a alertar nossos irmãos humanos para a defasagem entre o real e o necessário, entre a importância dos limites morais para a sobrevivência e a determinação do mundo de viver — e de viver feliz e talvez mesmo para sempre depois — sem eles?

Conferência proferida ao receber o
Prêmio Amalfi em 24 de maio de 1990

Notas

PREFÁCIO

1. David G. Roskies, *Against the Apocalypse, Response to Catastrophe in Modern Jewish Culture* (Cambridge, Mass.: Harvard University Press, 1984), p.252.

2. Cynthia Ozick, *Art and Ardour* (Nova York: Dutton, 1984), p.236.

3. Comparar com Steven Beller, "Shading Light on the Nazi Darkness", *Jewish Quarterly*, inverno de 1988-89, p.36.

4. Janina Bauman, *Winter in the Morning* (Londres: Virago Press, 1986), p.1.

1. INTRODUÇÃO: A SOCIOLOGIA DEPOIS DO HOLOCAUSTO

1. Ver Konrad Lorenz, *On Agression* (Nova York: Harcourt, Brace and World, 1977); Arthur Koestler, *Janus: a Summing Up* (Londres: Hutchinson, 1978). Entre os muitos escritos que tentam utilizar teorias de falha imanente da natureza humana para explicar o Holocausto, Israel W. Charny, *How Can We Commit the Unthinkable?* (Boulder: Westview Press, 1982) ocupa lugar destacado. O livro contém uma investigação abrangente das teorias da natureza humana e aborda hipóteses tais como "o homem é naturalmente mau", "o poder embriaga", "projetar num bode expiatório o que menos suportamos na gente" ou "matar a humanidade do outro para preservar a própria". Wendy Stellar Flory, "The Psychology of Antisemitism", in *Antisemitism in the Contemporary World*, Michael Curtis org. (Boulder: Westview Press, 1986), explica a ocorrência do Holocausto pela tenacidade do antissemitismo, do antissemitismo pelo preconceito generalizado, do preconceito pelo "mais fundamental e intuitivo de todos os impulsos humanos — o egoísmo", que por sua vez explica-se como "resultado de outra característica humana... — o orgulho, que nos deixa prontos para ir aonde for para não ter que admitir para nós mesmos que estávamos errados" (p.240). Flory argumenta que a prevenção dos efeitos destrutivos do preconceito requer que a sociedade insista "(como faz com outros tipos de egoísmo) que ele deve ser rigorosamente monitorado e restringido" (p.249).

2. Por exemplo, "Angela Davis é transformada numa dona de casa judia a caminho de Dachau; um corte dos tíquetes-refeição vira um exercício de genocídio; os vietna-

mitas que fugiram do seu país em botes se transformam nos infelizes refugiados judeus da década de 30". Henry L. Feingold, "How Unique is the Holocaust?", in *Genocide: Critical Issues of the Holocaust*, Alex Grobman & Daniel Landes orgs. (Los Angeles: The Simon Wiesenthal Centre, 1983), p.398.

3. George M. Kren & Leon Rappoport, *The Holocaust and the Crisis of Human Behaviour* (Nova York: Holmes & Meier, 1980), p.2.

4. Everett C. Hughes, "Good People and Dirty Work", *Social Problems*, verão de 1962, p.3-10.

5. Ver Helen Fein, *Accounting for Genocide: National Response and Jewish Victimization during the Holocaust* (Nova York: Free Press, 1979).

6. Fein, *Accounting for Genocide*, p.34.

7. Nechama Tec, *When Light Pierced the Darkness* (Oxford: Oxford University Press, 1986), p.193.

8. John Roth, "Holocaust Business", *Annals of AAPSS*, n.450 (julho de 1980), p.70.

9. Feingold, "How Unique is the Holocaust", p.399-400.

10. Edmund Stillman & William Pfaff, *The Politics of Hysteria* (Nova York: Harper & Row, 1964), p.30-1.

11. Raoul Hilberg, *The Destruction of the European Jews* (Nova York: Holmes & Meier, 1983), vol.III, p.994.

12. Richard L. Rubenstein, *The Cunning of History* (Nova York: Harper, 1978), p.91, 195.

13. Ver Lyman H. Legters org., *Western Society after the Holocaust* (Boulder: Westview Press, 1983).

14. Nas palavras do ex-ministro das Relações Exteriores israelense Abba Eban, "para o sr. Begin e sua coorte, todo inimigo é um 'nazista', cada golpe vira uma 'Auschwitz'". E prossegue Eban: "É hora de andarmos com os próprios pés e não com os dos seis milhões de mortos." Citado por Michael R. Marrus, "Is there a New Antisemitism?", in Curtis, *Antisemitism in the Contemporary World*, p.177-8. Afirmações como a de Begin convidam a respostas semelhantes: assim, o *Los Angeles Times* lhe atribui "a linguagem de Hitler", enquanto outro jornalista americano escreve sobre os olhos dos árabes palestinos encarando-o sob fotos de crianças judias sendo levadas para as câmaras de gás: ver Edward Alexander em *Antisemitism in the Modern World*.

15. Kren & Rappoport, *The Holocaust and the Crisis*, p.126, 143.

16. Leo Kuper, *Genocide: Its Political Use in the Twentieth Century* (New Haven: Yale University Press, 1981), p.161.

17. Christopher R. Browning, "The German Bureaucracy and the Holocaust", in Grobman & Landes, *Genocide*, p.148.

18. Kuper, *Genocide*, p.121.

19. H.H. Gerth & C. Wright Mills orgs., *From Max Weber* (Londres: Routledge & Kegan Paul, 1970), p.214, 215. Na sua abrangente pesquisa e partidária avaliação do tratamento que o Holocausto recebe dos historiadores (*The Holocaust and the Historians*. Cambridge, Mass.: Harvard University Press, 1981), Lucy S. Dawidowicz objeta contra a comparação do Holocausto a outros morticínios, como a aniquilação de Hiroshima e Nagasaki: "O propósito do bombardeio foi demonstrar o superior poderio militar da América"; "não foi motivado pelo desejo de exterminar o povo japonês" (p.17-8). Depois dessa observação evidentemente verdadeira, Dawidowicz deixa de perceber no entanto um ponto importante: o extermínio de duzentos mil

japoneses foi concebido (e executado) como um meio eficaz pretendido para atingir o objetivo estabelecido; foi, com efeito, produto da mentalidade racional para a solução de problemas.

20. Ver Karl A. Schleuner, *The Twisted Road to Auschwitz* (University of Illinois Press, 1970).

21. Michael R. Marrus, *The Holocaust in History* (Boston: University Press of New England, 1987), p.41.

22. Gerth & Mills, *From Max Weber*, p.232.

23. Browning, "The German Bureaucracy", p.147.

24. Kren & Rappoport, *The Holocaust and the Crisis*, p.70.

25. Hannah Arendt, *Eichmann in Jerusalem: a Report on the Banality of Evil* (Nova York: Viking Press, 1964), p.106.

26. Arendt, *Eichmann in Jerusalem*, p.69.

27. Hilberg, *The Destruction of the European Jews*, p.1011.

28. Ver Herbert C. Kelman, "Violence without Moral Restraint", *Journal of Social Issues*, vol.29 (1973), p.29-61.

29. Gerth & Mills, *From Max Weber*, p.95. Durante o seu julgamento, Eichmann insistiu que obedeceu não apenas ordens, mas a lei. Arendt comenta que ele (e não somente ele necessariamente) travestiu o imperativo categórico de Kant de modo tal que, em vez da autonomia individual, passa a sustentar a subordinação burocrática: "agir como se o princípio da sua ação fosse o mesmo que o do legislador ou da lei local"; Arendt, *Eichmann in Jerusalem*, p.136.

30. Citado por Robert Wolfe, "Putative Threat to National Security at a Nurenberg Defence for Genocide", *Annals of AAPSS*, n.450 (julho de 1980), p.64.

31. Hilberg, *The Destruction of the European Jews*, p.1036-8, 1042.

32. Hilberg, *The Destruction of the European Jews*, p.1024.

33. John Lachs, *Responsability of the Individual in Modern Society* (Brighton: Harvester, 1981), p.12-13, 58.

34. Philip Caputo, *A Rumour of War* (Nova York: Holt, Rinehart & Winston, 1977), p.229.

35. Fein, *Accounting for Genocide*, p.4.

36. Hilberg, *The Destruction of the European Jews*, p.1044.

37. Franklin M. Littell, "Fundamentals in Holocaust Studies", *Annals of AAPSS*, n.450 (julho de 1980), p.213.

38. Colin Gray, *The Soviet-American Arms Race* (Lexington: Saxon House, 1976), p.39, 40.

2. MODERNIDADE, RACISMO E EXTERMÍNIO I

1. Harry L. Feingold, *Menorah*, Programa de Estudos Judaicos da Virginia Commonwealth University, n.4 (verão de 1985), p.2.

2. Norman Cohn, *Warrant for Genocide* (Londres: Eyre & Spottiswoode, 1967), p.267-8.

3. Feingold, *Menorah*, p.5

4. Walter Laqueur, *Terrible Secret* (Harmondsworth: Penguin Books, 1980).

5. Cohn, *Warrant for Genocide*, p.266-7.

6. Escrevi mais extensamente sobre isso em" Exit Visas and Entry Tickets", *Telos*, inverno de 1988.

7. Eberhard Jäckel, *Hitler in History* (Boston: University Press of New England, 1964).

8. Ver *Hitler's Secret Book* (Londres: Grove Press, 1964).

9. Cohn, *Warrant for Genocide*, p.252.

10. Citado por Walter Laqueur, *A History of Zionism* (Nova York, 1972), p.188.

11. Max Weinreich, *Hitler's Professors: The Part of Scholarship in Germany' s Crimes against the Jewish People* (Nova York: Yiddish Scientific Institute, 1946), p.28.

12. W.D. Rubinstein, *The Left, the Right, and the Jews* (Londres: Croom Helm, 1982), p.78-9. Eu enunciaria esta observação de modo diferente: não foi a violência específica que resultou do confronto de diversos antissemitismos, mas precisamente o fenômeno do antissemitismo que surgiu do confronto de perspectivas.

Deve-se ressaltar que a situação social contraditória dos judeus que persistiu até a Segunda Guerra Mundial desaparece hoje rapidamente em quase todos os países ocidentais afluentes — com consequências até aqui difíceis de imaginar e calcular. Rubinstein fornece evidência estatística convincente de um maciço movimento dos judeus para o setor de classe média alta. O sucesso econômico, combinado com o desmantelamento das restrições políticas, reflete-se no perfil político da opinião judaica: "Os judeus, hoje, são conservadores em bloco"(p.118), "nem todos os neoconservadores são judeus mas a maioria dos seus líderes é" (p.124), o outrora liberal-progressista *Commentary* tornou-se um órgão militante da direita americana, o romance entre o *establishment* judaico e a direita fundamentalista está ficando cada vez mais quente. Num recente simpósio sobre "o fim da bela amizade" entre os judeus e o socialismo (ver *The Jewish Quarterly*, no. 2, 1988), Melanie Phillips confidenciou: "Tenho grande prazer em dizer aos meus amigos e conhecidos socialistas que 'sou de uma minoria étnica' e vê-los se enrolando, histéricos. Como pode ser? Sou poderosa. E a impressão dos socialistas é de que os judeus estão em posição de poder. Eles estão no governo, não estão? Eles dirigem coisas, comandam a indústria, são proprietários de terras." Enquanto isso, George Friedman questionou, retórico: "Os membros judeus do governo associaram-se a políticas impopulares. Quando a bolha atual finalmente estourar... o que acontecerá então? Onde a comunidade judaica estará nessa hora e onde estaremos nós em relação ao colapso e às frustrações da classe operária neste país?"

É interessante notar que a situação social dos judeus alemães imediatamente antes do período nazista era bastante semelhante aos padrões atuais típicos na Europa ocidental e particularmente nos Estados Unidos. Cerca de três quartos dos judeus alemães viviam então do comércio, das atividades financeiras e das profissões liberais, especialmente a medicina e o direito (contra apenas um quarto da população não judaica). O que tornou os judeus particularmente visíveis foi o seu domínio da indústria editorial, cultural e jornalística ("os jornalistas judeus eram notáveis em quase todo o espectro da imprensa liberal e de esquerda" — Donald L. Niewyk, *The Jews in Weimar Germany*. Manchester: Manchester University Press, 1980, p.15). Em função de sua situação de classe, os judeus alemães tendiam a seguir o resto da classe média nas posições políticas conservadoras. Se, apesar dessas tendências, tinham um apego acima da média a programas e partidos liberais, era sobretudo porque a direita alemã era manifestamente antissemita e, portanto, repelia de modo inflexível os recorrentes avanços judeus.

13. Anna Zuk, "A mobile class. The subjective element in the social perception of Jews: the example of eighteenth century Poland", in *Polin*, vol.2 (Oxford: Basil Blackwell, 1987), p.163-78.

14. Ver Zygmunt Bauman, *Legislators and Interpreters* (Oxford: Polity Press, 1987).

15. Citado por George L. Mosse, *Toward the Final Solution: A History of European Racism* (Londres: J.M. Dent & Son, 1978), p.154.

16. Joseph Marcus, *Social and Political History of the Jews in Poland 1919-1939* (Berlim: Mouton, 1983), p.97-8.

17. David Biale, *Power and Powerlessness in Jewish History* (Nova York: Schocken, 1986), p.132.

18. Hannah Arendt, *Origins of Totalitarianism* (Londres: Allen & Unwin, 1962), p.14.

19. P.G.J. Pulzer, *The Rise of Political Antisemitism in Germany and Austria* (Nova York: John Wiley & Sons, 1964), p.311.

20. Arendt, *Origins of Totalitarianism*, p.20.

21. Arendt, *Origins of Totalitarianism*, p.22.

22. Jacob Katz, *From Prejudice to Destruction: Anti-Semitism 1700-1933* (Cambridge, Mass.: Harvard University Press, 1980), p.161, 87.

23. Pulzer, *Rise of Political Antisemitism*, p.138-9. Pode-se sentir o sabor do transe judeu em tais casos por este exemplo: "Na Galícia oriental e na fronteira entre Lituânia e Bielorrússia, a situação era muito mais complexa e perigosa, pois lá os judeus se achavam entre dois fogos, entre duas reivindicações nacionais em choque, como acontecia também com eles em outras regiões de múltiplas etnias na Europa oriental, como a Transilvânia, a Boêmia, a Morávia e a Eslováquia. Na Galícia oriental, a população judaica identificava-se fortemente com a cultura polonesa e aquiescera sem dúvida com a supremacia política dos poloneses antes da guerra. A maioria ignorava e talvez também desprezasse a língua ucraniana e era indiferente às aspirações nacionais ucranianas. Por outro lado, a República Ocidental Ucraniana, proclamada em Lwów no outono de 1918 e de vida curta, prometia aos judeus igualdade civil e autonomia nacional, enquanto os poloneses da região não faziam nenhum esforço para esconder suas tendências antissemíticas. Sem saber quem acabaria sendo o vencedor e sem querer rifar nem os poloneses nem os ucranianos, o Conselho Nacional Judaico local proclamou sua neutralidade... [A]lguns poloneses viram nisso um sinal de sentimento pró-ucraniano e se vingaram dos judeus de Lwów depois de tomarem a cidade em novembro de 1918. Os ucranianos também reclamaram da neutralidade judaica, interpretando-a como uma continuação da tradicional atitude judia favorável aos polacos." (Ezra Mendelsohn, *The Jews of East-Central Europe Between the World Wars*. Bloomington: Indiana University Press, 1983, p.51-2.)

A história repetiu-se, quase ao pé da letra, durante a Segunda Guerra Mundial. Os judeus da Polônia oriental saudaram a chegada do Exército Vermelho em 1939 como proteção contra os nazistas, aberta e veementemente antissemitas. De novo, o que restou dos judeus poloneses após a ocupação nazista viu o avanço das tropas soviéticas como a chegada de uma força libertadora inequívoca. Para muitos poloneses, tanto os alemães quanto os russos eram, primeiro e antes de mais nada, invasores estrangeiros.

24. Geoff Dench, *Minorities in the Open Society: Prisoners of Ambivalence* (Londres: RKP, 1986), p.259.

25. Katz, *From Prejudice to Destruction*, p.3.

26. Patrick Girard, "Historical Foundations of Antisemitism", in *Survivors, Victims, and Perpetrators: Essays on the Nazi Holocaust*, Joel E. Dinsdale org. (Washington: Hemisphere Publishing Company, 1980), p.70-1. Pierre-André Taguieff publicou recentemente um estudo abrangente dos fundamentos sociopsicológicos do racismo e fenômenos correlatos, entre os quais o ressentimento da mestiçagem [*métissage*, em francês no original] desempenha um papel central. Os mestiços diferem de modo significativo de casos aparentemente semelhantes de "diluição de fronteiras". Se os desclassificados sociais, os indivíduos *declassés*, são por assim dizer descategorizados, enquanto os imigrantes tendem a não ter categoria (são acategorizados; eles existem, digamos, fora da classificação dominante e, portanto, não solapam a autoridade desta), os mestiços são sobrecategorizados: eles forçam a superação dos campos semânticos, os quais precisam ser cuidadosamente delimitados, cercados e separados se a classificação dominante pretende manter sua autoridade. (Cf. *La force du préjugé: essai sur le racisme et ses doubles*. Paris: Éditions la Découverte, 1988, p.343.)

27. Arendt, *Origins of Totalitarianism*, p.87.

28. J.S. McClelland org., *The French Right* (Londres: Jonathan Cape, 1970), p.88, 32, 178.

3. MODERNIDADE, RACISMO E EXTERMÍNIO II

1. Ver Pierre-André Taguieff, *La force du préjugé: essai sur le racisme et ses doubles* (Paris: La Découverte, 1988)

2. Taguieff, *La force du préjugé*, p.69-70. Albert Memmi, *Le racisme* (Paris: Gallimard, 1982), sustenta que o "racismo, não o antirracismo, é realmente universal" (p.157) e explica o mistério dessa suposta universalidade por referência a outro mistério: o medo instintivo invariavelmente inspirado por toda diferença. Não se compreende o *diferente*, que por essa razão se transforma em *desconhecido* — e o desconhecido é fonte de terror. Na opinião de Memmi, o horror do desconhecido "é fruto da própria história da nossa espécie, no curso da qual o desconhecido sempre gerou perigo" (p.208). Sugere-se então que a pretensa universalidade do racismo é fruto de um aprendizado da espécie. Tendo assim adquirido uma base e fundamento pré-culturais, é essencialmente imune ao impacto do aprendizado individual.

3. Taguieff, *La force du préjugé*, p.91.

4. Alfred Rosenberg, *Selected Writings* (Londres: Jonathan Cape, 1970), p.196.

5. Arthur Gütt, "Population Policy", in *Germany Speaks* (Londres: Thornton Butterworth, 1938), p.35, 52.

6. Walter Gross, "National Socialist Racial Thought", in *Germany Speaks*, p.68.

7. Ver Gerald Fleming, *Hitler and the Final Solution* (Oxford: Oxford University Press, 1986), p.23-5.

8. Alfred Rosenberg org., *Dietrich Eckart: Ein Vermächtnis* (Munique: Frz. Eher, 1928). Citado por George L. Mosse, *Nazi Culture: A Documentary History* (Nova York: Schocken Books, 1981), p.77.

9. George L. Mosse, *Toward the Final Solution: A History of European Racism* (Londres, J.M. Dent & Son, 1978), p.2.

10. Mosse, *Toward the Final Solution*, p.20.

11. Ver Mosse, *Toward the Final Solution*, p.53.

12. Max Weinreich, *Hitler's Professors: The Part of Scholarship in Germany's Crimes against the Jewish People* (Nova York: Yiddish Scientific Institute, 1946), p.56, 33.

13. H.R. Trevor-Roper, *Hitler's Table Talk* (Londres, 1953), p.332.

14. Norman Cohn, *Warrant for Genocide* (Londres: Eyre & Spottiswoode, 1967), p.87. Há ampla evidência de que a linguagem usada por Hitler quando discutia a "questão judaica" não era escolhida apenas por seu valor retórico ou propagandístico. A atitude de Hitler em relação aos judeus era visceral, não cerebral. Ele de fato sentia a "questão judaica" como uma questão de higiene — código comportamental com que tinha forte ligação e que o obcecava. Poderemos facilmente entender como a repugnância de Hitler pelos judeus emanava de e estava ligada a sua suscetibilidade autenticamente puritana face a tudo que dizia respeito a saúde e a higiene se considerarmos a resposta que deu em 1922 a uma pergunta do seu amigo Josef Hell: o que faria com os judeus se tivesse plenos poderes decisórios? Prometeu enforcar todos os judeus de Munique em patíbulos especialmente erguidos ao longo da Marienplatz, sem esquecer de frisar que os enforcados permaneceriam pendendo das forcas "até federem; ficarão pendurados lá até onde permitirem os princípios de higiene" (citado por Fleming, *Hitler and the Final Solution*, p.17). Acrescentemos que essas palavras foram proferidas num acesso de raiva, num "estado de paroxismo", com Hitler aparentemente descontrolado; mesmo assim — ou talvez justamente por isso — o culto da higiene e a obsessão da saúde revelaram a que ponto submetiam a mente de Hitler.

15. Marlis G. Steinert, *Hitler's War and the Germans: Public Mood and Attitude during the Second World War*, trad. Thomas E.J. de Witt (Athens, Ohio: Ohio University Press, 1977), p.137.

16. Raoul Hilberg, *The Destruction of the European Jews* (Nova York: Holmes & Meier, 1983), vol.III, p.1023.

17. Weinreich, *Hitler's Professors*, p.31-3, 34. A experiência dos criadores de gado e outros manipuladores biológicos foi utilizada pela ciência nacional-socialista não apenas para a solução da "questão judaica". Também inspirou toda a política social nazista. Andreas Walther, professor de sociologia em Hamburgo e principal sociólogo urbano da Alemanha nazista, ensinava que "não se pode mudar a natureza humana pela educação e a influência do ambiente... O nacional-socialismo não repetirá os erros crassos das tentativas de melhoria urbana do passado, não se limitará à construção habitacional e às melhorias sanitárias. A pesquisa sociológica determinará quem ainda pode ser salvo... Casos sem esperança serão eliminados [*ausmerzen*]." *Neue Wege zur Grosstadtsanierung* (Stuttgart, 1936), p.4. Citado por Stanislaw Tyrowics, *Swiatlo wiedzy zdeprawowanej* (Poznan [Potsdam]: Instytut Zachodni, 1970), p.53.

18. Mosse, *Toward the Final Solution*, p.134.

19. Hannah Arendt, *Origins of Totalitarianism* (Londres: Allen & Unwin, 1962), p.87.

20. Diário de Joseph Goebbels, em *Survivors, Victims, and Perpetrators: Essays on the Nazi Holocaust*, Joel E. Dinsdale org. (Washington: Hemisphere Publishing Company, 1980), p.311.

21. John R. Sabini & Maury Silver, "Destroying the Innocent with a Clear Conscience: A Sociopsychology of the Holocaust", em *Survivors, Victims, and Perpetrators*, p.329.

22. Richard Grünberger, *A Social History of the Third Reich* (Londres: Weidenfeld & Nicholson, 1971), p.460.

23. Lawrence Stokes, "The German People and the Destruction of the European Jewry", in *Central European History*, n.2 (1973), p.167-91.

24. Citado por Sarah Gordon, *Hitler, Germans and the "Jewish Question"* (Princeton: Princeton University Press, 1984), p.159-60.

25. Ver Gordon, *Hitler, Germans*, p.171.

26. Christopher R. Browning, *Fateful Months* (Nova York: Holmes & Meier, 1985), p.106.

27. *Le dossier Eichmann et la solution finale de la question juive* (Paris: Centre de Documentation Juive Contemporaine, 1960), p.52-3.

28. Gordon, *Hitler, Germans*, p.316.

29. Klaus von Beyme, *Right-Wing Extremism in Western Europe* (Londres: Frank Cass, 1988), p.5. Num recente estudo, Michael Balfour investigou as condições e motivos que levaram vários estratos da sociedade alemã durante a República de Weimar a oferecer apoio entusiástico, brando ou caloroso à investida nazista sobre o poder ou, pelo menos, a evitar uma resistência ativa a essa investida. Muitas razões são enumeradas, razões gerais e específicas a determinados segmentos da população. O apelo direto exercido pelo antissemitismo nazista aparece, porém, com destaque apenas em um caso (no da parcela instruída da *obere Mittelstand* — classe média alta — que se sentia ameaçada pela "competição desigual" dos judeus) e mesmo nesse caso meramente como um dos muitos fatores considerados atraentes ou pelo menos tentadores no programa nazista de revolução social. Ver *Withstanding Hitler in Germany 1933-45* (Londres: Routledge, 1988), p.10-28.

30. Ver Bernd Martin, "Antisemitism before and after the Holocaust", in *Jews, Antisemitism and Culture in Vienna*, Ivor Oxaal org. (Londres: Michael Pollak and Gerhard Botz, 1987).

31. *Jewish Chronicle*, 15 de julho de 1988, p.2.

32. Ver Gérard Fuchs, *Ils resteront: le défi de l'immigration* (Paris: Syros, 1987); Pierre Jouve & Ali Magoudi, *Les dits et les non-dits de Jean-Marie Le Pen: enquête et psychanalyse* (Paris: La Découverte, 1988).

4. SINGULARIDADE E NORMALIDADE DO HOLOCAUSTO

1. Raul Hilberg, "Significance of the Holocaust", in *The Holocaust: Ideology, Bureaucracy, and Genocide*, Henry Friedlander & Sybil Milton (Millwood, NY: Kraus International Publications, 1980), p.101-2.

2. Ver Colin Legum em *The Observer*, 12 de outubro de 1966.

3. Henry L. Feingold, "How Unique is the Holocaust?", in *Genocide: Critical Issues of the Holocaust*, Alex Grobman & David Landes orgs. (Los Angeles: Simon Wiesenthal Centre, 1983), p.397.

4. Feingold, "How Unique is the Holocaust?", p.401.

5. Leo Kuper, *Genocide: Its Political Use in the Twentieth Century* (New Haven: Yale University Press, 1981), p.137, 161. Os presságios de Kuper encontraram a mais sinistra confirmação nas palavras do embaixador do Iraque em Londres. Entrevistado no Canal 4 em 2 de setembro de 1988 sobre a continuação do genocídio dos curdos iraquianos, o embaixador retrucou indignado às acusações dizendo que os curdos, o bem-estar e o destino dos curdos eram assuntos internos do Iraque e que ninguém tinha o direito de interferir nas ações empreendidas por um Estado soberano dentro de suas fronteiras.

6. George A. Kren & Leon Rappoport, *The Holocaust and the Crisis of Human Behaviour* (Nova York: Holmes & Meier, 1980), p.130, 143.

7. John P. Sabini & Mary Silver. "Destroying the Innocent with a Clear Conscience: A Sociopsychology of the Holocaust", in *Survivors, Victims, and Perpetrators: Essays in the Nazi Holocaust*, Joel Dinsdale org. (Washington: Hemisphere Publishing Company, 1980), p.329-30.

8. Sarah Gordon, *Hitler, Germans, and the "Jewish Question"* (Princeton: Princeton University Press, 1984), p.48-9.

9. Kren & Rappoport, *The Holocaust and the Crisis*, p.140.

10. Joseph Weizenbaum, *Computer Power and Human Reason: From Judgement to Calculation* (São Francisco: W.H. Freeman, 1976), p.252.

11. Kren & Rappoport, *The Holocaust and the Crisis*, p.141.

12. Peter Marsh, *Aggro: The Illusion of Violence* (Londres: J.M. Dent & Sons, 1978), p.120.

13. Norbert Elias, *The Civilising Process: State Formation and Civilisation*, trad. Edmund Jephcott (Oxford: Basil Blackwell, 1982), p.238-9.

14. Robert Proctor, *Racial Hygiene: Medicine under the Nazis* (Cambridge, Mass.: Harvard University Press, 1988), p.4, 6.

15. Proctor, *Racial Hygiene*, p.315-24.

16. R.W. Darré, "Marriage Laws and the Principles of Breeding" (1930), in *Nazi Ideology before 1933: A Documentation*, trad. Barbara Hiller e Leila J. Gupp (Manchester: Manchester University Press, 1978), p.115.

17. Weizenbaum, *Computer Power*, p.256.

18. Weizenbaum, *Computer Power*, p.275.

19. Weizenbaum, *Computer Power*, p.253.

20. Jacques Ellul, *Technological System*, trad. Joachim Neugroschel (Nova York: Continuum, 1980), p.272, 273.

5. PEDINDO A COLABORAÇÃO DAS VÍTIMAS

1. Hermann Erich Seifert, *Der Jude an der Ostgrenze* (Berlim: Eher, 1940), p.82. Citado por Max Weinreich, *Hitler's Professors: The Part of Scholarship in Germany's Crimes againsnt the Jewish People* (Nova York: Yiddish Scientific Institute, 1946), p.91. Dar às elites judaicas um papel importante na implantação dos seu planos de longo prazo para a solução da "questão judaica" contrastou totalmente com o tratamento dispensado às elites das nações eslavas conquistadas, que deveriam ser escravizadas e não exterminadas. Por exemplo, as classes instruídas de etnia polonesa foram submetidas à perseguição e aniquilamento desde o primeiro dia da ocupação alemã,

muito antes de deslanchar o extermínio dos judeus poloneses. Isso confundiu o governo polonês no exílio e a opinião pública polonesa em geral, levando-os a acreditar que os judeus haviam recebido dos alemães um *status* privilegiado em comparação com os polacos. Ver David Engel, *In the Shadow of Auschwitz* (University of North Carolina Press, 1987).

2. Citado por Leo Kuper, *Genocide, Its Political Use in the Twentieth Century* (New Haven: Yale University Press, 1981), p.127.

3. Richard Grünberger, *A Social History of the Third Reich* (Londres: Weidenfeld & Nicholson, 1971), p.466.

4. Ver Hans Mommsen, "Anti-Jewish Politics and the Implications of the Holocaust", in *The Challenge of the Third Reich: The Adam von Trotta Memorial Lectures*, Hedley Bull org. (Oxford: Clarendon Press, 1986), p.122-8.

5. Ian Kershaw, *Popular Opinion and Political Dissent in the Third Reich* (Oxford: Clarendon Press, 1983), p.359, 364, 372.

6. Franklin H. Littell, "The Credibility Crisis of the Modern University", in *The Holocaust: Ideology, Bureaucracy, and Genocide*, Henry Friedlander & Lythel Milton orgs. (Millwood, NY: Kraus International Publications, 1980), p.274, 277, 272.

7. Alan Beyerchen, "The Physical Sciences", in *The Holocaust: Ideology, Bureaucracy, and Genocide*, p.158-9.

8. Léon Poliakoff, *The History of Antisemitism* (Oxford: Oxford University Press, 1985), vol.IV.

9. Joachim C. Fest, *The Face of the Third Reich*, trad. Michael Bullock (Harmondsworth: Penguin Books, 1985), p.394.

10. Richard Grünberger, *A Social History of the Third Reich*, p.313.

11. Norman Cohen, *Warrant for Genocide* (Londres: Eyre & Spottiswoode, 1967), p.268.

12. Raul Hilberg, *The Destruction of the European Jews* (Nova York: Holmes & Meier, 1985), vol.I, p.78-9, 76.

13. Hannah Arendt, *Eichmann in Jerusalem* (Nova York: Viking Press, 1964), p.132.

14. Arendt, *Eichmann in Jerusalem*, p.118. Este julgamento não era inteiramente fantasioso; refletia uma longa tradição das práticas e opiniões das elites anfitriãs, que apenas Hitler e Himmler — não sem alguma resistência de suas próprias fileiras — ousaram derrubar. Já em 16 de dezembro de 1941, Wilhelm Kube, dirigente nazista experimentado, inescrupuloso e maduro, fez uma petição aos superiores em prol dos judeus alemães entregues a seus *cuidados especiais* [*Sonderbehandlung*]: "[a]s pessoas que vêm de nossa esfera cultural são bem diferentes, admito, das hordas nativas incultas" (citado por Weinreich, *Hitler's Professors*, p.155). Há um documento bizarro, produzido pelo *Geheime Sicherheitsamt* (Serviço Secreto de Segurança) de Berlim em 1º de março de 1940, que indicava o dr. Arthur Spier, diretor da Escola Talmúdica de Torá de Hamburgo, "para criar na Reserva Judia da Polônia [que era então planejada para os arredores de Nisko] um sistema de educação geral judia similar ao instituído no Reich". Este último era considerado, de longe, como superior a tudo o que os judeus inferiores, não bafejados pela cultura alemã, poderiam criar. Solomon Colodner, *Jewish Education in Germany under the Nazis* (Jewish Education Committee Press, 1964), p.33-4.

15. Citado por Lucjan Dobroszycki, "Jewish Elites under German Rule", in *The Holocaust: Ideology, Bureaucracy, and Genocide*, p.223.

16. Jacques Adler, *The Jews of Paris and the Final Solution* (Oxford: Oxford University Press, 1987), p.223-4.

17. Hilberg, *The Destruction of the European Jews*, vol.III, p.1042.

18. Helen Fein, *Accounting for Genocide* (Nova York: Free Press, 1979), p.319.

19. Isaiah Trunk, *Judenrat: The Jewish Councils in Eastern Europe under German Occupation* (Londres: Macmillan, 1972), p.401.

20. Citado por Trunk, *Judenrat*, p.407.

21. Trunk, *Judenrat*, p.418, 419.

22. Assim escreve Maimônides: "Se os pagãos lhes disserem 'dai-nos um dos vossos e o mataremos, do contrário mataremos a todos vós', deveriam ser todos mortos, pois não se entrega uma única alma judia." *Os fundamentos da Torá*, 5/5. Também *Pirkei Abboth*: "Um homem certa feita compareceu diante de Reba e lhe disse: 'O governante da minha cidade ordenou-me que matasse uma pessoa e, se eu me recusasse, ele me mataria.' Reba disse-lhe: 'Seja morto, mas não mate. Você acha que o seu sangue é mais vermelho que o dele? Talvez o dele seja mais vermelho que o seu.'" (Pes. 25b). O *Talmude de Jerusalém* instrui: "Um grupo de judeus viajava por uma estrada quando alguns gentios os encontraram e disseram: 'Dai-nos um de vós para que o matemos, do contrário mataremos a todos vós!' Mesmo que todos tivessem que ser mortos, não deveriam entregar uma só alma de Israel." Na hipótese de os inimigos indicarem eles próprios uma pessoa específica que desejem punir, as opiniões das autoridades dividem-se. Mesmo esse caso, porém, o Talmude aconselha considerar à luz da seguinte história: "Ulla bar Koshev era procurado pelo governo. Buscou refúgio com o rabino Joshua ben Levi em Lod. As forças do governo vieram e cercaram a cidade. Disseram: 'Se não o entregardes a nós, destruiremos a cidade.' O rabino Joshua foi a Ulla bar Koshev e o persuadiu a se entregar. [O profeta] Elias costumava aparecer ao rabino Joshua, mas daquele momento em diante deixou de fazê-lo. O rabino Joshua jejuou muitos dias e finalmente Elias lhe apareceu. 'Devo aparecer a informantes?' — perguntou. Disse o rabino Joshua: 'Segui a lei.' Elias retrucou: 'Mas a lei é para santos?'" (*Trumot* 8:10).

23. Citado por Trunk, *Judenrat*, p.423.

24. Citado por Trunk, *Judenrat*, p.xxxii.

25. Citado por Trunk, *Jewish Responses to Nazi Persecution: Collective and Individual Behaviour in Extremis* (Nova York: Stein & Day, 1979), p.75-6.

26. Mark Edelman, *Ghetto walczy* (Varsóvia: C.K. Bundu, 1945), p.12-4.

27. Hilberg, *The Destruction of the European Jews*, vol.III, p.1036.

28. Wladyslaw Szlengel, *Co czytalem umarlym* (Varsóvia, PIW, 1979), p.46, 49, 44.

29. Citado por Trunk, *Judenrat*, p.447-9.

6. A ÉTICA DA OBEDIÊNCIA (LENDO MILGRAM)

1. Stanley Milgram, *The Individual in a Social World* (Reading, Mass.: Addison and Wesley, 1971), p.98.

2. Richard Christie, "Authoritarianism Re-examined", in *Studies in the Scope and Method of 'The Authoritarian Personality'*, Richard Christie & Marie Jahöda orgs. (Glencoe, Ill.: Free Press, 1954), p.194.

3. Stanley Milgram, *Obedience to Authority: An Experimental View* (Londres: Tavistock, 1974), p.xi.

4. Milgram, *Obedience to Authority*, p.121.

5. Milgram, *Obedience to Authority*, p.39.

6. John P. Sabini & Maury Silver, "Destroying the Innocent with a Clear Conscience: A Sociopsychology of the Holocaust", in *Survivors, Victims, and Perpetrators: Essays on the Nazi Holocaust*, Joel Dinsdale org. (Washington: Hemisphere Publishing Corporation, 1980), p.342.

7. Milgram, *Obedience to Authority*, p.142, 146.

8. Milgram, *Obedience to Authority*, p.11.

9. Milgram, *Obedience to Authority*, p.104.

10. Milgram, *Obedience to Authority*, p.133.

11. Milgram, *Obedience to Authority*, p.107.

12. Milgram, *The Individual in a Social World*, p.96-7.

13. Ver Craig Haney, Curtis Banks & Philip Zimbardo, "Interpersonal Dynamics in a Simulated Prison", *International Journal of Criminology and Penology*, vol.I (1973), p.69-97.

14. Ver Amitai A. Etzioni, "A Model of Significant Research", *International Journal of Psychiatry*, vol.VI (1968), p.279-80.

15. John M. Steiner, "The SS Yesterday and Today: A Sociopsychological View", in *Survivors, Victims, and Perpetrators*, p.431.

7. PARA UMA TEORIA SOCIOLÓGICA DA MORALIDADE

1. Ver Zygmunt Bauman, *Legislators and Interpreters* (Oxford: Polity Press, 1987), caps. 3, 4.

2. Em várias interpretações e elaborações de temas de Durkheim tem sido amplamente aceito que o paradigma da "produção social da moralidade" não se aplica à Sociedade com *S* maiúsculo, isto é, aquela que indica a sociedade nação-Estado plenamente equipada. Dentro dessa "grande sociedade", é reconhecida a presença de mais de um sistema moral com autoridade; alguns podem até ser contrários à natureza do sistema moral promovido pelas instituições da "grande sociedade". Para o nosso problema, no entanto, o ponto relevante não é o monismo ou pluralismo moral ou a "grande sociedade", mas o fato de que na perspectiva de Durkheim qualquer norma moral impositiva, por minúscula que seja na sua aplicação, tem que ter uma origem social e ser imposta por sanções coercitivas socialmente operantes. Nessa perspectiva, a imoralidade é sempre, por definição, antissocial (ou, ao contrário, o antissocial é por definição amoral); com efeito, a linguagem de Durkheim não permite a formulação de outra origem para o comportamento moral que não a social. A alternativa à conduta socialmente regulada é a produzida por impulsos animais, não humanos.

3. Richard L. Rubenstein, *The Cunning of History* (Nova York: Harper, 1978), p.91.

4. Richard L. Rubenstein & John Roth, *Approaches to Auschwitz* (São Francisco: SCM Press, 1987), p.324.

5. Hannah Arendt, *Eichmann in Jerusalem: A Report on the Banality of Evil* (Nova York: Viking Press, 1964), p.294-5. A Alemanha perdeu a guerra; então, os assassi-

natos cometidos na direção do país foram definidos como crimes e violações das regras morais que transcendem a autoridade do poder estatal. A União Soviética estava entre os vitoriosos; então, os assassinatos sancionados por seus governantes, embora bem menos odiosos que os alemães, ainda esperam tratamento similar — e isso apesar do árduo trabalho preliminar realizado de forma cada vez mais completa pela era da *glasnost*. Embora só uns poucos dos terríveis mistérios do genocídio stalinista tenham sido revelados, sabemos agora que os assassinatos em massa na URSS não foram menos sistemáticos e metódicos que os praticados mais tarde pelos alemães e que as técnicas usadas pelos *Einsatzgruppen* foram tentadas primeiro em escala maciça pela formidável burocracia da NKVD. Em 1988, por exemplo, um semanário bielo-russo, *Literatura i Mastactva*, publicou as descobertas de Z. Pozniak e J. Shmygaliev ("Kuropaty — A estrada da morte", posteriormente republicado pela *Sovietskaya Estonia* e pela *Moskovskiye Novosti*) sobre as sepulturas coletivas encontradas ao redor de todas as grandes cidades da Bielorrússia, repletas em 1937-40 com centenas de milhares de cadáveres, todos com buracos de bala na nuca ou no crânio. Junto com os "inimigos do povo" de cada lugar, jaziam nessas fossas comuns cidadãos poloneses deportados dos territórios orientais da Polônia recém-anexados. "A maioria dos objetos encontrados na fossa Nº 5 deve ter pertencido à *intelligentsia*. Entre eles havia artigos de toucador, óculos, monóculos e remédios em grande quantidade, além de calçados de boa qualidade, muitos feitos sob medida, sapatos femininos da moda e luvas elegantes. A julgar pelo inventário dos objetos encontrados e pelo fato de que em muitos casos estavam cuidadosamente embrulhados (e por outras evidências — como a presença de provisões alimentares e valises), pode-se concluir que as vítimas deixaram seus lares pouco antes de serem mortas e não foram mantidas prisioneiras em preparação para os assassinatos. É possível supor que foram 'liquidadas' (segundo a expressão corrente) sem julgamento." (Citado por um informe polonês, "Strzelano w tyl glowy", *Konfrontacje*, novembro de 1988, p.19). Por tudo o que sabemos, as descobertas dos dois dinâmicos jornalistas são apenas a ponta proverbial de um *iceberg*.

6. Alfred Schutz, "Sartre's Theory of the Alter Ego", in *Collected Papers*, vol.I (Haia: Martinus Nijhoff, 1967), p.189.

7. Emmanuel Levinas, *Ethics and Infinity: Conversations with Philippe Nemo*, trad. Richard A. Cohen (Pittsburgh: Duquesne University Press, 1982), p.95-101.

8. Hans Mommsen, "Anti-Jewish Politics and the Interpretation of the Holocaust", in *The Challenge of the Third Reich: The Adam von Trott Memorial Lectures*, Hedley Bull org. (Oxford: Clarendon Press, 1986), p.117.

9. Arendt, *Eichmann in Jerusalem*, p.106.

10. Martin Broszat, "The Third Reich and the German People", in *The Challenge of the Third Reich*, p.90.

11. Ver Karl A. Schleunes, *The Twisted Road to Auschwitz: Nazi Policy Toward German Jews 1933-39* (University of Illinois Press, 1970), p.80-8.

12. Ver Ian Kershaw, *Popular Opinion and Political Dissent in the Third Reich* (Oxford: Clarendon Press, 1983).

13. Dennis E. Showalter, *Little Man, What Now?* (Nova York: Archon Books, 1982), p.85.

14. Citado por Joachim C. Fest, *The Face of the Third Reich* (Harmondsworth: Penguin Books, 1985), p.177.

15. Kershaw, *Popular Opinion and Political Dissent*, p.275, 371-2.

16. Kershaw, *Popular Opinion and Political Dissent*, p.370.

17. Mommsen, "Anti-Jewish Politics", p.128.

18. Raul Hilberg, *The Destruction of the European Jews*, vol.III (Nova York: Holmes & Meier, 1987), p.999.

19. Ver Helen Fein, *Accounting for Genocide: National Response and Jewish Victimization during the Holocaust* (Nova York: Free Press, 1979).

20. Mommsen, "Anti-Jewish Politics", p.136.

21. Mommsen, "Anti-Jewish Politics", p.140.

22. Philip Caputo, *A Rumour of War* (Nova York: Holt, Rinehart & Winston, 1977), p.229.

23. John Lachs, *Responsability and the Individual in Modern Society* (Brighton: Harvester, 1981), p.12, 13, 57-8.

24. Christopher R. Browning, *Fateful Months: Essays on the Emergence of the Final Solution* (Nova York: Holmes & Meier, 1985), p.66-7.

25. Christopher R. Browning, "The Government Experts", in *The Holocaust: Ideology, Bureaucracy, and Genocide*, Harry Friedlander e Sybil Milton, orgs. (Millwood, NY: Kraus International Publications, 1980), p.190.

26. Browning, *Fateful Months*, p.64-5.

27. Nas suas conversações com Charbonnier, Claude Lévi-Strauss definiu nossa moderna civilização como *antropoêmica*, por oposição às *antropofágicas* culturas "primitivas"; estas "devoram" seus adversários, enquanto nós os "vomitamos" (separamos, segregamos, expurgamos, excluímos do nosso universo de obrigações humanas).

28. A atribuição pelo mito legitimador da Civilização Ocidental de todos os impulsos naturais (isto é, pré-sociais) — e, portanto, da "responsabilidade pelo outro" em condições de proximidade — à categoria de "instintos animais" e pela mentalidade burocrática à categoria de forças irracionais é mais do que casualmente reminiscente da difamação de todas as tradições de base local e comunitária durante a cruzada cultural que acompanhou o enraizamento do Estado moderno e a promoção de suas pretensões universalistas e absolutistas. Ver Zygmunt Bauman, *Legislators and Interpreters* (Oxford: Polity Press, 1987), cap.4.

29. Raul Hilberg, "The Significance of the Holocaust", in *The Holocaust: Ideology, Bureaucracy, and Genocide*, p.98, 99.

1ª EDIÇÃO [1998]

ESTA OBRA FOI COMPOSTA POR TOPTEXTOS EDIÇÕES GRÁFICAS
EM TIMES NEW ROMAN E IMPRESSA PELA UMLIVRO EM PROCESSO
DE IMPRESSÃO SOB DEMANDA SOBRE PAPEL OFFSET DA SUZANO S.A.
PARA A EDITORA SCHWARCZ A PARTIR DE MAIO DE 2020